Het Huis van Zijde

Anthony Horowitz

Het Huis van Zijde

Vertaald door Dennis Keesmaat

2011 Prometheus Amsterdam

Oorspronkelijke titel *The House of Silk*
© 2011 Anthony Horowitz
© 2011 Nederlandse vertaling Uitgeverij Prometheus en Dennis Keesmaat
Omslagontwerp Havok Studios
Foto omslag Simone Schut
Foto auteur Murdo Macleod
Zetwerk Mat-Zet bv, Soest
www.uitgeverijprometheus.nl
ISBN 978 90 446 2002 3

Voor mijn goede vriend Jeffrey S. Joseph

Woord vooraf

Ik heb vaak stilgestaan bij de merkwaardige reeks omstandigheden die geleid hebben tot mijn lange samenwerking met een van de meest opmerkelijke personen van mijn tijd. Als ik filosofisch was ingesteld zou ik me kunnen afvragen in hoeverre we de hand in ons eigen lot hebben en of we ooit de verreikende gevolgen kunnen voorspellen van gebeurtenissen die op het moment zelf volkomen onbeduidend lijken.

Zo was het mijn neef Arthur die me voordroeg als assistent-chirurg bij het vijfde regiment Northumberland Fusiliers, omdat hij dacht dat het een nuttige ervaring voor me zou zijn. Hij had onmogelijk kunnen voorzien dat ik een maand later naar Afghanistan gestuurd zou worden. Rond die tijd was het conflict dat bekend zou komen te staan als de Tweede Anglo-Afghaanse oorlog nog niet begonnen. En wat te denken van de ghazi die bij Maiwand met een enkele beweging van zijn vinger een kogel door mijn schouder joeg? Er stierven die dag negenhonderd Britten en Indiërs, en het was ongetwijfeld zijn bedoeling dat ik er daar een van zou zijn. Maar hij richtte niet goed, en ik raakte weliswaar ernstig gewond, maar werd gered door Jack Murray, mijn trouwe en goedmoedige ordonnans die erin slaagde me over de rug van een paard te gooien en me over meer dan drie kilometer vijandig terrein terugbracht naar de Britse linies.

Murray stierf in september van dat jaar bij Kandahar, dus hij zou nooit te weten komen dat ik eenmaal weer thuis werd afgekeurd, en dat ik me vervolgens enkele maanden – als klein eerbetoon aan de moeite die hij voor me had gedaan – wijdde aan een enigszins onverschillig bestaan aan de zelfkant van de Londense maatschappij. Aan het einde van die periode overwoog ik ernstig naar de zuidkust te verhuizen, een noodzakelijkheid die me opgedrongen werd door de harde realiteit van geld dat snel opraakte. Ik kreeg ook te horen dat de zeelucht misschien goed zou zijn voor mijn gezondheid. Goedkopere kamers in Londen zouden een wenselijker alternatief zijn, en ik trok bijna in bij een effectenmakelaar op Euston Road. Het gesprek verliep echter niet goed en meteen daarna nam ik een besluit. Het zou Hastings worden: minder gezellig misschien dan Brighton, maar voor half geld. Mijn persoonlijke eigendommen werden ingepakt. Ik was klaar om te vertrekken.

Maar nu komen we te spreken over Henry Stamford, geen goede vriend van me maar een kennis die me had verzorgd in het St-Bart's. Als hij de avond ervoor niet had gedronken, zou hij geen hoofdpijn hebben gehad, en als hij geen hoofdpijn had gehad, zou hij misschien geen vrije dag hebben genomen van het chemisch laboratorium waar hij nu werkte. Hij hing rond bij Piccadilly Circus en besloot via Regent Street naar Arthur Liberty's East India House te gaan om een cadeautje voor zijn vrouw te kopen. Het is vreemd om te bedenken dat als hij de andere kant op was gelopen, hij niet tegen me opgebotst zou zijn toen ik uit café Criterion was gekomen, en dan zou ik Sherlock Holmes misschien nooit hebben leren kennen.

Want zoals ik ergens anders al heb opgeschreven, was het Stamford die opperde dat ik de woonruimte zou delen met een man van wie hij dacht dat hij een chemisch analyticus was en die in hetzelfde ziekenhuis als hij werkte. Stamford stelde me voor aan Holmes, die op dat moment experimenteerde met een methode om bloedvlekken te isoleren. Onze eerste kennismaking was vreemd, verontrustend en in elk geval gedenkwaardig... een goede aanwijzing voor wat er zou volgen.

Dit was het grote keerpunt in mijn leven. Ik had nooit literaire ambities gehad. Sterker nog: als iemand gezegd zou hebben dat ik ooit verhalen zou publiceren, zou ik daar hartelijk om gelachen hebben. Maar ik denk dat ik in alle eerlijkheid en zonder mezelf mooier af te schilderen dan ik ben kan zeggen dat ik heel vermaard ben geworden door de manier waarop ik geschreven heb over de avonturen van deze grote man, en ik voelde me zeer vereerd toen ik gevraagd werd te spreken tijdens zijn herdenkingsdienst in Westminster Abbey, een uitnodiging die ik beleefd afsloeg. Holmes had vaak de spot gedreven met mijn schrijfstijl, en ik dacht onwillekeurig dat zodra ik mijn plek had ingenomen achter de kansel ik hem naast mijn schouder zou voelen en dat hij zich aan gene zijde vrolijk zou hebben gemaakt over wat ik te zeggen had.

Hij was altijd van mening dat ik zijn talent en zijn buitengewone inzichten overdreef. Hij lachte om de manier waarop ik mijn verhaal construeerde zodat er voor het einde nog een oplossing mogelijk bleef waarvan hij zwoor dat hij die na de eerste paragrafen al had gededuceerd. Hij beschuldigde me meer dan eens van vulgaire romantiek, en vond me niet beter dan een broodschrijver. Maar over het algemeen denk ik dat hij onredelijk was. In alle jaren dat ik hem gekend heb, heb ik Holmes nooit een roman zien lezen, met uitzondering van de ergste soort sensatiebeluste lectuur. En hoewel ik niets over mijn eigen beschrijvende vermogens kan beweren, durf ik best te zeggen dat die hun werk deden en dat hij het zelf niet beter had kunnen doen. Dat gaf Holmes ook toe toen hij eindelijk de pen op het papier zette en in zijn eigen woorden de merkwaardige zaak van Godfrey Emsworth beschreef. Dit verhaal werd gepresenteerd als 'Het avontuur van de gebleekte soldaat', een titel die wat mij betreft tekortschiet, want bleken is toepasselijker voor wol.

Zoals ik al zei heb ik enige erkenning gekregen voor mijn literaire inspanningen, maar daar ging het natuurlijk nooit om. Door de lotswendingen die ik hier uiteen heb gezet, was ik degene die uitverkoren werd om de prestaties van 's werelds meest vooraanstaande raadgevend detective aan het licht te brengen, en ik heb niet minder dan zestig avonturen aan een enthousiast publiek gepresenteerd. Wat mij betreft waardevoller was echter mijn lange vriendschap met de man zelf.

Het is een jaar geleden dat Holmes gevonden werd in zijn huis in de heuvels van Zuid-Engeland. Hij lag roerloos op de grond, dat machtige brein voorgoed het zwijgen opgelegd. Toen ik het nieuws hoorde, besefte ik dat ik niet alleen mijn trouwe metgezel en vriend was kwijtgeraakt, maar in veel opzichten ook de reden voor mijn bestaan. Twee huwelijken, drie kinderen, zeven kleinkinderen, een succesvolle loopbaan in de geneeskunde en de Orde van Verdienste die in 1908 aan me werd uitgereikt door zijne majesteit koning Edward – voor de meeste mensen zou het misschien genoeg zijn, maar voor mij niet. Ik mis hem tot op de dag van vandaag, en soms, als ik niet kan slapen, denk ik dat ik ze nog steeds hoor, die vertrouwde woorden: 'Het spel is begonnen, Watson!' Die herinneren me er alleen maar aan dat ik nooit meer met mijn trouwe dienstrevolver in de hand de duisternis en wervelende mist van Baker Street in zal snellen. Ik stel me Holmes vaak voor als iemand die me opwacht aan de andere kant van de grote schaduw die niemand spaart, en als ik eerlijk ben verlang ik ernaar me bij hem te voegen. Ik ben alleen. Mijn oude wond zal me de rest van mijn dagen kwellen, en terwijl er op het continent een vreselijke en zinloze oorlog woedt, merk ik dat ik de wereld waarin ik leef niet langer begrijp.

Dus waarom pak ik mijn pen nog één laatste keer op om herinneringen aan te wakkeren die maar beter vergeten kunnen worden? Misschien zijn mijn redenen zelfzuchtig. Het zou kunnen dat ik net als zo veel mannen die het grootste deel van hun leven achter zich hebben een soort vertroosting zoek. De verpleegsters die me verzorgen verzekeren me dat schrijven therapeutisch is en dat het zal voorkomen dat ik in de stemmingen verval waar ik zo vatbaar voor ben. Maar er is nog een andere reden.

De avonturen van de man met de platte pet en het Huis van Zijde waren in bepaalde opzichten de meest sensationele in Holmes' loopbaan, maar destijds was het niet mogelijk voor me om ze te vertellen, om redenen die glashelder zullen worden. Het feit dat deze verhalen verbonden raakten, betekende dat ze niet gescheiden konden worden. En toch heb ik ze altijd op willen schrijven om de canon van Holmes te voltooien. Wat dat betreft ben ik een chemicus die op zoek is naar een formule, of misschien een verzamelaar van zeldzame postzegels die niet echt trots kan zijn op zijn catalogus als hij weet dat er twee of drie ontbreken. Ik kan er niets aan doen. Het móet gebeuren.

Eerder was het niet mogelijk, en dan heb ik het niet alleen over Holmes' algemeen bekende afkeer voor publiciteit. Nee, de gebeurtenissen die ik ga beschrijven waren eenvoudigweg te schandelijk, te stuitend om in druk te verschijnen. Dat zijn ze nog steeds. Het is niet overdreven om te suggereren dat de structuur van de maatschappij erdoor uiteen zou kunnen scheuren, en zeker ten tijde van oorlog kan ik dat niet riskeren. Als ik klaar ben, aangenomen dat ik de kracht heb om de taak te volbrengen, laat ik het manuscript inpakken en opsturen naar de kluis van Cox and Co. in Charing Cross, waar nog meer persoonlijke papieren van me liggen. Ik zal instructies geven dat het pakket pas over honderd jaar mag worden geopend. Het is onmogelijk voor te stellen hoe de wereld er dan uit zal zien, welke vorderingen de mensheid gemaakt zal hebben, maar misschien zijn toekomstige lezers beter bestand tegen schandalen en corruptie dan de mijne geweest zouden zijn. Hun laat ik nog één laatste portret van de heer Sherlock Holmes na, en een perspectief dat niet eerder is getoond.

Maar ik heb genoeg energie verspild aan mijn eigen beslommeringen. Ik had de deur van 221b Baker Street al moeten openen en de kamer al moeten binnengaan waar zo veel avonturen zijn begonnen. Ik zie het nu voor me, de gloed van de lamp achter het glas en de zeventien treden die me vanaf de straat wenken om naar boven te komen. Wat lijken ze ver weg, wat is het lang geleden dat ik daar voor het laatst was. Ja. Daar heb je hem, met de pijp in de hand. Hij draait zich naar me om. Hij glimlacht. 'Het spel is begonnen…'

I

De kunsthandelaar uit Wimbledon

'Griep is onaangenaam,' merkte Sherlock Holmes op, 'maar je hebt gelijk: met de zorgen van je vrouw is het kind er vast snel weer bovenop.'

'Ik hoop het van harte,' antwoordde ik, waarna ik zweeg en hem met grote ogen van verbazing aankeek. Mijn thee was op weg naar mijn mond geweest, maar ik zette het kopje zo hard weer op het schoteltje dat ze bijna van elkaar gescheiden werden. 'In hemelsnaam, Holmes!' riep ik uit. 'Je raadt mijn gedachten. Ik zweer dat ik met geen woord over de jongen of zijn ziekte heb gerept. Je weet dat mijn vrouw weg is, dat heb je kunnen afleiden uit mijn aanwezigheid hier. Maar ik heb je nog niet verteld waarom ze vertrokken is, en ik weet zeker dat je aan mijn gedrag niets hebt kunnen afleiden.'

Dit gesprek vond plaats in de laatste dagen van november van het jaar 1890. Londen was in de greep van een genadeloze winter, met straten die zo koud waren dat de gaslantaarns bevroren leken en het weinige licht dat ze uitstraalden opging in eindeloze mist. Buiten doolden mensen als geesten over de trottoirs, het hoofd gebogen en met bedekt gezicht, terwijl de clarences voorbij kletterden met paarden die niet konden wachten om weer thuis te zijn. En ik was blij dat ik binnen was, met een laaiend vuur in de haard, de vertrouwde geur van tabak en – ondanks de wanorde en chaos waarmee mijn vriend zich wenste te omringen – het gevoel dat alles klopte.

Ik had getelegrafeerd dat ik van plan was mijn oude kamer te betrekken en een poosje bij Holmes in te trekken, en het deed me deugd een instemmend bericht terug te ontvangen. Mijn praktijk redde het wel zonder mij. Ik was tijdelijk alleen, en ik was van plan voor mijn vriend te zorgen tot ik er zeker van was dat hij volledig hersteld was. Holmes had zich namelijk drie dagen en nachten doelbewust uitgehongerd en eten noch water genuttigd om een schurk die Culverton Smith heette wijs te maken dat hij de dood in de ogen keek. De list was goed uitgevallen en de heer Smith was nu in de bekwame handen van inspecteur Morton van Scotland Yard. Ik maakte me echter nog steeds zorgen over de inspanning die Holmes van zichzelf had gevergd en het leek me raadzaam een oogje op hem te houden tot zijn stofwisseling weer helemaal op orde was.

Het deed me daarom deugd te zien dat hij een groot bord vol scones met room en viooltjeshoning nuttigde, en daarbij nog thee met evenveeltjes. Dit alles was op een dienblad binnengebracht en voor ons neergezet door mevrouw Hudson. Holmes leek aan de beterende hand, zoals hij daar in zijn kamerjas op zijn gemak in de grote leunstoel zat, met zijn voeten uitgestrekt voor het vuur. Hij had altijd een onmiskenbaar mager en zelfs hol fysiek gehad, met scherpe ogen die werden geaccentueerd door zijn haviksneus, maar zijn huid had in elk geval weer enige kleur, en alles aan zijn stem en gedrag wees erop dat hij weer bijna de oude was.

Hij had me hartelijk begroet, en toen ik tegenover hem was gaan zitten had ik het merkwaardige gevoel dat ik ontwaakte uit een droom. Het was alsof de afgelopen twee jaren nooit hadden plaatsgevonden: dat ik mijn geliefde Mary niet had leren kennen, niet met haar getrouwd was en dat we niet naar onze woning in Kensington waren verhuisd, die we hadden betaald met de opbrengst van de Agra-parels. Ik had hier nog steeds als vrijgezel met Holmes kunnen wonen en de opwinding van de achtervolging en de ontrafeling van een nieuw mysterie met hem kunnen delen.

En ik bedacht dat hij dat misschien wel had gewild. Holmes sprak zelden over mijn huiselijk leven. Tijdens mijn bruiloft was hij in het buitenland geweest en ik had destijds al vermoed dat dat misschien niet helemaal toevallig was. Niet dat het onderwerp van mijn huwelijk helemaal niet mocht worden aangesneden, maar er was een stilzwijgende afspraak dat we het er niet uitgebreid over hadden. Holmes kon duidelijk zien dat ik gelukkig en tevreden was, en hij was ruimhartig genoeg om me dat te gunnen. Toen ik was aangekomen, had hij naar mevrouw Watson geïnformeerd, maar verder had hij geen vragen gesteld en ik had niets meegedeeld, wat zijn opmerkingen des te raadselachtiger maakte.

'Je kijkt me aan alsof ik een magiër ben,' merkte Holmes met een lachje op. 'Ik neem aan dat je het werk van Edgar Allan Poe hebt opgegeven?'

'Bedoel je zijn detective, Dupin?' vroeg ik.

'Hij gebruikte een methode die hij "ratiocinatie" noemde. Hij was van mening dat het mogelijk was de diepste gedachten van mensen te doorgronden zonder dat ze ook maar een woord hoefden te zeggen. Dat kon door eenvoudigweg hun bewegingen te bestuderen, het trillen van een wenkbrauw volstond al. Dat idee maakte destijds veel indruk op me, maar ik meen me te herinneren dat jij er enigszins smalend over deed.'

'En daar zal ik nu ongetwijfeld voor boeten,' beaamde ik. 'Maar Holmes, wil je me nu echt vertellen dat je aan het gedrag dat ik vertoon terwijl ik een bord met scones eet kunt afleiden dat een kind dat je nog nooit hebt gezien ziek is?'

'Dat en nog wel meer,' antwoordde Holmes. 'Ik weet dat je zojuist bent aangekomen op Holborn Viaduct. Dat je halsover-kop van huis bent gegaan maar toch te laat was voor de trein. Misschien komt dat doordat jullie momenteel geen dienstmeis-je hebben.'

'Nee, Holmes!' riep ik uit. 'Dat is onmogelijk!'

'Heb ik het mis?'

'Nee. Het klopt allemaal. Maar hoe is het mogelijk…'

'Het is eenvoudigweg een kwestie van observatie en deduc-tie, het ene leidt tot het andere. Als ik het je zou uitleggen, zou het allemaal hopeloos kinderlijk lijken.'

'En toch sta ik erop dat je dat doet.'

'Welnu, aangezien je zo goed bent geweest om naar me toe te komen, zal ik wel moeten,' antwoordde Holmes met een geeuw. 'Laten we beginnen met de omstandigheid die je hier brengt. Als mijn geheugen me niet in de steek laat ben je in-middels bijna twee jaar getrouwd, nietwaar?'

'Inderdaad, Holmes. Overmorgen.'

'Dat is dan een merkwaardig moment om weg te gaan bij je vrouw. Zoals je zelf al zei wijst het feit dat je ervoor gekozen hebt om naar mij te komen, en dat nog wel voor een langere periode, erop dat ze een dwingende noodzaak had om af-scheid van je te nemen. En wat kon die noodzaak zijn? Als ik het me goed herinner kwam juffrouw Mary Morston – zoals ze ooit heette – uit India naar Engeland en had ze hier geen vrienden of familie. Ze werd in dienst genomen als gouver-nante en zorgde voor de zoon van ene mevrouw Cecil Forres-ter in Camberwell, waar jij haar natuurlijk hebt leren kennen. Mevrouw Forrester was heel goed voor haar, vooral toen Mary haar nodig had, en ik stel me zo voor dat ze nog steeds goed bevriend zijn.'

'Dat is inderdaad het geval.'

'En als íemand je vrouw al zou vragen om weg te gaan van

huis, ligt het voor de hand dat mevrouw Forrester dat zou zijn. Ik vraag me vervolgens af wat de reden was dat ze haar sommeerde, en met dit koude weer is de ziekte van een kind het eerste wat me te binnen schiet. Het is voor de zieke ongetwijfeld een troostrijke gedachte om zijn gouvernante weer bij zich te hebben.'

'Hij heet Richard en hij is negen jaar,' beaamde ik. 'Maar hoe kun je zo zeker weten dat het griep is, en geen ernstiger ziekte?'

'Als het ernstiger was, zou je erop hebben gestaan om zelf naar hem toe te gaan.'

'Tot nu toe kan ik je redenering helemaal volgen,' zei ik. 'Maar dat verklaart nog niet hoe je wist dat ik precies op dat moment aan hen dacht.'

'Je moet me vergeven als ik zeg dat je een open boek voor me bent, mijn beste Watson, en dat er bij elke beweging die je maakt een nieuwe pagina wordt omgeslagen. Terwijl je daar van je thee zat te nippen, merkte ik dat je blik naar de krant op het tafeltje naast je ging. Je keek vluchtig naar de kop en stak toen je hand uit om de krant om te draaien. Waarom? Misschien raakte je van streek bij het verslag over het spoorwegongeluk bij Norton Fitzwarren. De eerste bevindingen van het onderzoek naar de dood van tien passagiers zijn vandaag bekendgemaakt, en dat was vlak nadat je je vrouw had achtergelaten op een station natuurlijk wel het laatste wat je wilde lezen.'

'Dat deed me inderdaad aan haar reis denken,' moest ik toegeven. 'Maar de ziekte van het kind?'

'Na de krant richtte je je aandacht op het stukje tapijt naast het bureau en ik zag je duidelijk glimlachen. Daar heeft ooit je dokterstas gestaan en daardoor moest je ongetwijfeld aan de reden van het bezoek van je vrouw denken.'

'Dat is allemaal giswerk, Holmes,' hield ik vol. 'Zo heb je

het over Holborn Viaduct. Het had elk station in Londen wel kunnen zijn.'

'Je weet dat ik giswerk afkeur. Soms is het nodig bewijzen met behulp van de verbeelding aan elkaar te koppelen, maar dat is iets heel anders. Mevrouw Forrester woont in Camberwell. Van Holborn Viaduct vertrekken er regelmatig treinen van de London, Chatham and Dover Railway. Dat leek me het logische vertrekpunt, ook als je me geen dienst had bewezen door je koffer bij de deur te laten staan. Vanaf de plek waar ik zit kan ik aan het handvat duidelijk een etiket van de bagage-afdeling van Holborn Viaduct zien hangen.'

'En de rest?'

'Dat jullie je dienstmeisje zijn kwijtgeraakt en dat je halsoverkop van huis bent gegaan? Beide feiten zijn duidelijk door de veeg zwarte schoensmeer aan je linkermanchet. Je hebt je eigen schoenen gepoetst, en eerlijk gezegd niet al te zorgvuldig. Daar komt nog bij dat je in je haast je handschoenen bent vergeten...'

'Mevrouw Hudson heeft mijn jas van me aangenomen. Ze had ook mijn handschoenen kunnen aannemen.'

'Waarom zouden je handen dan zo koud hebben aangevoeld toen we elkaar begroetten? Nee, Watson, je hele wezen duidt op ontregeling en ontreddering.'

'Alles wat je zegt klopt,' moest ik toegeven. 'Maar er is nog één laatste mysterie, Holmes. Hoe kun je er zo zeker van zijn dat mijn vrouw haar trein heeft gemist?'

'Zodra je arriveerde, ving ik van je kleding een sterke koffiegeur op. Waarom zou je vlak voordat je bij mij thee kwam drinken koffie nuttigen? De logische conclusie is dat je te laat was voor de trein en daardoor gedwongen was langer bij je vrouw te blijven dan je van plan was. Je bracht je koffer naar de bagageafdeling en ging met haar naar een koffiehuis. Zou het Lockhart's geweest kunnen zijn? Ik hoor dat de koffie daar uitstekend is.'

Er viel een korte stilte en toen barstte ik in lachen uit. 'Nou, Holmes,' zei ik. 'Ik zie dat ik geen reden had me zorgen te maken over je gezondheid. Je bent net zo opmerkzaam als altijd.'

'Het was heel elementair,' antwoordde de detective met een loom gebaar. 'Maar misschien dient er zich nu een zaak van meer belang aan. Als ik me niet vergis is dat de voordeur.'

En inderdaad, mevrouw Hudson kwam weer binnen. Deze keer had ze een man bij zich die de kamer binnenliep alsof hij zijn entree maakte op het toneel van Londen. Hij droeg avondkleding: een donkere pandjesjas, puntboord en witte vlinderdas met een zwarte mantel om zijn schouders, een vest en lakschoenen. In de ene hand hield hij een paar witte handschoenen en in de andere een wandelstok van palissanderhout met een zilveren punt en handvat. Zijn donkere haar was opvallend lang, naar achteren gekamd vanaf een hoog voorhoofd, en hij had snor noch baard. Zijn huid was bleek en zijn gezicht een beetje te lang om aantrekkelijk genoemd te worden. Ik schatte zijn leeftijd halverwege de dertig, maar door zijn ernst en duidelijke ongerief over het feit dat hij hier was, leek hij ouder. Hij deed me denken aan enkele van mijn patiënten: degenen die weigerden te geloven dat ze ziek waren tot hun symptomen hun van het tegendeel overtuigden. Zij waren altijd het ziekst. Onze gast stond net zo onwillig voor ons. Hij wachtte in de deuropening en keek onrustig om zich heen terwijl mevrouw Hudson zijn visitekaartje aan Holmes gaf.

'Meneer Carstairs,' zei Holmes. 'Gaat u alstublieft zitten.'

'U moet me vergeven dat ik op deze manier binnenkom, onverwacht en onaangekondigd.' Hij had een hortende, nogal droge manier van spreken. Nog steeds keek hij ons niet echt aan. 'Eigenlijk was ik helemaal niet van plan hierheen te komen. Ik woon in Wimbledon, vlak bij de brink, en ik ben naar het centrum gekomen om naar de opera te gaan, hoewel ik niet in de stemming ben voor Wagner. Ik kom net uit mijn club, waar ik een afspraak met mijn boekhouder had, een man die ik al vele jaren ken en die ik nu als vriend beschouw. Toen ik hem over mijn probleem vertelde, het gevoel van beklemming dat mijn leven zo verdraaid moeilijk maakt, noemde hij uw naam en raadde hij me met klem aan u te raadplegen. Het toeval wil dat mijn club niet ver hiervandaan ligt, en dus besloot ik direct naar u toe te komen.'

'Het zal me een genoegen zijn u mijn volledige aandacht te schenken.'

'En deze heer?' Onze bezoeker wendde zich tot mij.

'Dokter John Watson. Hij is mijn naaste adviseur, en ik verzeker u dat u alles wat u me wilt vertellen kunt zeggen waar hij bij is.'

'Heel goed. Zoals u ziet is mijn naam Edmund Carstairs, en ik ben kunsthandelaar. Ik heb een galerie die nu zes jaar open is, Carstairs en Finch in Albemarle Street. We zijn gespecialiseerd in de werken van de grote meesters, voornamelijk van het einde van de vorige eeuw en de eerste jaren van de huidige: Gainsborough, Reynolds, Constable en Turner. U bent ongetwijfeld vertrouwd met hun schilderijen, en ze brengen de hoogste prijzen op. Deze week nog heb ik een privécliënt voor 25.000 pond twee portretten van Van Dyke verkocht. Onze zaak loopt goed en het gaat ons voor de wind, zelfs nu er in de straten om ons heel veel nieuwe, en ik mag wel zeggen inferieure galeries opengaan. We hebben in de loop der jaren een reputatie van efficiëntie en betrouwbaarheid opgebouwd. Tot onze cliënten behoren veel aristocraten en onze werken hangen in enkele van de mooiste herenhuizen van het land.'

'En uw compagnon, meneer Finch?'

'Tobias Finch is iets ouder dan ik, hoewel we gelijkwaardige partners zijn. We verschillen zelden of nooit van mening, maar als dat al gebeurt komt dat doordat hij voorzichtiger en behoudender is. Zo heb ik grote interesse voor een deel van het nieuwe werk dat binnenkomt van het continent. Dan heb ik het over de schilders die "les impressionistes" worden genoemd, kunstenaars als Monet en Degas. Een week geleden nog kreeg ik een strandgezicht van Picasso aangeboden dat ik alleraardigst en uiterst kleurrijk vond. Mijn compagnon was helaas een tegenovergestelde mening toegedaan. Hij ziet in dergelijke werken weinig meer dan een waas, en hoewel van sommige vormen van dichtbij inderdaad niet duidelijk te zien is wat ze moeten voorstellen, kan ik hem niet duidelijk maken dat hij het niet begrijpt. Ik zal u echter niet vermoeien met een preek over kunst. We zijn een traditionele galerie en dat zal voorlopig zo blijven.'

Holmes knikte. 'Gaat u verder.'

'Meneer Holmes, twee weken geleden merkte ik dat er iemand naar me keek. Ridgeway Hall, zo heet mijn huis, staat in een smalle laan met een eindje verderop een armenhuis. Dat zijn onze naaste buren. We zijn omringd door gemeenschapsgrond en vanuit de kamer waarin ik me altijd aankleed werd ik me bewust van een man die met zijn benen een eindje uiteen en zijn armen over elkaar stond, en het viel me meteen op dat hij zich niet verroerde. Hij was te ver weg om hem goed te kunnen zien, maar ik zou gezegd hebben dat hij een buitenlander was. Hij droeg een lange geklede jas met schoudervullingen en een snit die absoluut niet Engels was. Sterker nog: ik was vorig jaar in Amerika en als ik zou moeten gokken, zou ik zeggen dat hij daar vandaan kwam. Wat me echter nog het meest opviel, om redenen die ik u weldra zal uitleggen, was dat hij ook een hoofddeksel droeg, een platte pet die ook wel een arbeiderspet wordt genoemd.

Dat en de manier waarop hij daar stond viel me op, en ik werd er onrustig van. Hij zou niet stiller hebben kunnen staan als hij een vogelverschrikker was geweest. Het miezerde en de regen waaide door het briesje over de meent, maar hij leek het niet op te merken. Zijn blik was op mijn raam gericht. Ik keek minstens een minuut naar hem, misschien iets langer, en ging toen naar beneden om te ontbijten. Voordat ik aan tafel ging stuurde ik het keukenhulpje echter op pad om te kijken of de man er nog was. Hij was weg. De jongen kwam terug en deelde mee dat er niemand meer op de meent was.'

'Een merkwaardig voorval,' zei Holmes. 'Maar Ridgeway Hall is ongetwijfeld een mooi gebouw. En iemand die dit land bezoekt vond het wellicht de moeite waard het te komen bekijken.'

'Dat hield ik mezelf ook voor. Maar een paar dagen later zag ik hem opnieuw. Deze keer was ik in Londen. Mijn vrouw en ik kwamen zojuist uit het theater – we waren naar het Savoy geweest – en daar was hij weer, aan de overkant van de straat. Hij droeg dezelfde jas, opnieuw met de platte pet. Ik zou hem wellicht over het hoofd hebben gezien, ware het niet dat hij zich net als de eerste keer niet verroerde, en met voetgangers die hem aan weerszijden passeerden had hij net zo goed een rots in een snelstromende rivier kunnen zijn. Ik ben bang dat ik hem niet goed kon zien. Hij had dan wel een plek in de volle gloed van een straatlantaarn uitgekozen, maar die wierp een schaduw over zijn gezicht die fungeerde als sluier. Maar dat was misschien wel zijn bedoeling.'

'En weet u zeker dat het dezelfde man was?'

'Daar is geen twijfel over mogelijk.'

'Zag uw vrouw hem?'

'Nee. En ik wilde haar geen schrik aanjagen door er iets over te zeggen. Er stond een rijtuig voor ons klaar en we zijn onmiddellijk vertrokken.'

'Dat is uiterst interessant,' merkte Holmes op. 'Aan het gedrag van deze man is geen touw vast te knopen. Hij staat midden op een dorpsplein en vervolgens onder een straatlantaarn. Aan de ene kant lijkt het alsof hij alles in het werk stelt om gezien te worden. En tegelijkertijd doet hij geen poging u te benaderen.'

'Hij heeft me wel benaderd,' antwoordde Carstairs. 'De volgende dag, toen ik vroeg thuiskwam. Mijn vriend Finch was in de galerie, waar hij een lijst aanlegde van een reeks tekeningen en etsen van Samuel Scott. Hij had me niet nodig en ik voelde me na de twee voorvallen nog steeds slecht op mijn gemak. Ik keerde even voor drie uur terug in Ridgeway Hall, en dat was maar goed ook, want daar was de schurk weer, op weg naar mijn voordeur. Ik riep hem en hij draaide zich om en zag me. Hij kwam onmiddellijk op me af gerend en ik wist zeker dat hij me wilde neerslaan. Ik hief zelfs mijn wandelstok om me te verdedigen, maar hij nam niet zijn toevlucht tot geweld. Hij kwam recht op me af en voor het eerst zag ik zijn gezicht: dunne lippen, donkerbruine ogen en op zijn rechterwang een blauwgrijs litteken, als gevolg van een recente schotwond. Hij had gedronken, dat rook ik aan zijn adem. Hij zei geen woord, maar in plaats daarvan hield hij een vel papier omhoog en drukte dat in mijn hand, waarna hij wegrende voordat ik hem kon tegenhouden.'

'En het papier?' vroeg Holmes.

'Dat heb ik hier.'

De kunsthandelaar haalde een vel papier tevoorschijn dat in vieren was gevouwen en overhandigde het aan Holmes. 'Mijn vergrootglas alsjeblieft, Watson.' Toen ik hem dat had gegeven, wendde hij zich weer tot Carstairs. 'Was er geen envelop?'

'Nee.'

'Dat lijkt me iets om in het achterhoofd te houden. Maar laten we eens kijken…'

Er stonden in hoofdletters slechts zes woorden op het vel geschreven: ST. MARY'S CHURCH. MORGEN. TWAALF UUR.

'Het papier is Engels,' merkte Holmes op. 'Ook al was de toerist dat niet. Je ziet dat hij in hoofdletters schrijft, Watson. Wat denk je dat daar de reden van is?'

'Hij wilde zijn handschrift onherkenbaar maken.'

'Dat zou kunnen. De man heeft meneer Carstairs echter nooit eerder geschreven, en het is onwaarschijnlijk dat hij hem nogmaals zal schrijven, dus je zou denken dat zijn handschrift er niet toe deed. Was het papier opgevouwen toen het u overhandigd werd, meneer Carstairs?'

'Nee, ik geloof het niet. Dat heb ik zelf gedaan.'

'De situatie wordt steeds duidelijker. De kerk die hij noemt, St. Mary's, ik neem aan dat die in Wimbledon is?'

'Op Hothouse Lane,' antwoordde Carstairs. 'Slechts een paar minuten van mijn huis.'

'Dat gedrag is ook niet logisch, vindt u wel? De man wil u spreken. Hij drukt een briefje met die strekking in uw hand. Maar hij zegt niets, geen woord.'

'Ik denk dat hij me onder vier ogen wilde spreken. En het toeval wilde dat mijn vrouw, Catherine, even later het huis uit kwam. Ze had in de eetkamer gestaan die uitkijkt op het tuinpad en ze had gezien wat er was voorgevallen. "Wie was dat?" vroeg ze. Ik zei dat ik geen idee had.

Ze vroeg wat hij wilde. Ik liet haar het briefje zien. "Die wil geld," zei ze. "Ik zag hem net door het raam, en hij leek me een onbehouwen kerel. Er waren vorige week zigeuners op de meent. Hij was er daar vast een van. Je moet niet gaan, Edmund."

"Je hoeft je geen zorgen te maken, liefste," antwoordde ik. "Ik ben niet van plan naar hem toe te gaan."'

'U stelde uw vrouw gerust,' mompelde Holmes. 'Maar u bent op het genoemde tijdstip naar de kerk gegaan.'

'Inderdaad, en ik had een revolver bij me. Hij was er niet. Het is geen drukbezochte kerk en het was er onaangenaam koud. Ik liep een uur heen en weer over de tegels en ben toen naar huis gegaan. Sindsdien heb ik niets meer van hem vernomen en ik heb hem niet meer gezien, maar ik kan hem niet uit mijn gedachten zetten.'

'U kent die man,' zei Holmes.

'Ja, meneer Holmes. U dringt direct door tot de kern. Ik geloof dat ik weet wie dit individu is, hoewel ik moet bekennen dat het me een raadsel is hoe u tot die conclusie bent gekomen.'

'Dat lijkt me duidelijk,' antwoordde Holmes. 'U hebt hem slechts drie keer gezien. Hij vroeg u hem te ontmoeten maar kwam niet opdagen. Niets van wat u hebt beschreven wijst erop dat deze man een bedreiging voor u vormt, maar u vertelde me over de bezorgdheid en benauwdheid die u hier brengen, en u weigerde hem te ontmoeten zonder een revolver bij u te dragen. En u hebt me nog steeds niet verteld welke rol de platte pet speelt.'

'Ik weet wie hij is. Ik weet wat hij wil. Het boezemt me angst in dat hij me naar Engeland is gevolgd.'

'Uit Amerika?'

'Ja.'

'Meneer Carstairs, uw verhaal is heel erg interessant, en als u tijd heeft voordat uw opera begint, of als u er misschien mee instemt de ouverture te missen, denk ik dat u ons de volledige geschiedenis van deze zaak moet vertellen. U zei dat u een jaar geleden in Amerika was. Hebt u daar destijds de man met de platte pet ontmoet?'

'Ik heb hem nooit ontmoet. Maar hij was de reden dat ik daar was.'

'Dan hebt u er vast geen bezwaar tegen als ik mijn pijp opsteek. Nee? Neemt u ons dan mee en vertel ons wat u aan de andere kant van de Atlantische Oceaan deed. Een kunsthandelaar is niet iemand die vijanden maakt, zou ik zo denken, maar dat is precies wat u gedaan lijkt te hebben.'

'Dat is inderdaad het geval. Mijn vijand heet Keelan O'Do-naghue en ik zou willen dat ik die naam nooit had gehoord.'

Holmes reikte naar de Perzische slipper waarin hij zijn tabak bewaarde en begon zijn pijp te stoppen. Intussen ademde Edmund Carstairs diep in, en dit is het verhaal dat hij vertelde.

2

De Plattepettenbende

'Anderhalf jaar geleden werd ik voorgesteld aan een bijzondere man die Cornelius Stillman heette en die aan het einde van een lange reis door Europa in Londen was. Hij woonde aan de oostkust van Amerika, en hij was wat wel een Boston Brahmin wordt genoemd. Dat houdt in dat hij tot een van de meest vooraanstaande en gevierde families van die stad behoorde. Hij had fortuin gemaakt met de mijnen van Calumet & Hecla en had ook geïnvesteerd in spoorwegen en telefoonmaatschappijen. In zijn jeugd had hij blijkbaar de ambitie gekoesterd om kunstenaar te worden, en een van de redenen voor zijn reis was de musea en galeries in Parijs, Rome en Londen te bezoeken.

Net als veel welgestelde Amerikanen had hij een sterk gevoel van burgerlijke verantwoordelijkheid, wat hem tot eer strekte. Hij had land gekocht in de wijk Back Bay in Boston en was al begonnen met de bouw van een kunstgalerie die hij The Parthenon noemde en die hij van plan was te vullen met de mooiste kunstwerken die hij tijdens zijn reizen had gekocht. Ik leerde hem kennen tijdens een diner en vond hem een vulkaan die bruiste van energie en enthousiasme. Zijn kleding was heel ouderwets, hij had een baard en een monocle, maar hij bleek uiterst goed geïnformeerd en sprak vloeiend Frans en

Italiaans en een mondje Oudgrieks. Ook met zijn kennis van kunst en zijn gevoel voor schoonheid onderscheidde hij zich van zijn medeburgers. Denkt u niet dat ik overdreven chauvinistisch ben, meneer Holmes. Hij vertelde me zelf over de vele tekortkomingen in het culturele leven van zijn jeugd, hoe prachtige schilderijen tentoongesteld werden naast spelingen der natuur als meerminnen en dwergen. Hij had opvoeringen van Shakespeare gezien met koorddansers en slangenmensen als entr'acte. Zo ging dat destijds in Boston. The Parthenon zou anders worden, zei hij. Zoals de naam al suggereerde zou het een tempel voor kunst en beschaving worden.

Ik was in de zevende hemel toen meneer Stillman zich bereid toonde mijn galerie in Albemarle Street te bezoeken. Meneer Finch en ik brachten vele uren met hem door. We bekeken onze catalogus met hem en toonden hem enkele aankopen uit het hele land die we onlangs hadden gedaan. Om kort te gaan: hij kocht werken van Romney, Stubbs en Lawrence van ons, maar ook een reeks van vier landschappen van John Constable, de trots van onze collectie. Het waren vergezichten op het Lake District, geschilderd in 1806, die in niets op het andere werk van de kunstenaar leken. Ze hadden een ondoorgrondelijke stemming en sfeer, en meneer Stillman beloofde dat ze tentoongesteld zouden worden in een goed verlichte ruimte die hij er speciaal voor zou ontwerpen. Als de beste vrienden namen we afscheid van elkaar. En gezien alles wat er gebeurd is, moet ik er nog aan toevoegen dat ik een grote som geld heb geïncasseerd. Meneer Finch merkte op dat dit zonder enige twijfel de succesvolste transactie van ons leven was.

De werken moesten alleen nog naar Boston worden verscheept. Ze werden zorgvuldig ingepakt, in een krat gedaan en met de White Star Line van Liverpool naar New York gestuurd. Door een toeval dat destijds niets leek te betekenen maar dat je later achtervolgt, was het onze bedoeling geweest ze rechtstreeks naar Boston te laten verschepen. De RMS Adventurer legde die route af, maar we waren een paar uur te laat, en dus kozen we een ander schip. Onze agent, een slimme jongeman die James Devoy heet, haalde het pakket af in New York en nam daar een trein van de Boston and Albany Railroad, een reis van driehonderd kilometer.

Maar de schilderijen zijn nooit aangekomen. Er waren destijds een aantal gangsterbendes die voornamelijk in het zuiden van de stad te werk gingen, in Charlestown en Somersville. Veel ervan kwamen oorspronkelijk uit Ierland en hadden bizarre namen als De Dode Konijnen of De Veertig Dieven. Het is treurig om te bedenken dat we hartelijk onthaald waren in dat prachtige land, waarna we bedankt werden met bandeloosheid en geweld, maar zo was het nu eenmaal, en de politie slaagde er niet in ze tegen te houden of voor het gerecht te brengen. Een van de actiefste en gevaarlijkste groepen stond bekend als de Plattepettenbende en stond onder leiding van een Ierse tweeling, Rourke en Keelan O'Donaghue, die oorspronkelijk uit Dublin kwamen. Ik zal deze twee kerels zo goed mogelijk voor u beschrijven, aangezien ze in mijn verhaal een belangrijke rol spelen.

Je zag ze nooit alleen. Hoewel ze een eeneiige tweeling waren, was Rourke groter, breedgeschouderd en stevig gebouwd, met grote vuisten die hij elk moment kon gebruiken. Het verhaal ging dat hij toen hij amper zestien was tijdens een kaartspelletje een man had doodgeslagen. Zijn tweelingbroer stond heel erg bij hem in de schaduw, hij was kleiner en stiller. Sterker nog: hij zei nooit iets en er gingen geruchten dat hij stom was. Rourke had een baard, Keelan was gladgeschoren. Ze droegen allebei een platte pet en zo was de bende aan zijn naam gekomen. Het was ook algemeen bekend dat ze elkaars initialen op hun arm hadden getatoeëerd, en dat ze in alle aspecten van hun leven onafscheidelijk waren.

Over de andere bendeleden zeggen hun namen misschien alles wat u over ze zou moeten weten. Je had Frank "De Dolle Hond" Kelly en Patrick "Het Scheermes" Maclean. Een ander stond bekend als "Het Spook" en werd gevreesd alsof hij een bovennatuurlijk wezen was. Ze waren betrokken bij elke denkbare vorm van misdaden: overvallen, inbraken en het eisen van protectiegeld. En toch stonden ze in hoog aanzien bij veel arme inwoners van Boston die niet in staat leken ze te zien als de plaag die ze zonder enige twijfel in de gemeenschap vormden. Ze werden gezien als de verdrukten die de strijd aangingen met een onverschillige maatschappij. Ik hoef u er natuurlijk niet op te wijzen dat tweelingen al sinds de vroegste beschaving voorkomen in de mythologie. Je hebt Romulus en Remus, Apollo en Artemis en Castor en Pollux, als het sterrenbeeld Tweelingen vereeuwigd in de nachthemel. Iets daarvan straalde af op de O'Donaghues. Men geloofde dat ze nooit betrapt zouden worden, dat ze overal mee weg konden komen.

Ik wist niets over de Plattepettenbende – ik had zelfs nog nooit van ze gehoord – toen ik de schilderijen vanuit Liverpool op weg stuurde, maar op de een of andere manier kreeg de bende op hetzelfde moment een tip dat er een paar dagen later een groot geldbedrag vervoerd zou worden van de American Bank Note Company in New York naar de Massachusetts First National Bank of Boston. Het zou om honderdduizend dollar gaan, en het geld werd vervoerd met de Boston and Albany Railroad. Volgens sommigen was Rourke het brein achter de operatie. Anderen zijn van mening dat Keelan juist de natuurlijke leider van de twee was. Hoe dan ook, samen kwamen ze op het idee de trein te overvallen voordat die de stad kon bereiken en er met het geld vandoor te gaan.

Treinovervallen komen nog geregeld voor in het westen van Amerika, in Californië en Arizona, maar dat zoiets plaatsvond aan de meer ontwikkelde oostkust was bijna onvoorstelbaar, en daarom verliet de trein de Grand Central Terminal in New York met slechts één gewapende bewaker, die gestationeerd was in de postwagen. De bankbiljetten bevonden zich in een kluis. En door een betreurenswaardig toeval zaten de schilderijen nog in hun krat en bevonden ze zich in dezelfde coupé. Onze zaakgelastigde, James Devoy, reisde in de tweede klasse. Hij kweet zich altijd ijverig van zijn taak en had een stoel zo dicht mogelijk bij de postwagen uitgezocht.

De leden van de Plattepettenbende hadden voor hun overval een gebied vlak buiten Pittsfield uitgekozen. Daar klom het spoor steil omhoog voordat het over de Connecticut River liep. Er was een tunnel van zeshonderd meter en volgens de spoorwegvoorschriften was de machinist verplicht om bij de uitgang de remmen te testen. Zodoende reed de trein heel langzaam toen hij de tunnel uit kwam, en het was een kleine moeite voor Rourke en Keelan O'Donaghue om op het dak van een van de wagons te springen. Daarvandaan klommen ze over de tender en tot grote verbazing van de machinist en zijn remmer verschenen ze opeens met getrokken pistolen in de bestuurderscabine.

Ze bevalen de trein op een open plek in het bos te laten stoppen. Ze werden omringd door dennen die hoog in de lucht torenden en een natuurlijk scherm vormden waarachter ze hun misdaad konden begaan. Kelly, Maclean en alle andere bendeleden wachtten de trein op hun paarden op met dynamiet dat ze hadden gestolen van een bouwplaats. Allemaal droegen ze wapens. De trein kwam de open plek op rijden en Rourke sloeg de machinist met de zijkant van zijn revolver tegen het hoofd, waardoor hij hem een hersenschudding bezorgde. Keelan, die geen woord had gezegd, haalde touw tevoorschijn en bond de remmer aan een ijzeren stang. Intussen was ook de rest van de bende aan boord gegaan. Ze droegen de passagiers op te blijven zitten, waarna ze zich naar de postwagen begaven en bij de deur explosieve ladingen aanbrachten.

James Devoy zag wat er gebeurde en was radeloos. Hij dacht ongetwijfeld dat de overvallers niet uit waren op de werken van Constable. Er waren immers maar heel weinig mensen die van hun bestaan afwisten, en als ze al slim of onderlegd genoeg waren om het werk van een oude meester te herkennen, zou er niemand zijn geweest aan wie ze de schilderijen konden verkopen. Terwijl de passagiers om Devoy heen ineendoken, stond hij op en liep naar voren in de hoop de bende op andere gedachten te brengen. Ik neem in elk geval aan dat dat zijn bedoeling was. Voordat hij een woord kon zeggen, draaide Rourke O'Donaghue zich naar hem om en schoot hem neer. Devoy werd drie keer in de borst geschoten en stierf in een plas van zijn eigen bloed.

In de postwagen had de bewaker de schoten gehoord, en ik kan me nauwelijks voorstellen hoe bang hij geweest moet zijn toen hij de bendeleden buiten bezig hoorde. Zou hij de deur hebben geopend als ze dat hadden geëist? We zullen het nooit weten. Even later doorkliefde een hevige explosie de lucht en de gehele wand van de wagon werd aan flarden geblazen. De bewaker was op slag dood. De kluis met geld was zichtbaar.

Een tweede, kleinere explosie volstond om die te openen en de bende kwam erachter dat ze verkeerd waren voorgelicht. Er was slechts tweeduizend dollar naar de Massachusetts First National Bank gestuurd, voor deze vagebonden misschien nog steeds een fortuin, maar oneindig veel minder dan waarop ze gehoopt en gerekend hadden. Toch gristen ze de bankbiljetten joelend en juichend van opwinding bijeen, en dat ze twee doden achterlieten deed ze niets. Ook beseften ze niet dat hun explosieven vier werken hadden vernield die twintig keer meer waard waren dan hun buit. Het verlies van deze en de andere werken was een klap voor de Britse cultuur die niet in geld viel uit te drukken. Tot op de dag van vandaag moet ik mezelf eraan herinneren dat er die dag een jonge, plichtge-trouwe man is omgekomen, maar ik zou liegen als ik vertelde dat ik minder rouwde om die schilderijen, hoe beschamend het ook is om dat toe te geven.

Mijn vriend Finch en ik hoorden het nieuws vol afschuw aan. Aanvankelijk kregen we te horen dat de schilderijen ge-stolen waren, en daar zouden we de voorkeur aan hebben ge-geven. In dat geval zou iemand de werken nog waarderen en er was altijd een kans dat ze weer boven water kwamen. Maar een dergelijke ongelukkige samenloop van omstandigheden en moedwillig vandalisme, en dat voor slechts een handjevol bankbiljetten! We hadden bittere spijt van de route die we hadden uitgekozen en gaven onszelf de schuld van wat er was gebeurd. Ook waren er financiële overwegingen. Meneer Still-man had een grote borgsom betaald voor de schilderijen, maar volgens het contract hadden wij er de volledige verant-woordelijkheid voor tot ze hem persoonlijk werden overhan-digd. Het geluk wilde dat we verzekerd waren bij Lloyd's of London, anders zouden we nu bankroet zijn, aangezien ik uit-eindelijk geen keuze zou hebben gehad en het geld wel had moeten terugbetalen. Dan was er nog de kwestie van de fami-lie van James Devoy. Ik kwam erachter dat hij een vrouw en een jong kind had. Iemand zou voor ze moeten zorgen.

Om die redenen nam ik me voor naar Amerika te reizen en ik vertrok bijna meteen uit Engeland en kwam aan in New York. Ik ontmoette mevrouw Devoy en beloofde haar dat ze enige genoegdoening zou ontvangen. Haar zoon was negen en ik kan me geen liever en knapper kind voorstellen. Vervol-gens reisde ik naar Boston en daarvandaan naar Providence, waar Stillman zijn zomerhuis had gebouwd. Ik moet zeggen dat zelfs de vele uren die ik had doorgebracht in gezelschap van de man me niet op dit schouwspel hadden kunnen voor-bereiden. Shepherd's Point was ontzagwekkend groot en gebouwd in de stijl van een Frans kasteel. Het was ontworpen door de gevierde architect Richard Morris Hunt. De tuinen alleen al besloegen twaalf hectare en het interieur was zo overdadig dat het mijn voorstellingsvermogen te boven ging. Stillman zelf stond erop me rond te leiden, en het was een wandeling die ik nooit zal vergeten. De magnifieke houten trap die alles in de hal overvleugelde, de bibliotheek met haar tienduizend boeken, het schaakspel dat ooit eigendom was geweest van Frederik de Grote, de kapel met het oude orgel dat ooit was bespeeld door Purcell… Tegen de tijd dat we de kelder met het zwembad en de bowlingbaan bereikten, was ik uitgeput. En dan de kunst! Ik zag werken van Titiaan, Rembrandt en Velázquez, en toen was ik nog niet eens bij de salon. En terwijl ik nadacht over al die rijkdom en de onbeperkte middelen die mijn gastheer tot zijn beschikking moest hebben, kreeg ik een idee.

Tijdens het avondmaal – we zaten aan een grote, middeleeuwse bankettafel en het eten werd binnengedragen door zwarte bedienden die gekleed gingen in wat je een koloniale stijl zou kunnen noemen – begon ik over mevrouw Devoy en haar kind. Stillman verzekerde me dat het er niet toe deed dat ze niet in Boston woonde, maar dat hij de stadsbestuurders over haar zou vertellen, en dat zij zich over hen zouden ontfermen. Hierdoor aangemoedigd ging ik verder over de Plattepettenbende en ik vroeg of er een manier was om die voor het gerecht te brengen nu de politie van Boston geen enkele vooruitgang had geboekt. Ik vroeg of het niet mogelijk zou zijn een flinke beloning uit te loven voor informatie over hun verblijfplaats en tegelijkertijd een detectivebureau in te schakelen om ze namens ons aan te houden. Op die manier zouden we de dood van James Devoy wreken en hen tegelijkertijd straffen voor het verlies van de landschappen van Constable.

Stillman reageerde enthousiast op mijn idee. "Je hebt gelijk,

Carstairs!" riep hij uit, en hij sloeg met zijn vuist op tafel. "Dat is precies wat we zullen doen! Ik zal die schooiers eens laten zien dat ze een verkeerde dag hebben uitgekozen om Cornelius T. Stillman te grazen te nemen!" Zo praatte hij anders nooit, maar we hadden een fles uitstekende rode wijn genuttigd en waren vervolgens overgegaan op port, en hij was meer ontspannen dan gewoonlijk. Hij stond er zelfs op de volledige kosten van de detectives en de beloning op zich te nemen, hoewel ik had aangeboden een bijdrage te leveren. We schudden elkaar de hand en hij stelde voor dat ik bij hem bleef logeren tot alles geregeld was, een uitnodiging die ik met plezier aannam. Kunst is mijn lust en mijn leven, zowel als verzamelaar als handelaar, en er hing in het huis van Stillman genoeg om me maandenlang in vervoering te houden.

Het ging allemaal echter veel sneller. Meneer Stillman nam contact op met Pinkerton's en nam een man in de arm die Bill McParland heette. Ik werd niet uitgenodigd voor een ontmoeting met hem – Stillman was iemand die alles alleen en op zijn eigen manier moest doen. Maar ik wist genoeg over de reputatie van McParland om er zeker van te zijn dat hij een uitstekende detective was die niet zou opgeven tot de Plattepettenbende aan hem werd overgeleverd. Tegelijkertijd werden er advertenties geplaatst in de *Boston Daily Advertiser* waarin een beloning van honderd dollar, een aanzienlijk bedrag, werd uitgeloofd voor informatie die zou leiden tot de arrestatie van Rourke en Keelan O'Donaghue en iedereen die zich met hen inliet.

De weken erna bracht ik door in Shepherd's Point en in Boston zelf, een opmerkelijk aantrekkelijke en snelgroeiende stad. Ik reisde een paar keer terug naar New York en greep de kans om een paar uur door te brengen in het Metropolitan Museum of Art, een slecht ontworpen gebouw, maar met een uitmuntende collectie. Ook bezocht ik mevrouw Devoy en haar zoon. Ik was in New York toen ik een telegram van Stillman ontving, die me dringend verzocht terug te keren. De hoogte van de beloning had effect gesorteerd. McParland had een tip ontvangen. Het net sloot zich om de Plattepettenbende.

Ik keerde onmiddellijk terug en betrok een kamer in een hotel in School Street, en daar hoorde ik die avond van Cornelius Stillman wat er gebeurd was.

De tip was afkomstig van de eigenaar van een "neutwinkel", zoals de Amerikanen een bar noemen, in het zogenoemde South End, een onguur gedeelte van Boston waar een groot aantal Ierse immigranten woonde. De gebroeders O'Donaghue hielden zich schuil in een kleine woning in een huurkazerne nabij de rivier de Charles, een donker, smerig gebouw van drie etages met tientallen kamers op elkaar en op elke verdieping slechts één latrine. Ongezuiverd afvalwater liep door de gangen en het enige wat de stank op afstand hield waren de dampen van houtskool die in tientallen kleine kacheltjes brandde. Dit hellegat was gevuld met krijsende baby's, dronken mannen en mompelende, half verdwaasde vrouwen, maar aan de achterkant bevond zich een eenvoudige constructie, voor het grootste deel opgetrokken uit hout en aangevuld met enkele bakstenen, en die had de tweeling zich weten toe te eigenen. Keelan had één kamer voor zichzelf. Rourke deelde een andere kamer met twee van zijn mannen, en de rest van de bende sliep in een derde kamer.

Het geld dat ze hadden gestolen uit de trein was al verdwenen, verkwanseld aan alcohol en vergokt. Toen de zon die avond onderging zaten ze op hun hurken rond de kachel gin te drinken en te kaarten. Niemand hield de wacht. Geen van de families zou gewaagd hebben ze te verraden en ze wisten zeker dat de politie van Boston zich allang niet meer interesseerde voor de diefstal van tweeduizend dollar. En dus merkten ze niet dat McParland de huurkazerne naderde met tien gewapende mannen.

De agenten van Pinkerton hadden de opdracht de mannen indien mogelijk levend op te pakken, aangezien Stillman vurig hoopte dat hij ze in een rechtbank onder ogen zou komen. Daar kwam nog bij dat er heel veel onschuldige mensen in de buurt waren, waardoor een grootscheeps vuurgevecht als het ook maar enigszins mogelijk was voorkomen moest worden. Toen zijn mannen hun positie hadden ingenomen pakte McParland de megafoon die hij had meegenomen en hij riep een waarschuwing. Maar als hij hoopte dat de Plattepettenbende zich geruisloos over zou geven, werd hij even later door een salvo van schoten uit de droom geholpen. De tweeling had zich laten verrassen maar gaf zich niet zomaar gewonnen, en er stroomde een waterval aan kogels over de straat die niet alleen werden afgevuurd uit ramen maar ook door gaten die in de muren waren geslagen. Twee mannen van Pinkerton werden neergeschoten en McParland zelf raakte gewond, maar de rest beet van zich af en vuurde op de aanbouw. Je kunt je onmogelijk voorstellen hoe het geweest moet zijn toen honderden kogels door het dunne hout scheurden. Er was geen enkele bescherming en je kon je nergens schuilhouden.

Toen het allemaal voorbij was, vonden ze in de ruimte vol rook vijf mannen van wie de lichamen aan flarden waren geschoten. Eén man was ontsnapt. Aanvankelijk leek dat onmogelijk, maar McParlands informant had hem verzekerd dat de hele bende zich op die plek zou bevinden, en tijdens het vuurgevecht dacht hij ook dat zes mannen hun vuur beantwoordden. De kamer werd onderzocht en ze losten het mysterie op. Een van de vloerplanken zat los. Ze trokken hem opzij en zagen een smalle geul met een afvoerpijp die tot onder de grond liep en helemaal tot aan de rivier kwam. Op die manier was Keelan O'Donaghue ontsnapt, hoewel het verduiveld krap moest zijn geweest, aangezien de buis amper breed genoeg was voor een kind. Geen van de detectives van Pinkerton wilde een poging wagen. McParland nam een aantal mannen mee naar de rivier, maar het was inmiddels aardedonker en hij wist dat een zoektocht niets zou opleveren. De Plattepettenbende was uit de weg geruimd, maar een van de leiders was ontkomen.

Ik bleef nog een week in Boston, deels in de hoop dat Keelan O'Donaghue alsnog gevonden zou worden. Ik begon me namelijk zorgen te maken. Misschien deed ik dat al vanaf het begin, maar nu werd ik me er pas van bewust. Het had te maken met die vermaledijde advertentie die ik al genoemd heb en waarin mijn naam stond vermeld. Stillman had aan de grote klok gehangen dat ik een rol speelde bij de beloning en de politiemacht die achter de Plattepettenbende aan was gestuurd. Destijds had ik me daar gevleid over gevoeld en ik had alleen maar aan mijn besef van burgerplicht gedacht, en eigenlijk was ik ook wel vereerd geweest om in verband gebracht te worden met die vooraanstaande man. Nu bedacht ik dat ik een doelwit voor wraak was nu er één tweelingbroer was omgekomen en de andere nog in leven was, vooral op een plek waar de ergste criminelen op de steun van veel vrienden en bewonderaars konden rekenen. Ik liep nu met een nerveus gevoel naar en van mijn hotel. Ik begaf me niet in de ongure wijken van de stad. En ik ging zeker niet 's avonds de deur uit.

Keelan O'Donaghue werd niet gevangengenomen en men betwijfelde of hij nog wel leefde. Hij had wel gewond kunnen zijn en als een rat onder de grond dood zijn gebloed. Misschien was hij verdronken. Stillman had zichzelf aangepraat dat dat het geval was toen we elkaar voor de laatste keer troffen, maar hij was dan ook een man die nooit wilde toegeven dat hij gefaald had. Ik had passage geboekt naar Engeland op het ss Catalonia van de rederij Cunard Line. Ik vond het jammer dat ik niet in staat was om afscheid te nemen van mevrouw Devoy en haar zoon, maar ik had geen tijd om terug te keren naar New York. Ik verliet het hotel. En ik herinner me nog dat ik daadwerkelijk de loopplank bereikte en op het punt stond aan boord te gaan toen ik het nieuws hoorde. Het werd omgeroepen door een krantenjongen en daar stond het, op de voorpagina.

Cornelius Stillman was doodgeschoten terwijl hij in de rozentuin van zijn huis in Providence liep. Met trillende hand kocht ik een exemplaar van de krant en ik las dat de aanval de vorige dag had plaatsgevonden. Er was een jongeman met een jas van gekeperde wol, een sjaal en een platte pet gezien die de plaats van het misdrijf ontvluchtte. Er was al een klopjacht op touw gezet die heel New England zou bestrijken, aangezien dit om de moord op een Boston Brahmin ging, en alles zou uit de kast worden getrokken om de dader voor het gerecht te brengen. Volgens de politie werden ze geholpen door Bill McParland, en dat had wel iets ironisch, aangezien hij en Stillman enkele dagen voor de dood van Stillman ruzie hadden gekregen. Stillman had de helft van de beloning achtergehouden die hij was overeengekomen met de man van Pinkerton, waarbij hij aanvoerde dat de klus pas echt geklaard zou zijn als het laatste lichaam was gevonden. Welnu, dat laatste lichaam liep nog vrij rond, want over de identiteit van Stillmans moordenaar kon geen twijfel mogelijk zijn.

Ik las de krant en liep de loopplank op. Ik ging direct naar mijn hut en bleef daar tot zes uur die avond. Toen klonk er een enorm geloei en de trossen van de Catalonia werden losgegooid en het schip voer de haven uit. Pas op dat moment keerde ik terug naar het dek en ik zag Boston achter me verdwijnen. Het was een opluchting om weg te zijn.

Dat, mijne heren, is het verhaal van de verloren Constables en mijn bezoek aan Amerika. Ik heb mijn partner, meneer

Finch, natuurlijk verteld wat er gebeurd is, en ik heb er met mijn vrouw over gesproken, maar verder heb ik het er met niemand over gehad. Het is meer dan een jaar geleden. En tot de man met de platte pet bij mijn huis in Wimbledon verscheen, dacht ik – bad ik – dat ik het er nooit meer over hoefde te hebben.'

De pijp van Holmes was al geruime tijd uit toen de kunsthandelaar aan het einde van zijn verhaal kwam, en hij had geluisterd met zijn lange vingers ineengeslagen en met een blik van uiterste concentratie. Er viel een lange stilte. Een brokje houtskool viel opzij en het vuur wakkerde aan. Bij het geluid ervan leek Holmes uit zijn dagdroom te ontwaken.

'Welke opera gaat u vanavond bezoeken?' vroeg hij.

Dat was wel de laatste vraag die ik verwacht had. Het leek zo triviaal gezien alles wat we zojuist hadden gehoord dat ik me afvroeg of hij bewust bot deed.

Edmund Carstairs moest hetzelfde hebben gedacht. Hij deed een stap naar achteren, wendde zich tot mij en vervolgens weer tot Holmes. 'Ik ga naar een uitvoering van Wagner, maar heeft ook maar iets van wat ik heb gezegd enige indruk op u gemaakt?' vroeg hij op hoge toon.

'Integendeel, ik vond het buitengewoon interessant en ik moet u complimenteren met de duidelijkheid en de aandacht voor detail waarmee u uw verhaal vertelde.'

'En de man met de platte pet…'

'U denkt duidelijk dat dat Keelan O'Donaghue is. Denkt u dat hij u naar Engeland is gevolgd om wraak te nemen?'

'Is er een andere uitleg mogelijk?'

'Uit de losse pols kan ik er zo vijf of zes bedenken. Ik merk altijd dat een reeks gebeurtenissen op elke manier geïnterpreteerd kan worden, tot al het bewijs op iets anders wijst, en zelfs dan moet je er nog voor waken onverwachte conclusies te trekken. In dit geval is het inderdaad mogelijk dat deze jongeman de Atlantische Oceaan is overgestoken en op weg is gegaan naar uw huis in Wimbledon. Je zou je echter kunnen afvragen waarom hij er dan meer dan een jaar voor nodig heeft gehad om de reis af te leggen, en met welk doel hij u uitnodigde hem te ontmoeten in de kerk van St. Mary. Waarom schoot hij u niet gewoon ter plekke neer, als hij dat van plan was? Nog merkwaardiger is het feit dat hij niet kwam opdagen.'

'Hij probeert me schrik aan te jagen.'

'En daar slaagt hij in.'

'Inderdaad.' Carstairs boog zijn hoofd. 'Wilt u zeggen dat u me niet kunt helpen, meneer Holmes?'

'In de huidige omstandigheden kan ik niet veel doen. Wie hij ook mag zijn, uw ongewenste bezoeker heeft geen enkele aanwijzing gegeven over de plek waar we hem zouden kunnen vinden. Mocht hij zich echter weer laten zien, dan zal het me een genoegen zijn u zo goed mogelijk bij te staan. Maar ik kan u nog één ding vertellen, meneer Carstairs. U kunt in alle rust van uw opera genieten. Ik geloof niet dat hij van plan is u kwaad te doen.'

Holmes vergiste zich echter. Daar leek het de volgende dag althans op. Want de man met de pet sloeg opnieuw toe.

3

In Ridgeway Hall

Het telegram arriveerde de volgende ochtend, terwijl we samen het ontbijt nuttigden.

O'DONAGHUE GISTERAVOND WEER GEKOMEN. MIJN KLUIS OPENGEBROKEN. POLITIE IS INGESCHAKELD. KUNT U KOMEN?

Het was ondertekend door Edmund Carstairs.

'Wat zeg je daarvan, Watson?' vroeg Holmes terwijl hij het op de tafel gooide.

'Hij is misschien sneller teruggekomen dan je had gedacht,' zei ik.

'Niets ervan. Ik vermoedde al zoiets. Vanaf het begin kwam het me voor dat de zogenaamde man met de platte pet meer interesse had voor Ridgeway Hall dan voor zijn eigenaar.'

'Verwachtte je al dat er ingebroken zou worden?' stamelde ik. 'Maar Holmes, waarom waarschuwde je Carstairs dan niet? Je had in elk geval de mogelijkheid kunnen opperen.'

'Je hoorde wat ik zei, Watson. Zonder meer bewijs kon ik verder niets bereiken. Maar nu heeft onze ongewenste bezoeker heel grootmoedig besloten ons te assisteren. Waarschijnlijk heeft hij een raam geforceerd. Hij zal over het gazon hebben gelopen, in een bloembed hebben gestaan en modderige voetstappen hebben achtergelaten op het tapijt. Daaruit zullen we op zijn minst zijn lengte en gewicht kunnen afleiden, naast zijn beroep en eventuele bijzonderheden in zijn manier van lopen. Misschien is hij wel zo vriendelijk geweest een voorwerp te laten vallen of iets achter te laten. Als hij sieraden heeft meegenomen, moeten die van de hand worden gedaan. Als het geld was, komt dat wellicht ook boven water. In elk geval heeft hij nu een spoor achtergelaten dat wij kunnen volgen. Wil je me de marmelade aangeven? Er gaan veel treinen naar Wimbledon. Ik neem aan dat je met me meegaat?'

'Natuurlijk, Holmes. Ik zou niets liever willen.'

'Uitstekend. Ik vraag me soms af waar ik de energie of wil vandaan moet halen om op onderzoek uit te gaan als ik er niet op kan rekenen dat het publiek te zijner tijd elk detail ervan zal kunnen lezen.'

Ik was gewend geraakt aan zulke spottende opmerkingen en beschouwde het als bewijs dat mijn vriend in een goed humeur was, dus ik reageerde niet. Niet lang daarna, toen Holmes zijn ochtendpijp had gerookt, trokken we onze jas aan en gingen op pad. Het was niet ver naar Wimbledon, maar het was al bijna elf uur toen we arriveerden en ik vroeg me af of meneer Carstairs de hoop al had opgegeven dat we nog zouden komen.

Mijn eerste indruk van Ridgeway Hall was dat het een volmaakt juwelenkistje van een huis was dat heel goed bij een kunstverzamelaar paste die ongetwijfeld talloze onbetaalbare voorwerpen bezat. Twee hekken, een aan elke kant, scheidden de openbare weg van een tuinpad met grind, in de vorm van een hoefijzer, dat langs een keurig verzorgd gazon en tot aan de voordeur liep. Langs de hekken stonden sierlijke pilaren, elk met bovenop een stenen leeuw met een geheven poot, alsof hij bezoekers waarschuwde te blijven staan en goed na te denken voordat ze binnenkwamen. Tussen de hekken liep een laag muurtje. Het huis zelf lag een eindje verderop. Het was wat ik een villa zou noemen, gebouwd in de klassieke georgiaanse stijl, wit en volkomen rechthoekig, met elegante ramen symmetrisch aan weerszijden van de ingang. Die symmetrie liep door in de bomen. Er stonden veel prachtige exemplaren, die dusdanig geplant waren dat één kant van de tuin bijna het spiegelbeeld van de andere vormde. En toch werd het geheel op het allerlaatste moment bedorven door een Italiaanse fontein die weliswaar mooi was, met cupido's en dolfijnen die in het steen speelden en het zonlicht dat op het dunne laagje ijs schitterde, maar die niet helemaal in het midden was geplaatst. Het was vrijwel onmogelijk om ernaar te kijken zonder hem te willen oppakken en twee of drie meter naar links te verplaatsen.

De politie bleek alweer vertrokken te zijn. De deur werd geopend door een bediende, keurig gekleed en met een verbeten gezicht. Hij ging ons voor naar een brede gang met aan beide kanten kamers. Aan de muren hingen schilderijen en gravures, antieke spiegels en wandkleden. Op een tafeltje met gewelfde poten stond een beeldhouwwerk van een jonge schaapherder die op zijn staf leunde. Aan het einde van de gang stond een sierlijke staande klok in wit en goud, en het zacht tikkende geluid weergalmde door het huis. We werden naar de salon gebracht, waar Carstairs op een chaise longue zat te praten met een vrouw die een paar jaar jonger was dan hij. Hij droeg een zwarte geklede jas, een zilverkleurig vest en lakschoenen. Zijn lange haar was keurig naar achteren gekamd. Als je naar hem keek, zou je zeggen dat hij zojuist een partijtje bridge had verloren. Het was moeilijk te geloven dat er iets ernstigers had plaatsgevonden. Zodra hij ons zag sprong hij echter op.

'Zo, jullie zijn dus toch gekomen! U zei gisteren nog tegen me dat ik geen reden had om de man te vrezen van wie ik vermoed dat hij Keelan O'Donaghue is. En toch heeft hij hier gisteren ingebroken. Hij heeft vijftig pond en sieraden uit mijn kluis meegenomen. Als mijn vrouw geen lichte slaper was en hem niet op heterdaad betrapt had tijdens zijn inbraak, moet ik er niet aan denken wat hij nog meer had kunnen uithalen.'

Ik richtte mijn aandacht op de vrouw die naast hem zat. Ze was een kleine, zeer aantrekkelijke vrouw van ongeveer dertig jaar en maakte direct indruk op me met haar open, intelligente gezicht en zelfverzekerde houding. Ze had blond haar, naar achteren gekamd en in een knot gebonden, een stijl die bedoeld leek om de elegantie en vrouwelijkheid van haar gelaatstrekken te benadrukken. Ondanks de schrik van de ochtend schatte ik in dat ze gevat was, want dat was zichtbaar in haar ogen, die een merkwaardige tint tussen groen en blauw hadden, en aan haar lippen, waar voortdurend de aanzet van een lachje om speelde. Op haar wangen had ze lichte sproeten. Ze droeg een eenvoudige jurk met lange mouwen, zonder opsmuk of versiering. Om haar hals hing een parelketting. Iets aan haar deed me bijna meteen denken aan mijn eigen lieve Mary. Nog voordat ze een woord had gezegd was ik er al van overtuigd dat ze hetzelfde karakter zou hebben: een aangeboren onafhankelijkheid maar tegelijkertijd een sterk gevoel van plichtsbesef tegenover de man met wie ze besloten had te trouwen.

'Misschien moet u ons eerst voorstellen,' merkte Holmes op.

'Natuurlijk. Dit is mijn vrouw, Catherine.'

'En u moet meneer Sherlock Holmes zijn. Ik ben u erg dankbaar dat u zo snel op ons telegram heeft gereageerd. Dat heb ik Edmund laten sturen, en ik zei tegen hem dat u zou komen.'

'Ik begrijp dat u iets heel verontrustends hebt meegemaakt,' zei Holmes.

'Inderdaad. Het is gegaan zoals mijn echtgenoot u al vertelde. Ik werd vannacht wakker en zag op de klok dat het tien voor halfvier was. Er scheen een volle maan door het raam. Aanvankelijk dacht ik dat ik wakker geworden moest zijn van een vogel of een uil, maar toen hoorde ik nog een geluid, in huis, en ik wist dat ik me vergist had. Ik stond op, trok een kamerjas aan en ging naar beneden.'

'Dat was niet verstandig van je, mijn liefste,' zei Carstairs. 'Je had wel gewond kunnen raken.'

'Ik dacht niet dat ik in gevaar was. Om eerlijk te zijn kwam het zelfs niet bij me op dat er misschien wel een vreemdeling in huis was. Ik dacht dat het meneer of mevrouw Kirby zou kunnen zijn, of zelfs Patrick. Je weet dat ik die jongen niet helemaal vertrouw. Hoe het ook zij: ik wierp een blik in de salon. Er was niets te zien. Toen werd ik op de een of andere manier naar de studeerkamer getrokken.'

'Had u geen lamp bij u?' vroeg Holmes.

'Nee. Het maanlicht was voldoende. Ik opende de deur en er was een gedaante, een silhouet dat op de vensterbank zat en iets in zijn hand hield. Hij zag me en we verstijfden allebei en keken elkaar aan weerszijden van het tapijt aan. Aanvankelijk gilde ik niet, ik was te zeer geschrokken. Toen was het alsof hij gewoon achterover door het raam en op het gras viel, en op dat moment werd ik bevrijd uit mijn betovering. Ik riep het uit en sloeg alarm.'

'We zullen de kluis en de studeerkamer zo dadelijk bekijken,' zei Holmes. 'Maar voordat we dat doen: ik hoor aan uw accent dat u uit Amerika komt, mevrouw Carstairs. Bent u al lang getrouwd?'

'Edmund en ik zijn bijna anderhalf jaar getrouwd.'

'Ik had jullie moeten uitleggen hoe ik Catherine heb leren

kennen,' zei Carstairs, 'aangezien dat veel te maken heeft met het verhaal dat ik gisteren heb verteld. De enige reden waarom ik besloot dat niet te doen was dat ik dacht dat het niet relevant was.'

'Alles is relevant,' merkte Holmes op. 'Ik merk vaak dat het onbeduidendste aspect van een zaak tegelijkertijd het belangrijkste kan zijn.'

'We hebben elkaar leren kennen op de Catalonia op de dag dat die uit Boston vertrok,' zei Catherine Carstairs. Ze stak haar hand uit en pakte die van haar echtgenoot. 'Ik reisde alleen, natuurlijk met een meisje dat ik in dienst had genomen om me te begeleiden. Ik zag Edmund toen hij aan boord kwam en wist onmiddellijk dat hem iets vreselijks was overkomen. Het was duidelijk van zijn gezicht te lezen, ik zag de angst in zijn ogen. We passeerden elkaar die avond op het dek. We waren allebei vrijgezel. En door een gelukkig toeval zaten we bij het diner naast elkaar.'

Carstairs ging verder. 'Ik weet niet hoe ik de overtocht zonder Catherine had moeten volhouden. Ik ben altijd al zenuwachtig aangelegd geweest en het verlies van de schilderijen, de dood van Cornelius Stillman, het vreselijke geweld... Het was allemaal te veel geweest voor me. Ik was er slecht aan toe en had koorts, maar vanaf het begin heeft Catherine goed voor me gezorgd en ik merkte dat mijn gevoelens voor haar sterker werden naarmate de kust van Amerika verder achter me weggleed. Ik moet zeggen dat ik mijn neus altijd ophaalde voor het idee van "liefde op het eerste gezicht", meneer Holmes. Dat was iets waarover ik misschien gelezen had in goedkope romans, maar waar ik nooit in geloofde. Toch is dat precies wat er gebeurde. Toen we in Engeland aankwamen wist ik dat ik de vrouw had gevonden met wie ik de rest van mijn leven wilde doorbrengen.'

'En mag ik vragen wat de reden voor uw bezoek aan Engeland was?' vroeg Holmes, en hij richtte zich tot Carstairs' vrouw.

'Ik ben in Chicago korte tijd getrouwd geweest, meneer Holmes. Mijn echtgenoot was makelaar, en hoewel hij in de zakenwereld gerespecteerd was en trouw naar de kerk ging, was hij tegen mij nooit aardig. Hij was heel erg opvliegend en er zijn momenten geweest waarop ik zelfs vreesde voor mijn veiligheid. Ik had maar weinig vrienden en hij deed wat hij kon om dat zo te houden. In de laatste maanden voor onze trouwdag hield hij me zelfs opgesloten in het huis, misschien omdat hij bang was dat ik vrijuit over hem zou praten. Toen kreeg hij onverwacht tuberculose en overleed hij. Helaas ging zijn huis en een groot deel van zijn vermogen naar zijn twee zussen. Ik bleef achter met weinig geld, geen vrienden en geen enkele reden om in Amerika te blijven, en dus ben ik weggegaan. Ik kwam naar Engeland om opnieuw te beginnen.' Ze keek even naar de grond en zei toen met een deemoedige blik: 'Ik had niet verwacht dat het me zo snel zou overkomen, of dat ik het geluk zou vinden waaraan het in mijn leven zo lang had ontbroken.'

'U had het over een reisgenoot op de Catalonia,' merkte Holmes op.

'Ik had haar in Boston in dienst genomen. Ik had haar nog nooit ontmoet en ze nam kort nadat we aan land waren gekomen ontslag.'

In de gang luidde de klok het uur. Holmes sprong overeind met een glimlach en dat gevoel van energie en opwinding dat ik zo goed kende. 'We moeten geen tijd meer verdoen!' riep hij uit. 'Ik wil de kluis en de kamer waar hij staat bekijken. U zegt dat er vijftig pond is ontvreemd. Al met al geen grote som geld. Laten we eens kijken of de dief iets heeft achtergelaten.'

Voordat we erheen konden gaan kwam er echter een andere vrouw de kamer binnen en ik zag onmiddellijk dat ze weliswaar deel uitmaakte van het huishouden, maar in niets op Catherine leek. Ze was heel gewoontjes, lachte niet, ging gekleed in het grijs, en droeg haar donkere haar in een strakke knot laag in haar nek. Ze droeg een zilveren kruis en haar handen waren ineengestrengeld, alsof ze bad. Door haar donkere ogen, bleke huid en de vorm van haar lippen vermoedde ik dat ze familie van Carstairs was. Ze had niets van zijn theatrale gedrag maar was eerder de souffleur die in de schaduwen wacht tot hij zijn tekst vergeet.

'Wat krijgen we nu?' vroeg ze. 'Eerst word ik in mijn kamer gestoord door politieagenten die me absurde vragen stellen waarop ik onmogelijk het antwoord kan weten. Is dat niet genoeg? Nodigen we de hele wereld uit om ons te storen in onze afzondering?'

'Dit is meneer Sherlock Holmes, Eliza,' stamelde Carstairs. 'Ik heb je verteld dat ik hem gisteren om raad heb gevraagd.'

'En daar heb je veel aan gehad. Je zei dat hij niets kon doen. Nou, goede raad was dat, Edmund. We hadden allemaal wel in ons bed vermoord kunnen worden.'

Carstairs wierp haar een blik vol genegenheid maar tegelijkertijd ook ergernis toe. 'Dit is mijn zus, Eliza,' zei hij.

'Woont u hier?' vroeg Holmes haar.

'Ik word gedoogd, ja,' antwoordde de zus. 'Ik heb een zolderkamer waar ik me met niemand bemoei, en iedereen lijkt dat zo te willen. Ik woon hier, maar ik maak geen deel uit van dit gezin. Een bediende zou u niet meer kunnen vertellen dan ik.'

'Dat is geen juiste weergave van de feiten, en dat weet je best, Eliza,' zei mevrouw Carstairs.

Holmes wendde zich tot Carstairs. 'Misschien kunt u me vertellen hoeveel mensen er in dit huis zijn.'

'Naast ikzelf en Catherine woont Elizabeth inderdaad op de bovenste verdieping. Verder is er nog Kirby, onze huisknecht en het manusje-van-alles. Hij is degene die u binnenliet. Zijn vrouw is onze huishoudster en ze wonen beneden. Ze hebben een jonge neef, Patrick, die onlangs vanuit Ierland hierheen is gekomen en nu als hulpkok werkt en boodschappen doet, en dan is er nog een keukenhulpje, Elsie. Daarnaast hebben we nog een koetsier en een stalknecht, maar die wonen in het dorp.'

'Een groot en druk huishouden,' merkte Holmes op. 'Maar we stonden op het punt om naar de kluis te kijken.'

Eliza Carstairs bleef op haar plek staan. De rest van ons liep de woonkamer uit, de gang door en Carstairs' studeerkamer in. Die bevond zich aan het uiteinde van het huis en keek uit op de tuin en verderop een siervijver. Het was een gerieflijke, fraai ingerichte kamer met tussen twee ramen een bureau, fluwelen gordijnen, een aantrekkelijke haard en enkele schilderijen van landschappen die gezien hun heldere kleuren en de bijna lukrake manier waarop de verf was aangebracht wel tot de school der impressionisten moesten behoren waar Carstairs het over had gehad. De kluis, een kloek exemplaar, bevond zich enigszins verscholen in een van de hoeken. Hij stond nog open.

'Hebt u hem in deze staat aangetroffen?' vroeg Holmes.

'De politie heeft hem onderzocht,' antwoordde Carstairs, 'maar het leek me het beste om hem open te laten tot u er was.'

'Daar deed u goed aan,' zei Holmes. Hij wierp een blik op de kluis. 'Het slot lijkt niet geforceerd, wat erop zou kunnen wijzen dat er een sleutel is gebruikt,' merkte hij op.

'Er is maar één sleutel, en die heb ik altijd bij me,' antwoordde Carstairs. 'Hoewel ik Kirby ongeveer een halfjaar geleden gevraagd heb een kopie te maken. Catherine bewaart haar sieraden in de kluis als ik weg ben – ik reis namelijk nog steeds het hele land door naar veilingen, en soms ga ik naar Europa – en ze vond dat ze haar eigen sleutel moest hebben.'

Mevrouw Carstairs was met ons meegekomen en stond bij het bureau. Ze bracht haar handen naar elkaar. 'Ik ben hem kwijtgeraakt,' zei ze.

'Wanneer was dat?'

'Dat zou ik niet kunnen zeggen, meneer Holmes. Het zou een maand geleden kunnen zijn, of langer. Edmund en ik hebben het hier al over gehad. Ik wilde de kluis een paar weken geleden openen en kon de sleutel niet vinden. De laatste keer dat ik hem gebruikt heb was op mijn verjaardag, en die is in augustus. Ik heb geen idee wat er daarna mee gebeurd is. Normaal ben ik niet zo slordig.'

'Zou hij gestolen kunnen zijn?'

'Ik bewaarde hem in een kastje naast mijn bed en op het personeel na komt er nooit iemand in mijn slaapkamer. Voor zover ik weet is de sleutel nooit uit dit huis geweest.'

Holmes wendde zich tot Carstairs. 'U hebt de kluis niet vervangen.'

'Dat ben ik altijd van plan geweest, maar ik dacht dat als de sleutel op de een of andere manier in de tuin of zelfs in het dorp terecht zou komen, niemand zou weten waar hij voor was. Als hij zich hier ergens tussen de spullen van mijn vrouw bevond, wat waarschijnlijker leek, was de kans klein dat hij in de verkeerde handen zou vallen. Hoe dan ook, we kunnen niet zeker weten dat de kluis is geopend met de sleutel van mijn vrouw. Kirby had een tweede kopie kunnen laten maken.'

'Hoe lang is hij al bij u in dienst?'

'Zes jaar.'

'Hebt u ooit reden tot klagen over hem gehad?'

'Nooit.'

'En hoe zit het met die hulpkok, Patrick? Uw vrouw zegt dat ze hem niet vertrouwt.'

'Mijn vrouw heeft een hekel aan hem omdat hij lui en een beetje geniepig kan zijn. Hij is nog maar een paar maanden bij ons en we hebben hem alleen in dienst genomen op verzoek van mevrouw Kirby, die ons vroeg of we hem konden helpen een baan te vinden. Zij staat voor hem in en ik heb geen reden om aan te nemen dat hij onbetrouwbaar is.'

Holmes had zijn monocle tevoorschijn gehaald en bestudeerde de kluis, waarbij hij zich vooral op het slot richtte. 'U zei dat er enkele sieraden zijn gestolen,' zei hij. 'Waren die van uw vrouw?'

'Nee, het was een ketting met saffieren die van mijn moeder is geweest. Drie saffieren in een gouden zetting. Ik stel me voor dat die weinig waard was voor de dief, maar voor mij had hij heel veel gevoelswaarde. Mijn moeder woonde bij ons tot ze een paar maanden geleden...' Hij zweeg en zijn vrouw liep naar hem toe en legde een hand op zijn arm. 'Er vond een ongeluk plaats, meneer Holmes. Ze had een gaskachel op haar kamer. Op de een of andere manier is het vlammetje gedoofd en is ze in haar slaap gestikt.'

'Hoe oud was ze?'

'Negenenzestig. Ze sliep altijd met het raam dicht, zelfs in de zomer. Anders zou ze het misschien wel overleefd hebben.'

Holmes liep weg van de kluis en begaf zich naar het raam. Ik ging naast hem staan en hij bekeek de vensterbank, de sponningen en het raamwerk. Zoals gewoonlijk zei hij hardop wat hij zag, en niet eens om mij te helpen het te begrijpen. 'Geen luiken,' begon hij. 'Het raam heeft een knop en bevindt zich een eindje van de grond. Het is duidelijk van buitenaf geforceerd. Het hout is versplinterd, wat het geluid dat mevrouw Carstairs hoorde kan verklaren.' Hij leek een berekening te maken. 'Als het kan zou ik graag met meneer Kirby spreken. En daarna neem ik een kijkje in de tuin, hoewel ik me zo kan voorstellen dat de plaatselijke politie alles vertrapt heeft dat een aanknopingspunt zou kunnen bieden voor wat er is gebeurd. Hebben ze u enig idee gegeven langs welke lijnen hun onderzoek zal verlopen?'

'Vlak voordat u aankwam keerde inspecteur Lestrade terug om ons te spreken.'

'Wat? Lestrade? Was hij hier?'

'Ja. En hoe u ook over hem denkt, meneer Holmes, ik vond hem zorgvuldig en efficiënt. Hij had al ontdekt dat om vijf uur vanochtend een man met een Amerikaans accent de eerste trein van Wimbledon naar London Bridge heeft genomen. Door de manier waarop hij gekleed was en door het litteken op zijn rechterwang weten we zeker dat het dezelfde man is als die ik bij mijn huis heb gezien.'

'Als Lestrade erbij betrokken is, kan ik u verzekeren dat hij heel snel tot een conclusie zal komen, ook al is die geheel onjuist. Een goede dag, meneer Carstairs. Aangenaam kennis met u te maken, mevrouw Carstairs. Kom, Watson.'

We liepen terug door de gang naar de voordeur, waar Kirby ons al opwachtte. Hij was niet erg hartelijk overgekomen toen we aankwamen, maar wellicht verhinderden wij dat het huishouden op rolletjes liep. Hij leek zijn kaken nog steeds op elkaar te klemmen en had een scherp gezicht, een man die niet van plan was meer woorden te gebruiken dan nodig waren. Hij was in elk geval iets inschikkelijker toen hij de vragen van Holmes beantwoordde. Hij bevestigde dat hij al zes jaar in Ridgeway Hall werkte. Oorspronkelijk kwam hij uit Barnstaple, en zijn vrouw uit Dublin. Holmes vroeg hem of het huis in de jaren dat hij hier was erg was veranderd.

'O ja, meneer,' was het antwoord. 'De oude mevrouw Carstairs had zo haar vaste gewoontes. Ze liet het onomwonden weten als iets haar niet naar de zin was. De nieuwe mevrouw Carstairs is heel anders. Zij heeft een heel vrolijk karakter. Mijn vrouw vindt haar een verademing.'

'Was u blij dat meneer Carstairs trouwde?'

'We waren verrukt en verbaasd, meneer.'

'Verbaasd?'

'Ik wil niet te veel zeggen, maar meneer Carstairs had daarvoor geen enkele belangstelling getoond voor dergelijke zaken, hij wijdde zich alleen aan zijn familie en zijn werk. Mevrouw Carstairs verscheen nogal onverwacht, maar we zijn het er allemaal over eens dat de sfeer in huis er beter op is geworden.'

'Was u hier toen de oude mevrouw Carstairs stierf?'

'Ja, meneer. Voor een deel geef ik mezelf de schuld. Mevrouw was heel erg bang voor tocht, en op haar aandringen had ik elk gat gedicht waardoor lucht de kamer in zou kunnen komen. Het gas kon dus geen kant op. De meid, Elsie, heeft haar de volgende ochtend gevonden. Tegen die tijd was het hele vertrek gevuld met gas, het was een vreselijk tafereel.'

'Was de hulpkok, Patrick, hier toen ook al?'

'Patrick was een week eerder aangekomen. Het was een uiterst onheilspellend begin voor hem, meneer.'

'Ik heb begrepen dat hij uw neef is.'

'Van de kant van mijn vrouw, meneer.'

'Uit Dublin.'

'Inderdaad. Patrick vindt het niet eenvoudig om bij iemand in dienst te zijn. We hadden hem graag een goede start in het leven gegeven, maar hij moet de juiste houding voor iemand in zijn positie nog vinden, vooral in de manier waarop hij de heer des huizes aanspreekt. Het zou echter heel goed kunnen dat het onheil waar we het eerder over hadden en de onrust die erop volgde daar op een zekere manier ook verantwoordelijk voor waren. Hij is lang geen slechte jongeman en ik hoop dat hij hier uiteindelijk goed zal gedijen.'

'Dank u, meneer Kirby.'

'Geen dank. Ik heb uw jas en handschoenen voor u…'

In de tuin bleek Holmes in een opmerkelijk zonnig humeur. Hij beende over het gazon, ademde de middaglucht in en genoot ervan even ontsnapt te zijn uit de stad, aangezien de nevel van Baker Street ons niet hierheen was gevolgd. Destijds waren er delen van Wimbledon waar het nog leek alsof je op het platteland was. We zagen plukjes schapen bij elkaar op een heuvel, naast een groepje oude eiken. Om ons heen stonden slechts enkele huizen en we werden allebei getroffen door de rust van het landschap en de eigenaardige kwaliteit van het licht, waarin alles zich scherper leek af te tekenen. 'Dit is een uiterst merkwaardige zaak, vind je niet?' riep hij toen we weer naar het laantje liepen.

'Het lijkt me nogal triviaal,' antwoordde ik. 'Er is vijftig pond ontvreemd, en een oude ketting. Dit lijkt me niet je zwaarste beproeving, Holmes.'

'De ketting boeit me nog het meest, na alles wat we over dit huishouden hebben gehoord. Heb jij al een oplossing?'

'Het lijkt me dat het ervan afhangt of de man die een ongewenst bezoek aan dit huis bracht inderdaad de tweelingbroer uit Boston was.'

'En als ik je zou verzekeren dat hij dat bijna zeker níet is?'

'Dan zou ik niet voor het eerst zeggen dat je ronduit verbazingwekkend bent.'

'Mijn beste Watson, wat is het toch goed om je bij me te hebben. Maar ik denk dat dit de plek is waar de inbreker vannacht is aangekomen.' We hadden het einde van de tuin bereikt, waar de oprit uitkwam op het laantje, met aan de andere kant de brink. Het aanhoudende koude weer en het keurig verzorgde gazon vormden een volmaakt canvas waarop al het komen en gaan van de afgelopen vierentwintig uur als het ware waren vastgelegd. 'Als ik me niet vergis liep daar de uiterst zorgvuldige en efficiënte Lestrade.' Er waren overal voetafdrukken te zien, maar Holmes wees op een bepaald groepje.

'Je kunt onmogelijk weten of die van hem zijn.'

'Nee? De lengte van de passen wijst op een man van ongeveer 1,70 meter, net zo lang als Lestrade. Hij droeg laarzen met een vierkante neus, die ik Lestrade vaak heb zien dragen. Het meest belastende bewijs is echter dat ze de verkeerde kant op gaan en alles van belang over het hoofd zien, en wie zou dat anders kunnen zijn dan Lestrade? Je zult nog wel zien dat hij binnenkwam en vertrok bij de rechterpoort. Dat is een heel natuurlijke keuze, want dat is de eerste poort die je bereikt als je bij het huis komt. De inbreker is echter van de andere kant gekomen, dat weet ik zeker.'

'Wat mij betreft zien allebei de poorten er precies hetzelfde uit, Holmes.'

'De poorten zijn inderdaad hetzelfde, maar de linker loopt minder in het oog door de ligging van de fontein. Als je het huis wilt bereiken zonder gezien te worden, is dat de poort die je kiest, en zoals je ziet hebben we maar één serie voetafdrukken waar we ons op moeten richten. Hola! Wat hebben we hier?' Holmes hurkte neer en pakte het stompje van een sigaret, dat hij voor me ophield. 'Een Amerikaanse sigaret, Watson. De tabak liegt niet. Zoals je ziet ligt er geen as in de buurt.'

'De peuk van een sigaret maar geen as?'

'Dat houdt in dat hij ervoor zorgde dat hij niet gezien werd en niet lang bleef hangen. Vind je dat niet veelzeggend?'

'Het was midden in de nacht, Holmes. Hij kon zien dat er geen licht brandde. Hij was niet bang om opgemerkt te worden.'

'Maar dan nog…' We volgden de sporen over het gazon en langs de zijkant van het huis tot aan de studeerkamer. 'Hij liep heel kalm. Hij had stil kunnen blijven staan bij de fontein om te kijken of de kust veilig was, maar besloot dat niet te doen.' Holmes bestudeerde het raam dat we vanbinnen al hadden bekeken. 'Hij moet een opvallend sterke man zijn geweest.'

'Het raam zal niet zo moeilijk te forceren zijn geweest.'

'Inderdaad, Watson. Maar kijk eens hoe hoog het is. Je kunt zien waar hij is neergesprongen toen hij klaar was. Hij heeft twee diepe afdrukken achtergelaten in het gras. Maar niets wijst op een ladder of zelfs maar een tuinstoel. Het zou kunnen dat hij in de muur een voetsteun heeft gevonden. De mortel is los en sommige randen liggen bloot. Maar hij zou nog steeds één hand hebben moeten gebruiken om zich vast te houden aan de vensterbank terwijl hij met de andere het raam forceerde. We moeten ons ook afvragen of het toeval was dat hij ervoor koos juist in te breken in de kamer waar de kluis zich bevond.'

'Hij kwam toch naar de achterkant van het huis omdat die meer afgelegen lag en de kans kleiner was dat hij gezien zou worden? Vervolgens koos hij een willekeurig raam uit.'

'In dat geval had hij opvallend veel geluk.' Holmes had zijn onderzoek afgerond. 'Maar het is precies zoals ik al hoopte, Watson,' ging hij verder. 'Een ketting met drie saffieren in een gouden zetting zou niet moeilijk te vinden moeten zijn, en dat zou ons direct naar de man moeten leiden die we zoeken. Lestrade heeft in elk geval bevestigd dat hij de trein naar London Bridge heeft genomen. Dat moeten wij ook doen. Het station is niet ver weg en het is een aangename dag. We kunnen lopen.'

We liepen langs de voorkant van het huis en volgden het tuinpad, maar voordat we het laantje bereikten, ging de voordeur van Ridgeway Hall open en kwam er een vrouw op ons af gerend. Het was Eliza Carstairs, de zus van de kunsthandelaar. Ze had een sjaal om haar schouders geslagen, die ze tegen haar borst gedrukt hield, en aan haar gezicht, haar starende blik en de plukjes donker haar die voor haar voorhoofd wapperden was te zien dat ze heel erg van streek was.

'Meneer Holmes!' riep ze.

'Juffrouw Carstairs.'

'Ik was binnen bot tegen u, en dat moet u me vergeven, maar ik moet u vertellen dat niets is wat het lijkt. Als u ons niet helpt, als u de vloek die over deze plek is uitgeroepen niet opheft, zijn we ten dode opgeschreven.'

'Komt u alstublieft tot bedaren, juffrouw Carstairs.'

'Zij is de oorzaak van dit alles!' De zuster wees met een beschuldigende vinger in de richting van het huis. 'Catherine Marryat, want zo heette ze tijdens haar eerste huwelijk. Zij overviel Edmund toen hij er op zijn slechtst aan toe was. Hij heeft altijd een gevoelig karakter gehad, als jongen al, en het was onvermijdelijk dat hij zijn zenuwen niet zou kunnen bedwingen na de beproeving die hij in Boston had doorstaan. Hij was uitgeput, verzwakt en ja, hij had iemand nodig die voor hem zorgde. En dus drong ze zich aan hem op. Welk recht heeft zij, een onbeduidende Amerikaanse die amper een rooie cent heeft? Aan boord van dat schip heeft ze een web om hem heen gesponnen, en toen hij thuiskwam was het te laat. We konden hem niet op andere gedachten brengen.'

'U zou hem zelf verzorgd hebben.'

'Ik hou van hem zoals alleen een zus van iemand kan houden, en mijn moeder hield ook van hem. En gelooft u maar dat ze niet is omgekomen door een ongeluk. Dit is een respectabele familie, meneer Holmes. Mijn vader handelde in prenten en etsen en is uit Manchester naar Londen verhuisd, en hij was degene die de kunstzaak in Albemarle Street heeft geopend. Helaas is hij gestorven toen we nog jong waren en sindsdien hebben wij drieën in volmaakte harmonie samengeleefd. Toen Edmund meedeelde dat hij wilde trouwen met mevrouw Marryat en ruzie met ons maakte en niet voor rede vatbaar was, brak dat mijn moeders hart. We wilden niets liever dan dat Edmund zou trouwen. Zijn geluk was voor ons het enige ter wereld wat ertoe deed. Maar hoe kon hij nu met háár trouwen? Een buitenlandse gelukszoekster die we nooit hadden ontmoet en die vanaf het begin alleen geïnteresseerd was in zijn rijkdom en zijn maatschappelijke positie, in de luxe en bescherming die hij haar kon bieden. Mijn moeder heeft zich van het leven beroofd, meneer Holmes. Ze kon niet leven met de schaamte en het diep gevoelde leed dat dit vermaledijde huwelijk met zich meebracht, en dus draaide ze een halfjaar na de trouwdag de gaskraan open en ging ze op haar bed liggen tot het gas zijn werk had gedaan en de vergetelheid zo goed was haar van ons weg te nemen.'

'Heeft uw moeder u over haar voornemen verteld?' vroeg Holmes.

'Dat was niet nodig. Ik wist hoe ze erover dacht, en het verbaasde me nauwelijks toen ze haar vonden. Ze had haar keuze gemaakt. Dit is geen aangenaam huishouden meer sinds die Amerikaanse vrouw hier is aangekomen, meneer Holmes. En nu is er deze nieuwe kwestie, die indringer die mama's ketting heeft gestolen, onze dierbaarste herinnering aan die lieve, overleden vrouw. Het maakt allemaal deel uit van dezelfde nare situatie. Hoe kunnen we nu weten dat deze vreemdeling hier niet voor haar naartoe is gekomen, in plaats van om een vendetta uit te vechten met mijn broer? Ze zat bij me in de salon toen hij voor het eerst verscheen. Ik zag hem door het raam. Misschien is hij wel een oude kennis die haar achterna is gekomen. En misschien is hij wel méér. Dit is echter nog maar het begin, meneer Holmes. Zolang dit huwelijk standhoudt, zijn we geen van allen veilig.'

'Uw broer lijkt uiterst tevreden,' antwoordde Holmes enigszins onverschillig. 'Maar dat terzijde. Wat wilt u dat ik doe? Een man kan kiezen met wie hij trouwt zonder de zegen van zijn moeder, en uiteraard ook zonder die van zijn zus.'

'U kunt een onderzoek naar haar instellen.'

'Het zijn mijn zaken niet, juffrouw Carstairs.'

Eliza Carstairs keek hem vol minachting aan. 'Ik heb over uw prestaties gelezen, meneer Holmes,' zei ze. 'En ze leken me altijd nogal overdreven. Hoe slim u ook bent, bij mij heeft u altijd de indruk gewekt iemand te zijn zonder enige kennis van het menselijk hart. Nu weet ik dat ik gelijk had.' En met die woorden draaide ze zich om en ging ze het huis weer in.

Holmes keek haar na tot de deur dicht was. 'Heel merkwaardig,' merkte hij op. 'Deze zaak wordt almaar vreemder en ingewikkelder.'

'Ik heb nog nooit een vrouw zo boos horen praten,' zei ik.

'Inderdaad, Watson. Maar er is één ding waar ik vooral nieuwsgierig naar ben, aangezien ik de situatie ronduit zorgelijk begin te vinden.' Hij wierp een blik op de fontein, op de stenen beelden en de bevroren cirkel van water. 'Ik vraag me af of mevrouw Carstairs kan zwemmen.'

4

De hulptroepen van Baker Street

Holmes sliep de volgende ochtend uit en ik zat in mijn eentje *Martelaarschap der menschheid* van Winwood Reade te lezen, een boek dat hij me meer dan eens had aangeraden. Ik moet zeggen dat het me moeite kostte erdoorheen te komen. Ik begreep echter wel waarom mijn vriend gecharmeerd was van de auteur, met zijn afschuw voor 'passiviteit en dwaasheid', zijn ontzag voor 'het goddelijk intellect' en zijn suggestie dat het 'in de aard van de mens ligt om van zichzelf uit te redeneren'. Holmes had een groot deel van het boek zelf geschreven kunnen hebben, en hoewel ik blij was de laatste pagina om te slaan en het opzij te kunnen leggen, had ik het gevoel dat ik op zijn minst enig inzicht in de gedachtewereld van de detective had gekregen.

Bij de ochtendpost bevond zich een brief van Mary. Alles ging goed in Camberwell. Richard Forrester was niet zo ziek dat het hem geen deugd deed zijn oude gouvernante weer te zien, en het was duidelijk dat ze het fijn vond om tijd door te brengen met de moeder van de jongen, die haar geheel terecht behandelde als een gelijke en niet als een voormalige bediende.

Ik had mijn pen opgepakt om een brief terug te schrijven toen er luid werd aangebeld, gevolgd door het gestamp van vele voetstappen op de trap. Het was een geluid dat ik me goed herinnerde, dus ik was voorbereid toen zes straatbengels de kamer binnenstormden en zichzelf rangschikten in wat een nette rij moest voorstellen, waarbij ze de geschreeuwde bevelen van de langste en oudste opvolgden.

'Wiggins!' riep ik uit, want ik herinnerde me zijn naam. 'Ik had niet verwacht jullie nog eens te zien.'

'Meneer Holmes heeft ons een bericht gestuurd, meneer, en ons opgeroepen voor een zaak van het grootste gewicht,' antwoordde Wiggins. 'En als meneer Holmes ons oproept, dan komen we, dus hier zijn we!'

Sherlock had ze ooit de Baker Street-divisie van de detective-politiemacht genoemd. Op andere momenten noemde hij ze de ongeregelde politie. Een sjofeler, havelozer gezelschap was nauwelijks voor te stellen: een groepje jongens van tussen de acht en vijftien jaar, bijeengehouden door vuil en roet, hun kleren zozeer uit elkaar geknipt en weer aan elkaar genaaid dat je onmogelijk kon vaststellen van hoeveel andere kinderen die ooit geweest moesten zijn. Wiggins zelf droeg een jas voor een volwassene die in tweeën was geknipt, waarna een reep tussen het midden en de bovenkant was verwijderd en de onderste helft er weer aan was gezet. Een aantal jongens had blote voeten. Ik zag dat slechts een van hen iets beter gekleed ging en beter doorvoed was. Zijn kleding was iets minder versleten, en ik vroeg me af welke verdorvenheid – zakkenrollerij misschien – hem de middelen had verschaft om niet alleen te overleven maar op zijn eigen manier voorspoed te genieten. Hij kon niet ouder dan dertien zijn en toch was hij net als alle andere jongens al redelijk volwassen. Jeugdigheid is immers het eerste kostbare dat armoede een kind ontneemt.

Even later verscheen Sherlock Holmes, en met hem mevrouw Hudson. Ik zag dat onze hospita nerveus en kregelig was, en ze deed geen moeite haar mening voor zich te houden.

'Ik wil het niet hebben, meneer Holmes, dat heb ik al eerder tegen u gezegd. Dit huis is te fatsoenlijk om een stel kwajongens uit te nodigen. De hemel mag weten welke ziektes ze mee naar binnen hebben genomen, of welk zilvergoed of tafellinnen er verdwenen is als ze straks weer weg zijn.'

'Komt u alstublieft tot bedaren, mevrouw Hudson,' zei Holmes lachend. 'Wiggins! Ik heb je al eerder gezegd dat ik niet wil dat jullie hier op deze manier komen binnenvallen. In de toekomst meld alleen jij je bij me. Maar nu je hier toch bent en de hele bende hebt meegenomen: luister goed naar mijn instructies. We zijn op zoek naar een Amerikaan, een man van halverwege de dertig die zo nu en dan een platte pet draagt. Hij heeft op zijn rechterwang een vers litteken en ik denk dat we mogen aannemen dat hij niet de weg weet in Londen. Gisteren was hij op station London Bridge en hij heeft een gouden ketting met drie saffieren bij zich. Het spreekt voor zich dat hij die op illegale wijze heeft verkregen. Waar denken jullie dat hij heen zou gaan als hij daarvanaf wilde?'

'Fullwood's Rents!' riep één jongen.

'De joden op Petticoat Lane!' riep een andere.

'Nee! In een speelhol krijgt hij er een betere prijs voor,' opperde een derde. 'Ik zou naar Flower Street of Field Lane gaan.'

'De pandjeshuizen!' merkte de beter geklede jongen op die mijn aandacht had getrokken.

Holmes was het met hem eens. 'De pandjeshuizen! Hoe heet je, jongen?'

'Ross, meneer.'

'Welnu, Ross, je hebt het in je om detective te worden. De man die we zoeken is onlangs in de stad aangekomen en weet vast niets over Flower Street, Fullwood's Rents en de esoterische uithoeken waar jullie altijd moeilijkheden zoeken. Hij zal naar de meest voor de hand liggende plek gaan, en het symbool van de drie gouden ballen is overal ter wereld bekend. Ik wil dat jullie daar beginnen. Hij kwam aan bij London Bridge, en we mogen aannemen dat hij besloten heeft om in een hotel of pension daar in de buurt te logeren. Jullie moeten elke pandjesbaas in die wijk bezoeken en de man en het sieraad beschrijven dat hij misschien heeft geprobeerd te verkopen.' Holmes stak een hand in zijn zak. 'Mijn tarief is hetzelfde als altijd. Elk een shilling, en een guinea voor degene die vindt wat ik zoek.'

Wiggins snauwde een bevel, en met veel drukte en lawaai marcheerde onze officieuze garde de deur uit, met een vorsende blik nagekeken door mevrouw Hudson, die de rest van de ochtend bestek telde. Zodra ze weg waren, klapte Holmes in zijn handen en hij liet zich in een stoel zakken. 'Welnu, Watson, wat zeg je daarvan?' verkondigde hij.

'Je lijkt er alle vertrouwen in te hebben dat we O'Donaghue zullen vinden,' zei ik.

'Ik weet vrij zeker dat we de man zullen opsporen die heeft ingebroken in Ridgeway Hall,' antwoordde hij.

'Denk je niet dat Lestrade ook inlichtingen zal inwinnen bij pandjesbazen?'

'Ik betwijfel het. Het ligt zo voor de hand dat het niet bij hem opgekomen zal zijn. De hele dag ligt echter voor ons en we hebben niets om die mee te vullen, dus aangezien ik het ontbijt heb gemist stel ik voor dat we samen het middagmaal nuttigen in Le Café de l'Europe naast het Haymarket Theatre. Ondanks de naam is het eten er Engels en uitstekend. Daarna ben ik van plan langs te gaan bij de galerie van Carstairs en Finch in Albemarle Street. Het kan interessant zijn om kennis te maken met Tobias Finch. Mevrouw Hudson, als Wiggins terugkomt, kunt u hem daarheen sturen. Maar eerst moet jij me vertellen wat je van *Martelaarschap der menschheid* vond, Watson. Ik zie dat je het eindelijk uit hebt.'

Ik wierp een blik op het boek dat onschuldig op zijn kant lag. 'Holmes?'

'Je hebt een sigarettenplaatje gebruikt als boekenlegger. Ik heb gezien hoe dat moeizaam van de eerste tot de laatste pagina ging en ik zie dat het nu op de tafel ligt, eindelijk verlost van zijn inspanningen. Ik ben benieuwd naar je conclusies. Een kop thee misschien, mevrouw Hudson, als u zo vriendelijk wilt zijn?'

We verlieten het huis en liepen op ons gemak naar de Haymarket. De mist was opgetrokken en hoewel het nog heel koud was, was het opnieuw een stralende dag, met drommen mensen die de warenhuizen in en uit stroomden en straatverkopers die hun karren voortduwden en hun waren luidruchtig aan de man brachten. In Wimpole Street had zich een grote menigte verzameld rond een orgelman, een oude Italiaan die een treurig Napolitaans deuntje speelde en daarnaast een verscheidenheid aan oplichters trok die zich tussen de bezoekers begaven en iedereen die maar wilde luisteren hun beklagenswaardige verhaal vertelden. Op bijna elke hoek stond wel een straatartiest en voor deze ene keer zag niemand aanleiding om ze weg te sturen. We kregen in Le Café de l'Europe, waar we een uitstekende wildpastei kregen, en Holmes was in een uitbundige stemming. Hij sprak niet over de zaak, in elk geval niet rechtstreeks, maar ik weet nog dat hij mijmerde over het wezen van de schilderkunst en het mogelijke nut ervan bij het oplossen van misdaden.

'Je herinnert je nog wel dat Carstairs ons vertelde over de vier verdwenen werken van Constable,' zei hij. 'Het waren uitzichten op het Lake District van rond de eeuwwisseling, toen de kunstenaar kennelijk somber en depressief was. De olieverf op het schilderij vormt daarmee een aanwijzing over zijn karakter, en daaruit volgt weer dat als een man besluit een dergelijk werk in zijn salon te hangen, we veel te weten komen over diens gemoedstoestand. Heb je bijvoorbeeld op de kunst in Ridgeway Hall gelet?'

'Veel ervan was Frans. Er was een afbeelding van Bretagne en een andere van een brug over de rivier de Seine. Ik vond het mooie werken.'

'Je had er bewondering voor maar stak er niets nieuws van op.'

'Je bedoelt over het karakter van Edmund Carstairs? Hij verkiest het platteland boven de stad. Hij voelt zich aangetrokken tot de onschuld van de jeugd. Hij is iemand die zich graag omringt met kleur. Ik neem aan dat we iets over zijn persoonlijkheid kunnen afleiden aan de schilderijen die we aan zijn muren hebben zien hangen. Maar dan nog kunnen we er niet zeker van zijn dat elk stuk is uitgekozen door Carstairs zelf. Daar kan zijn vrouw of wijlen zijn moeder ook ver- antwoordelijk voor zijn geweest.'

'Dat is een waar woord.'

'En zelfs het karakter van een man die zijn vrouw doodt kan een zachtmoediger kant hebben die tot uitdrukking komt in zijn keuze voor kunst. Je herinnert je de kwestie met de fa- milie Abernetty nog wel. Ik weet nog dat Horace Abernetty zijn muren vol had gehangen met prachtige schetsen van flora uit zijn omgeving. En toch was hij een uiterst weerzinwek- kend en laag-bij-de-gronds individu.'

'Nu je het zegt: in mijn herinnering waren veel van de afge- beelde planten giftig.'

'En wat denk je van Baker Street, Holmes? Wil je me vertel- len dat iemand die jouw zitkamer bezoekt aanwijzingen over je karakter kan vinden door de kunstwerken te bestuderen waarmee je je omringt?'

'Nee, maar ze vertellen misschien wel veel over mijn voor- ganger, want ik verzeker je dat zich in die kamer nauwelijks een prent bevindt die er niet al hing toen ik hier aankwam. Denk je echt dat ik op pad ben gegaan om dat portret van Henry Ward Beecher te kopen dat vroeger boven je boeken hing? Hij was naar verluidt een bewonderenswaardig man, en zijn opvattingen over slavernij en onverdraagzaamheid zijn aanbevelenswaardig, maar het is hier achtergelaten door iemand die vóór mij de kamer huurde, en ik koos er eenvoudigweg voor het op zijn plek te laten hangen.'

'Dus je hebt het portret van generaal Gordon niet gekocht?'

'Nee. Maar ik heb het laten repareren en opnieuw ingelijst nadat ik er per ongeluk een kogel doorheen had geschoten. Dat was op aandringen van mevrouw Hudson. Misschien schrijf ik nog een keer een monografie over dit onderwerp: het gebruik van kunst in speurwerk.'

'Holmes, je staat erop jezelf te zien als een machine,' lachte ik. 'Zelfs een meesterlijk staaltje impressionisme is voor jou niets meer dan een bewijsstuk voor het oplossen van een misdaad. Misschien is het nodig kunst te waarderen om je menselijker te maken. Ik sta erop dat je een keer met me meekomt naar de Royal Academy.'

'We hebben de galerie van Carstairs en Finch al op het programma staan, Watson, dat lijkt me wel genoeg. De kaasplank, kelner. En voor mijn vriend een glas moezelwijn, lijkt me. Port is te sterk voor de middag.'

De galerie was niet ver weg, en opnieuw liepen we erheen. Ik moet zeggen dat ik veel plezier beleefde aan de aangename momenten die we samen doorbrachten, en ik voelde me een van de gelukkigste mannen in Londen omdat ik het gesprek mocht voeren dat ik zojuist heb beschreven en omdat ik zo plezierig mocht oplopen met iemand van het kaliber van Sherlock Holmes. Het was ongeveer vier uur en het licht nam al af toen we de galerie bereikten, die zich niet in Albemarle Street zelf bevond maar aan een oud rangeerterrein een eindje ervandaan. Op een discreet bordje met gouden letters na wees weinig erop dat hier een handelsonderneming was gevestigd. Achter een lage deur bevond zich een vrij sombere ruimte met twee sofa's, een tafel en een enkel doek – twee koeien in een veld, geschilderd door de Nederlandse kunstenaar Paulus Potter – op een ezel. Toen we binnenkwamen hoorden we in de ruimte ernaast twee mannen ruziën. Eén stem herkende ik. Het was die van Edmund Carstairs.

'Het is een uitstekende prijs,' zei hij. 'En dat weet ik zeker, Tobias. Deze werken zijn als een goede wijn. Ze kunnen alleen maar meer waard worden.'

'Nee, nee, nee!' zei de andere stem op hoge, jammerende toon. 'Hij noemt ze zeegezichten. Nou, de zee zie ik wel, maar verder zie ik amper iets. Zijn laatste expositie was een mislukking en nu is hij naar Parijs gevlucht, waar hij zijn reputatie verspeelt. Het is geldverspilling, Edmund.'

'Zes werken van Whistler…'

'Zes werken die we nooit kwijtraken!'

Ik stond bij de deur en sloot die luider dan strikt genomen noodzakelijk was, waarmee ik de twee mannen wilde laten weten dat we er waren. Het had het beoogde effect. Het gesprek viel stil en even later verscheen er vanachter een gordijn een mager, grijs individu, onberispelijk gekleed in een donker pak met een puntboord en een zwarte stropdas. Langs zijn vest hing een gouden ketting en op het puntje van zijn neus rustte een pince-nez, ook van goud. Hij moet minstens zestig zijn geweest, maar hij had nog een soepele tred en een zekere nerveuze energie die in elke beweging zichtbaar was.

'U moet meneer Finch zijn,' zei Holmes.

'Ja, mijnheer. Dat is inderdaad mijn naam. En u bent?'

'Ik ben Sherlock Holmes.'

'Holmes? Ik geloof niet dat we elkaar kennen, maar de naam komt me bekend voor.'

'Meneer Holmes!' Carstairs was achter Finch aan gekomen. Het contrast tussen de twee mannen was markant: de ene was oud en gerimpeld en leek bijna tot een ander tijdperk te behoren, de andere was jonger en meer opgedirkt, en van zijn gezicht waren nog steeds de woede en frustratie te lezen die ongetwijfeld het gevolg waren van het gesprek dat we hadden opgevangen. 'Dit is meneer Holmes, de detective over wie ik u verteld heb,' legde hij zijn compagnon uit.

'Ja, ja, dat weet ik. Hij heeft zich zojuist voorgesteld.'

'Ik had u hier niet verwacht,' zei Carstairs.

'Ik ben gekomen omdat ik wilde zien waar u werkte,' legde Holmes uit. 'Maar ik heb ook een paar vragen over de mannen van Pinkerton die u in Boston in dienst hebt genomen.'

Finch kwam tussenbeide. 'Een vreselijke affaire! Ik kom het verlies van die schilderijen de rest van mijn leven niet meer te boven. Het was verreweg de grootse ramp in mijn loopbaan. Hadden we hem maar een paar van je Whistlers verkocht, Edmund. Als die waren opgeblazen had het niemand een zier kunnen schelen.' Nu hij eenmaal op stoom was, leek er geen houden meer aan. 'In schilderijen handelen is respectabel werk, meneer Holmes. We hebben veel adellijke cliënten. Ik zou niet willen dat bekend werd dat we betrokken zijn geweest bij gewapende overvallers en moorden!' Het gezicht van de oude man betrok toen hij besefte dat het daar niet bij bleef, want de deur was zojuist opengegaan en er was een jongen komen binnenrennen. Ik had Wiggins, die die ochtend nog bij ons thuis was geweest, meteen herkend, maar voor Finch was het alsof hij onverhoeds werd aangevallen. 'Ga weg! Scheer je weg!' riep hij uit. 'Je hebt hier niks te zoeken!'

'U hoeft zich geen zorgen te maken, meneer Finch,' zei Holmes. 'Ik ken deze jongen. Wat is er, Wiggins?'

'We hebben hem gevonden, meneer Holmes!' riep Wiggins opgewonden. 'Die kwibus waarnaar u op zoek was. Ross en ik hebben hem met onze eigen ogen gezien. We wilden de lommerd op Bridge Lane binnengaan – Ross kent het daar, want hij gaat er zelf vaak genoeg heen – toen de deur openging, en daar had je hem, op klaarlichte dag, met op zijn gezicht een loodgrijs litteken.' De jongen trok een streep over zijn eigen wang. 'Ik was degene die hem herkende, niet Ross.'

'En waar is hij nu?' vroeg Holmes.

'We zijn hem gevolgd naar zijn hotel, meneer. Krijgen we allebei een guinea als we u d'r naartoe brengen?'

'Ik ben nog niet klaar met je als je dat níet doet,' antwoordde Holmes. 'Ik heb je altijd eerlijk beloond, Wiggins, dat weet je. Vertel, waar is dat hotel?'

'In Bermondsey, meneer. Mrs Oldmore's Pension. Ross zal er nu wel zijn. Ik heb hem daar achtergelaten om de wacht te houden terwijl ik hier helemaal naartoe ben komen lopen om u te halen. Als uw man weer naar buiten komt, houdt hij hem in de gaten. Ross is nog maar net begonnen, maar hij is heel erg slim. Komt u met me mee, meneer Holmes? Neemt u een vigilante? Mag ik met u meerijden?'

'Je kunt naast de koetsier zitten.' Holmes wendde zich tot mij en ik zag de samengetrokken wenkbrauwen en de intense uitdrukking die me duidelijk maakten dat hij al zijn energie richtte op wat er in het verschiet lag. 'We moeten onmiddellijk gaan,' zei hij. 'Het onderwerp van ons onderzoek ligt toevallig binnen ons bereik, we mogen hem niet door onze vingers laten glippen.'

'Ik kom met jullie mee,' deelde Carstairs mee.

'Meneer Carstairs, voor uw eigen veiligheid…'

'Ik heb die man gezien. Ik was degene die hem heeft verteld hoe hij eruitziet, en als iemand kan zeggen of die jongens van u hem correct hebben geïdentificeerd, ben ik dat. En ik heb er een persoonlijk belang bij om deze zaak tot een goed einde te brengen, meneer Holmes. Als deze man is wie ik denk dat hij is, ben ik de reden dat hij hier is, en het lijkt me niet meer dan juist dat ik er een einde aan maak.'

'We hebben geen tijd om te ruziën,' zei Holmes. 'We gaan met zijn vieren op pad. Kom, we kunnen geen seconde meer verliezen.'

En dus snelden Holmes, Wiggins, Carstairs en ik de galerie uit. Meneer Finch staarde ons met open mond na. We vonden een vigilante en klommen erin. Wiggins klauterde naast de koetsier, die hem een geringschattende blik toewierp maar hem vervolgens toch een stukje van zijn deken gaf. Na een knal van de zweep waren we op weg, en het was alsof iets van onze haast was overgegaan op de paarden. Het was bijna donker en het vallen van de avond slokte mijn gevoel van kalmte bijna helemaal op, en de stad voelde weer koud en vijandig aan. Het winkelpubliek en de straatartiesten waren allemaal naar huis en hun plek was ingenomen door een heel ander slag mensen: sjofele mannen en opzichtige vrouwen die schaduwen nodig hadden om hun handel te drijven, en wier zaakjes zo hun eigen schaduwen wierpen.

Het rijtuig bracht ons over Blackfriars Bridge, waar de wind op zijn ijzigst was en als een mes door ons heen sneed. Holmes had sinds ons vertrek geen woord gezegd en op een bepaalde manier denk ik dat hij een voorgevoel had over wat er zou gebeuren. Dat was niet iets wat hij ooit had toegegeven, en als ik het zou hebben geopperd, weet ik dat hij dat vervelend zou hebben gevonden. Hij was geen waarzegger! Voor hem draaide alles om intellect, om gesystematiseerd gezond verstand, zoals hij ooit stelde. En toch was ik me bewust van iets wat niet uit te leggen was en zelfs als bovennatuurlijk gezien zou kunnen worden. Of het hem nu zinde of niet, Holmes wist dat de gebeurtenissen van de avond een omwenteling teweeg zouden brengen, een keerpunt waarna zijn leven – het leven van ons allebei – nooit meer helemaal hetzelfde zou zijn.

Mrs Oldmore's Pension bood een slaap- en zitkamer voor dertig shilling per week, en het was precies het soort etablissement dat je voor die prijs zou verwachten: een armzalig, vervallen gebouw met een goedkoop restaurant aan de ene kant en aan de andere een steenbakkerij. Het bevond zich vlak bij de rivier en de lucht was vochtig en grauw. Achter de ramen brandden lampen, maar het vuil zat zo dik op de ramen gekoekt dat er nauwelijks licht doorheen kwam. Ross, de metgezel van Wiggins, wachtte ons op, en ondanks de dikke laag krantenpapier waarmee zijn jas was gevoerd rilde hij van de kou. Toen Holmes en Carstairs uit het rijtuig kwamen, deed hij een stap naar achteren en ik zag dat iets hem hevige schrik had aangejaagd. Zijn gezicht was in het licht van de straatlantaarn lijkbleek, maar toen sprong Wiggins naar beneden en greep hem beet, en het was alsof de betovering was verbroken.

'Rustig maar, jongen!' riep Wiggins. 'We krijgen allebei een guinea. Dat heeft meneer Holmes zelf beloofd.'

'Vertel me wat er gebeurd is toen je alleen was,' zei Holmes. 'Is de man die jullie herkend hebben weggegaan uit het pension?'

'Wie zijn die mannen?' Ross wees naar Carstairs en vervolgens naar mij. 'Zijn het klabakken? Wat doen ze hier?'

'Het is al goed, Ross,' zei ik. 'Je hoeft je geen zorgen te maken. Ik ben John Watson, en ik ben een dokter. Je hebt me vanochtend gezien toen jullie naar Baker Street kwamen. En dit is meneer Carstairs, die eigenaar is van een galerie in Albemarle Street.'

'Albemarle Street, in Mayfair?' De jongen had het zo koud dat hij klappertandde. Alle straatbengels in Londen waren natuurlijk wel gewend aan de winter, maar hij had daar minstens twee uur in zijn eentje gestaan.

'Wat heb je gezien?' vroeg Holmes.

'Ik heb niks gezien,' antwoordde Ross. Zijn stem klonk anders. Iets aan zijn gedrag leek bijna te suggereren dat hij iets te verbergen had. Niet voor het eerst kwam het bij me op dat deze kinderen veel te vroeg een soort volwassenheid bereikten. 'Ik heb hier op jullie staan wachten. Hij is niet naar buiten gekomen. Er is niemand naar binnen gegaan. En de kou ging dwars door m'n botten heen.'

'Hier is het geld dat ik je beloofd heb, en jou ook, Wiggins.' Holmes betaalde beide jongens. 'Ga nu maar naar huis. Jullie hebben genoeg gedaan voor vanavond.' De jongens pakten de munten aan en renden samen weg. Ross wierp nog een laatste blik achterom. 'Ik stel voor dat we naar binnen gaan en de confrontatie met de man aangaan,' vervolgde Holmes. 'God weet dat ik niet langer wil blijven dralen dan noodzakelijk is. Die jongen, Watson. Dacht jij ook dat hij iets te verbergen had?'

'Er was zeker iets wat hij ons niet vertelde,' beaamde ik.

'Laten we hopen dat hij ons niet verraden heeft. Meneer Carstairs, houdt u alstublieft afstand. De kans is klein dat ons doelwit zijn toevlucht neemt tot geweld, maar we zijn hier onvoorbereid heen gekomen. Dokter Watsons trouwe revolver ligt ongetwijfeld in doeken gewikkeld ergens in een lade in Kensington, en ik ben ook ongewapend. We moeten alert zijn. Kom!'

Gedrieën begaven we ons naar het pension. Een paar treden liepen naar de voordeur, die uitkwam op een gemeenschappelijke hal zonder tapijt. Er was weinig licht en aan de zijkant lag een klein kantoor. Daar zat een oude man half te slapen in een oude stoel, maar hij schrok op toen hij ons zag. 'God zegene u, heren,' zei hij met bevende stem. 'Voor vijf shilling per nacht bieden we u een goed eenpersoonsbed…'

'We zijn hier niet voor een slaapplek,' antwoordde Holmes. 'We zijn op zoek naar een man die onlangs is aangekomen uit Amerika. Op een van zijn wangen heeft hij een blauwgrijs litteken. Het is heel erg dringend, en als u geen problemen met de politie wilt, vertelt u ons waar we hem kunnen vinden.'

De knecht wilde met niemand problemen. 'Er is hier maar één Amerikaan,' zei hij. 'U moet het over meneer Harrison uit New York hebben. Hij slaapt in de kamer aan het einde van de gang op deze verdieping. Hij is een tijdje geleden binnengekomen en hij zal wel slapen, want ik heb geen enkel geluid gehoord.'

'Welk nummer heeft de kamer?' vroeg Holmes.

'Nummer zes.'

We liepen er meteen heen, door een lege gang met deuren zo dicht op elkaar dat de kamers erachter niet veel meer dan kasten moesten zijn, en gaslampen die zo laag waren gedraaid dat we ons bijna op de tast door de duisternis begaven. Nummer zes bevond zich inderdaad aan het einde. Holmes hief zijn vuist om aan te kloppen en stapte toen met een enkele snik die aan zijn lippen ontsnapte naar achteren. Ik keek naar beneden en zag een straaltje vloeistof dat in het schemerduister bijna zwart onder de deur door sijpelde en tegen de plint een poeltje vormde. Ik hoorde Carstairs een kreet slaken en zag hem met zijn hand voor zijn ogen achteruitdeinzen. Aan het einde van de gang keek de knecht naar ons. Het was alsof hij de verschrikkingen die elk moment aan het licht konden komen al verwachtte.

Holmes probeerde de deur te openen, maar dat ging niet. Zonder een woord te zeggen duwde hij er met zijn schouder tegen en het ondeugdelijke slot verbrijzelde. We lieten Carstairs in de gang staan en gingen naar binnen. Meteen werd duidelijk dat de reeks misdaden, die ik aanvankelijk nogal onbeduidend had gevonden, een ongunstige wending had genomen. Het raam stond open. De kamer was leeggeroofd. En de man die we zochten lag opgekruld met een mes in de zijkant van zijn nek.

5

Lestrade neemt de leiding

Niet lang geleden zag ik George Lestrade voor de laatste keer.

Hij was nooit helemaal hersteld van de kogelwond die hij had opgelopen tijdens zijn onderzoek van de bizarre moorden die in de populaire pers de Clerkenwell-moorden werden genoemd – ook al vond een ervan plaats in het nabijgelegen Hoxton – en bleek een andere om zelfmoord te gaan. Toen ik hem zag was hij vanzelfsprekend al geruime tijd met pensioen, maar hij was zo goed me op te komen zoeken in het huis waarin ik zojuist mijn intrek had genomen, en we haalden die middag samen herinneringen op. Het zal mijn lezers nauwelijks verrassen om te horen dat het grootste deel van ons gesprek over Sherlock Holmes ging, en om twee redenen voelde ik de behoefte me te verontschuldigen tegenover Lestrade. Ten eerste had ik hem niet bepaald in gunstige bewoordingen beschreven. De woorden 'rattenkop' en 'fretachtig' schieten me te binnen, maar hoe onvriendelijk die ook waren, ze klopten wel. Lestrade zelf had ooit gegrapt dat een grillige Moeder Natuur hem eerder het uiterlijk van een crimineel dan van een politieagent had gegeven, en dat hij al met al rijker had kunnen zijn als hij voor dat beroep had gekozen. Holmes merkte ook vaak op dat hij met zijn eigen talenten – vooral wat betreft het openen van sloten en het maken van vervalsingen – een even succesvolle crimineel als detective had kunnen worden, en het is grappig om je voor te stellen dat de twee mannen in een andere wereld wellicht samengewerkt zouden hebben buiten de grenzen van de wet.

Maar waar ik Lestrade misschien onrecht heb gedaan is door de suggestie te wekken dat hij geen enkele intelligentie of aanleg voor speurwerk bezat. De eerlijkheid gebiedt te zeggen dat Sherlock Holmes hem zo nu en dan in een kwaad daglicht stelde, maar Holmes was zo uniek, zo intellectueel begaafd dat niemand in Londen met hem kon wedijveren, en over alle rechercheurs met wie hij te maken kreeg sprak hij even laatdunkend, behalve dan misschien over Stanley Hopkins, en zelfs zijn vertrouwen in die jonge rechercheur werd vaak danig op de proef gesteld. Wat ik maar wil zeggen is dat elke rechercheur het vergeleken bij Holmes nagenoeg onmogelijk zou hebben gevonden zich te onderscheiden, en zelfs ik, die zich vaker aan zijn zij bevond dan wie dan ook, moest mezelf er soms aan herinneren dat ik geen volslagen idioot was. In veel opzichten was Lestrade echter een bekwaam man. Als u een blik in de archieven zou werpen, zou u veel zaken tegenkomen die hij met succes heeft afgerond en die hij in zijn eentje heeft onderzocht. De kranten spraken ook altijd gunstig over hem en zelfs Holmes bewonderde zijn doorzettingsvermogen. En uiteindelijk eindigde zijn loopbaan wel mooi als ondercommissaris die verantwoordelijk was voor de opsporingsdienst van Scotland Yard, ook al berustte een groot deel van zijn reputatie op de zaken die Holmes had opgelost maar waarvoor hij met de eer was gaan strijken. Lestrade vertelde me tijdens ons lange en aangename gesprek dat hij misschien wel geïntimideerd was geweest in aanwezigheid van Sherlock Holmes, en dat dat mogelijk de reden was dat hij niet erg doeltreffend te werk ging. Maar goed, hij is er nu niet meer en hij vindt het vast niet erg als ik zijn vertrouwen beschaam en hem de eer bezorg die hem toekomt. Hij was geen slecht mens. En al met al wist ik precies hoe hij zich voelde.

Hoe dan ook, het was Lestrade die de volgende dag bij Mrs Oldmore's Pension arriveerde. En ja, net als altijd had hij een bleke huid met felle, diepliggende ogen. Hij zag eruit als een rat die de opdracht had gekregen zich te kleden voor lunch in het Savoy Hotel. Nadat Holmes de agenten op straat had gewaarschuwd, was de kamer afgesloten en onder bewaking van de politie gesteld tot het koude ochtendlicht de schaduwen zou verjagen, waarna hij samen met de naaste omgeving van het pension fatsoenlijk kon worden onderzocht.

'Wel, wel, meneer Holmes,' merkte hij enigszins geïrriteerd op. 'Ze vertelden me al dat ik u kon verwachten in Wimbledon, en hier bent u opnieuw.'

'We hebben allebei het spoor gevolgd van de ongelukkige stakker die hier om het leven is gebracht,' antwoordde Holmes.

Lestrade wierp een blik op het lichaam. 'Dit lijkt inderdaad de man naar wie we op zoek waren.' Holmes zweeg en Lestrade nam hem scherp op. 'Hoe hebben jullie hem gevonden?'

'Het was heel eenvoudig. Dankzij jouw briljante onderzoek wist ik dat hij met de trein was teruggekeerd naar London Bridge. Sindsdien hebben mijn agenten de omgeving uitgekamd en twee van hen hadden het geluk hem op straat tegen te komen.'

'Ik neem aan dat u het over die groep deugnieten hebt die altijd voor u klaarstaan. Als ik u was zou ik afstand bewaren, meneer Holmes. Er komt niets goeds van. Als ze niet door u worden aangemoedigd zijn het stuk voor stuk dieven en zakkenrollers. Is er nieuws over de ketting?'

'Op het eerste gezicht niet, nee, maar ik heb nog geen tijd gehad de kamer grondig te doorzoeken.'

'Dan moeten we daar misschien mee beginnen.'

Lestrade voegde de daad bij het woord en bestudeerde de kamer zorgvuldig. Het was een vrij troosteloze ruimte met haveloze gordijnen, vermolmde vloerbedekking en een bed dat er vermoeider uitzag dan iedereen die wellicht had geprobeerd erop te slapen. Aan een muur hing een gebarsten spiegel. In een van de hoeken bevond zich een wastafel met een groezelige wasbak en een stuk steenharde zeep. Een uitzicht was er niet: het raam keek uit op een smal steegje met aan de overkant een stenen muur, en hoewel de Thames niet te zien was en zich een eindje verderop bevond, was de kamer doortrokken van zijn vochtigheid en stank. Vervolgens richtte Lestrade zijn aandacht op de dode man, die gekleed ging zoals Carstairs hem had beschreven: een slipjas die tot zijn knieën kwam, een dik vest en een overhemd dat tot aan zijn hals was dichtgeknoopt. Alle kledingstukken waren doordrenkt met bloed. Het mes dat hem had gedood zat tot aan het handvat in zijn nek begraven en had de halsslagader doorboord. Door mijn opleiding wist ik dat hij meteen dood moest zijn geweest. Lestrade doorzocht zijn zakken, maar vond niets. Nu ik in staat was hem zorgvuldiger te bestuderen, zag ik dat de man die Carstairs naar Ridgeway Hall was gevolgd begin veertig was en goed gebouwd, met stevige schouders en gespierde armen. Hij had kortgeknipt haar dat grijs begon te worden. Het opvallendst was het litteken dat begon bij de hoek van zijn mond, schuin over zijn wang liep en dat vlak onder zijn oog stopte. Hij had de dood al eerder in de ogen gekeken. De tweede keer had hij minder geluk gehad.

'Kunnen we er zeker van zijn dat dit dezelfde man is die zich heeft opgedrongen aan meneer Edmund Carstairs?' vroeg Lestrade.

'Inderdaad. Carstairs heeft hem kunnen identificeren.'

'Was hij hier?'

'Even, ja. Helaas zag hij zich gedwongen te vertrekken.'

Holmes glimlachte en ik herinnerde me hoe we ons gedwongen hadden gezien Edmund Carstairs een rijtuig in te duwen om hem naar Wimbledon te sturen. Hij had nauwelijks een blik op het lichaam geworpen of hij was flauwgevallen, en ik begreep hoe hij er na zijn ervaringen met de Plattepettenbende in Boston aan toe moest zijn geweest op de Catalonia. Misschien was hij wel net zo gevoelig als enkele kunstenaars wier werken hij tentoonstelde. Het bloed en het vuil van Bermondsey waren in elk geval niets voor hem.

'Hier is nog meer bewijs, als je dat nodig hebt.' Holmes gebaarde naar een platte pet die op het bed lag.

Lestrade had zijn aandacht inmiddels op een pakje sigaretten gericht dat op een tafeltje lag. Hij bestudeerde het etiket. 'Old Judge…'

'Die zijn vervaardigd door Goodwin and Company in New York. Ik vond de peuk van een dergelijke sigaret bij Ridgeway Hall.'

'Is dat zo?' Lestrade slaakte een zucht van verwondering. 'Goed,' zei hij. 'Ik neem aan dat we het idee kunnen verwerpen dat onze Amerikaanse vriend het slachtoffer was van een willekeurige aanval? Hoewel er daar in deze buurt genoeg van zijn, en het is altijd mogelijk dat deze man bij terugkeer in zijn pension iemand betrapt heeft die zijn kamer leegplunderde. Er ontstond een gevecht. Er werd een mes getrokken. En dit is het resultaat…'

'Dat lijkt me onwaarschijnlijk,' zei Holmes. 'Het lijkt me een te groot toeval dat een man die onlangs in Londen is aangekomen en duidelijk niets goeds in de zin had opeens op deze manier aan zijn einde komt. Wat er in deze kamer is gebeurd kan alleen maar een direct gevolg zijn van zijn activiteiten in Wimbledon. En dan zijn er nog de positie van het lichaam en de hoek waarin het mes in zijn hals is gedreven. Het lijkt me dat de aanvaller hem in de donkere kamer naast de deur opwachtte, aangezien er geen kaars brandde toen we arriveerden. Hij kwam binnen en werd van achter beetgegrepen. Als je goed naar hem kijkt kun je zien dat hij een sterke man was die zichzelf kon verdedigen, maar in dit geval werd hij verrast en met een enkele klap gedood.'

'Het motief zou nog steeds diefstal kunnen zijn,' hield Lestrade vol. 'Zo zijn er de vijftig pond en de ketting die opgehelderd moeten worden. Als die niet hier zijn, waar dan wel?'

'Ik heb alle reden om aan te nemen dat je de ketting kunt vinden bij een pandjesbaas in Bridge Lane. Daar kwam onze man zojuist vandaan. Het heeft er alle schijn van dat degene die hem gedood heeft het geld heeft meegenomen, maar ik denk niet dat dat de belangrijkste reden voor het misdrijf was. Misschien moeten we ons afvragen wat er nog meer is ontvreemd uit de kamer. We hebben een lichaam, maar we weten niet wie het is, Lestrade. Je zou denken dat een bezoeker uit Amerika wellicht een paspoort of een introductiebrief bij zich heeft, als aanbeveling voor een bank misschien. Ik zie dat zijn portefeuille weg is. Weet je welke naam hij gebruikte toen hij zijn intrek nam in het pension?'

'Hij noemde zich Benjamin Harrison.'

'Wat natuurlijk de huidige Amerikaanse president is.'

'De Amerikaanse president? Dat wist ik natuurlijk wel.' Lestrade keek hem kwaad aan. 'Maar welke naam hij ook gekozen heeft, we weten precies wie hij is. Hij is wijlen Keelan O'Donaghue uit Boston. Ziet u dat litteken op zijn gezicht? Dat is een kogelwond. Zeg me niet dat u het daar ook niet mee eens bent!'

Holmes wendde zich tot mij en knikte. 'Het is inderdaad een kogelwond,' zei ik. Ik had in Afghanistan veel vergelijkbare verwondingen gezien. 'Ik zou zeggen dat hij ongeveer een jaar oud is.'

'Wat precies overeenkomt met wat Carstairs me verteld

heeft,' concludeerde Lestrade triomfantelijk. 'Het lijkt me dat we aan het einde van dit hele treurige verhaal zijn gekomen. O'Donaghue is gewond geraakt tijdens de beschieting van de flat in Boston. Daarbij kwam zijn tweelingbroer om het leven en hij is naar Engeland gekomen om zich te wreken. Het is zo klaar als een klontje.'

'In mijn ogen zou het nauwelijks minder duidelijk kunnen zijn als er als moordwapen een klontje was gebruikt,' wierp Holmes tegen. 'Misschien kun je ons dan iets uitleggen, Lestrade: wie heeft Keelan O'Donaghue vermoord, en waarom?'

'De verdachte die het meest voor de hand ligt is Edmund Carstairs zelf.'

'Maar meneer Carstairs was bij ons toen de moord plaatsvond. En gezien zijn reactie toen we het lichaam vonden denk ik echt niet dat hij de durf of wilskracht had om zelf toe te slaan. Daarnaast wist hij niet waar zijn slachtoffer verbleef. Voor zover we weten, had niemand in Ridgeway Hall die informatie, aangezien we het zelf pas op het laatste moment hoorden. Ik zou je ook kunnen vragen waarom hij, als dit echt Keelan O'Donaghue is, een sigarettenetui met de initialen wm heeft?'

'Welk sigarettenetui?'

'Het ligt op het bed, deels onder het laken. Dat verklaart ongetwijfeld ook waarom de moordenaar het over het hoofd heeft gezien.'

Lestrade vond het voorwerp in kwestie en bekeek het vluchtig. 'O'Donaghue was een dief,' zei hij. 'Er is geen reden waarom hij hem niet gestolen zou kunnen hebben.'

'Is er ook maar enige reden waarom hij het wél gestolen zou kunnen hebben? Het is geen kostbaar voorwerp. Het is gemaakt van tin waar letters op zijn geverfd.'

Lestrade had het etui geopend. Het was leeg. Hij klapte het dicht. 'Dit is allemaal gezwam in de ruimte,' zei hij. 'Het probleem met u is dat u een manier hebt om de zaken ingewikkelder te maken dan ze zijn. Soms vraag ik me af of u het opzettelijk doet. Het is alsof u de misdaad nodig hebt om de uitdaging aan te durven, alsof die vreemd genoeg moet zijn om het de moeite waard te maken hem op te lossen. De man in deze kamer kwam uit Amerika. Hij is tijdens een vuurgevecht gewond geraakt. Hij is één keer gezien op de Strand en tweemaal in Wimbledon. Als hij dat pandjeshuis van u heeft bezocht, weten we dat hij de dief is die heeft ingebroken voor de kluis van Carstairs. Vanaf dat moment is het niet zo moeilijk om te verklaren wat hier heeft plaatsgevonden. O'Donaghue had ongetwijfeld criminele contacten hier in Londen. Hij zou er heel goed een gerekruteerd kunnen hebben om hem te helpen bij zijn vendetta. De twee kregen ruzie, de ander trok een mes en dit is het resultaat!'

'Weet je dat zeker?'

'Zo zeker als nodig is.'

'We zullen zien. We schieten er echter niets mee op de zaak hier te bespreken. Misschien is de eigenaar van dit pension in staat ons meer te vertellen.'

Maar mevrouw Oldmore, die nu zat te wachten in het kantoortje waarin eerder de huisknecht had gezeten, had daar weinig aan toe te voegen. Ze was een grijze vrouw die zo zuur keek dat het leek of ze azijn had gedronken, en ze hield haar armen om zich heen geslagen alsof ze bang was dat het gebouw haar zou besmetten als ze zich niet zo ver mogelijk van de muren vandaan hield. Ze droeg een kleine bonnet en had een bontstola om haar schouders, hoewel ik huiverde bij de gedachte welk dier daarvoor de huid verschaft had en hoe dat aan zijn einde moest zijn gekomen. Verhongering leek een aannemelijke optie.

'Hij had de kamer voor een week genomen,' zei ze. 'En me een guinea betaald. Een Amerikaan, hij was net van een schip in Liverpool gekomen. Dat zei-die, en verder bijna niks. Het was z'n eerste keer in Londen. Dat zei-die niet, maar dat zag ik, want hij wist heg noch steg hier. Hij zei dat-ie naar iemand in Wimbledon moest en hij vroeg aan mij hoe-die daar kon komen.

"Wimbledon," zei ik. "Dat is een chique plek en daar wonen veel rijke Amerikanen met mooie huizen, geloof dat maar." Niet dat hij zelf ook maar iets chics had – hij had amper bagage bij zich, zijn kleren waren sjofel en hij had die lelijke wond op z'n gezicht. "Ik ga d'r morgen heen," zei-die. "Iemand is me iets verschuldigd en dat ga ik ophalen." Door de manier waarop hij praatte wist ik dat hij niks goeds van plan was, en op dat moment dacht ik bij mezelf: wie deze vent ook is, hij moet op z'n tellen passen. Ik rook onraad, maar wat doe je d'r tegen? Als ik iedere klant die er verdacht uitzag wegstuurde, zou ik m'n zaak wel kunnen opdoeken. En nu is die Amerikaan, meneer Harrison, vermoord! Nou ja, het viel eigenlijk wel te verwachten. Dat is de wereld waarin we nu leven, waar een respectabele vrouw geen pension kan uitbaten zonder dat er bloed aan de muren komt en er overal lijken liggen. Ik had nooit in Londen moeten blijven. Het is hier afschuwelijk, echt afschuwelijk!'

We lieten haar daar in de misère achter en Lestrade nam afscheid. 'Ik weet zeker dat we elkaar wel weer tegenkomen, meneer Holmes,' zei hij. 'En als u me nodig heeft, weet u waar u me kunt vinden.'

'Als ik inspecteur Lestrade ooit nodig heb zou dat een mooie boel zijn,' mompelde Holmes toen hij weg was. 'Maar laten we het steegje in gaan, Watson. Mijn zaak is afgerond, maar toch moeten we nog één ding bekijken.'

We verlieten het pension aan de voorkant en gingen het smalle, met vuilnis bezaaide steegje in dat langs de kamer liep waar de Amerikaan aan zijn eind was gekomen. Ongeveer halverwege was het raam duidelijk zichtbaar, met vlak eronder een houten krat. Het was duidelijk dat de moordenaar dat als opstapje had gebruikt om binnen te komen. Het raam zelf was niet op slot en zou gemakkelijk vanbuiten geopend kunnen zijn. Holmes keek nonchalant naar de grond, maar niets leek daar zijn aandacht te trekken. Samen volgden we het steegje, tot het punt waar het eindigde bij een hoog houten hek met daarachter een lege binnenplaats. Daarvandaan liepen we terug naar de straat. Holmes was nu diep in gedachten verzonken en ik zag het ongemak in zijn bleke, lange gezicht.

'Je herinnert je die jongen van gisteravond nog wel, Ross,' zei hij.

'Je dacht dat hij iets achterhield.'

'En nu weet ik dat zeker. Vanaf zijn plek had hij duidelijk zicht op zowel het pension als het steegje, dat zoals we gezien hebben doodloopt. De moordenaar kan dus alleen zijn binnengekomen vanaf de weg, en dan had Ross heel goed kunnen zien wie het was.'

'Hij leek inderdaad slecht op zijn gemak. Maar Holmes, als hij iets gezien had, waarom vertelde hij ons dat dan niet?'

'Omdat hij zelf ook iets van plan was, Watson. In zekere zin had Lestrade gelijk. Deze jongens scharrelen hun hele leven bij elkaar. Dat moeten ze wel leren als ze willen overleven. Als Ross dacht dat er geld viel te verdienen, zou hij het nog tegen de duivel zelf opnemen! En toch is er iets waar ik niets van begrijp. Wat kan die jongen gezien hebben? Een gedaante gevangen in het gaslicht die een steegje in schiet en uit het zicht verdwijnt. Misschien hoort hij een kreet als de moordenaar toeslaat. Even later verschijnt die een tweede keer en hij snelt de nacht in. Ross blijft op zijn plek en even later komen wij vieren aan.'

'Hij was bang,' zei ik. 'Hij dacht dat Carstairs een agent was.'

'Het was meer dan angst. Ik zou gezegd hebben dat de jongen in de greep was van iets wat in de buurt komt van doodsangst, maar ik ging ervan uit...' Hij sloeg met zijn hand tegen zijn voorhoofd. 'We moeten hem vinden en met hem praten. Ik hoop dat ik geen ernstige misrekening heb gemaakt.'

We stopten op de terugweg naar Baker Street bij een postkantoor en Holmes stuurde nog een telegram naar Wiggins, de eerste luitenant van zijn ongeregelde garde. Vierentwintig uur later had Wiggins echter nog steeds niets van zich laten horen. En een poosje later kregen we het slechtst mogelijke nieuws.

Ross was verdwenen.

6

Chorley Grange Jongensschool

In 1890, het jaar waarover ik schrijf, leefden er ongeveer vijf-enhalf miljoen mensen op de zeshonderd vierkante mijl die bekendstond als het Metropolitan Police District of London, en destijds bevonden rijkdom en armoede zich net als altijd ongemakkelijk naast elkaar. Ik sta er nu soms bij stil dat ik in de loop der jaren ooggetuige ben geweest van zo veel gedenk-waardige veranderingen dat ik meer had moeten uitweiden over de chaos van de stad waarin ik woonde, misschien in de stijl van Gissing, of Dickens vijftig jaar eerder. Ter verdediging kan ik alleen maar aanvoeren dat ik een biograaf was, geen ge-schiedschrijver of journalist, en dat mijn avonturen me stee-vast naar de hogere kringen brachten – prachtige huizen, ho-tels, privéclubs, scholen en regeringsgebouwen. De cliënten van Holmes kwamen weliswaar uit alle klassen, maar de inte-ressantste misdrijven (en misschien heeft iemand op een dag tijd om na te denken over de betekenis hiervan), de misdrij-ven waarover ik besloot te vertellen, werden altijd gepleegd door de welgestelden.

Het is nu echter noodzakelijk om stil te staan bij de lagere re-gionen van de grote smeltkroes die Londen was, bij dat wat Gissing 'de onderwereld' noemde, om te begrijpen hoe onmo-gelijk de taak was die voor ons lag. We moesten één kind vinden, één hulpeloze, in lompen gehulde jongen tussen al die andere, en als Holmes gelijk had, als er gevaar dreigde, hadden we geen tijd te verliezen. Waar moesten we beginnen? Ons onderzoek zou niet gemakkelijker worden door de rusteloosheid van de stad, de manier waarop zijn bewoners in een ogenschijnlijk aanhoudende beweging van huis naar huis en straat naar straat trokken, waardoor maar weinig mensen wisten hoe hun buren heetten. De ontruiming van de sloppenwijken en de uitbreiding van de spoorwegen waren daar voor een groot deel verantwoordelijk voor, hoewel veel inwoners naar Londen gekomen leken te zijn met een rusteloosheid die het eenvoudigweg niet toestond ergens lang te blijven. Ze trokken als zigeuners naar de plekken waar ze werk konden vinden: in de zomer plukten ze fruit en verrichtten metselwerk, en wanneer het koud werd scharrelden ze ineengedoken rond, op zoek naar kool en schroot. Ze bleven wellicht een tijdje op één plek, maar als het geld op was, vertrokken ze met de noorderzon.

En dan was er nog de grootste vloek van onze tijd, de achteloosheid waardoor tienduizenden kinderen op straat terecht waren gekomen die bedelden, zakkenrolden en stalen, en als ze niet mee konden komen stierven ze, onbekend en onbemind. En als hun ouders nog leefden, kon die dat weinig schelen. Er waren kinderen die een kamer van drie pence deelden, mits ze elk aan hun deel van de huur voor die nacht konden komen. Ze zaten daar opeengepakt in omstandigheden die nauwelijks geschikt waren voor dieren. Kinderen sliepen op daken, in hokken op Smithfield Market, in riolen en zelfs, hoorde ik, in gaten die ze schepten in de bergen zand op Hackney Marshes. Ik zal straks schrijven over liefdadigheidsinstellingen die zich ten doel stellen die kinderen te helpen en te onderwijzen, maar daar waren er te weinig van en er waren te veel kinderen, en toen de eeuw ten einde liep, schaamde Londen zich terecht.

Toe, Watson. Zo is het wel genoeg. Ga terug naar het verhaal. Als Holmes nog had geleefd, had hij hier niets van moeten hebben!

Holmes was onrustig gebleven vanaf het moment dat we waren weggegaan uit Mrs Oldmore's Pension. De hele dag ijsbeerde hij door de kamer. Hij rookte voortdurend, maar zijn middag- en avondeten raakte hij amper aan, en het baarde me zorgen dat ik hem een paar keer naar het marokijnen foedraal zag kijken dat hij op zijn schoorsteenmantel bewaarde. Ik wist dat daar een injectiespuit in zat, maar het zou ongehoord zijn als Holmes zich tijdens een zaak te goed zou doen aan de cocaïne in een oplossing van zeven procent, wat zonder enige twijfel zijn merkwaardigste gewoonte was. Ik denk dat hij geen oog heeft dichtgedaan. Laat die avond, voordat mijn eigen ogen dichtvielen, hoorde ik hem op het gehoor een deuntje spelen op zijn Stradivarius, maar de muziek klonk slordig en vol wanklanken, hij was er duidelijk niet bij met zijn gedachten. Ik begreep de gejaagdheid die mijn vriend kwelde maar al te goed. Hij had het over een ernstige misrekening gehad. De verdwijning van Ross suggereerde dat hij gelijk had gehad, en als dat het geval was, zou hij zichzelf dat nooit vergeven.

Ik dacht dat we wel terug konden gaan naar Wimbledon. Met wat hij in het pension gezegd had, had Holmes duidelijk gemaakt dat het avontuur van de man met de platte pet voorbij was en de zaak was opgelost. Het enige wat hem nog te doen stond was een van zijn verklarende betogen af te steken waarbij ik me afvroeg hoe ik zo traag van begrip had kunnen zijn dat ik het zelf niet vanaf het begin had doorgehad. Tijdens het ontbijt werd er echter een brief van Catherine Carstairs bezorgd waarin ze ons meedeelde dat zij en haar echtgenoot een paar dagen weg waren, op bezoek bij vrienden in Suffolk.

Edmund Carstairs had met zijn fragiele karakter tijd nodig om tot rust te komen, en zonder publiek zou Holmes nooit onthullen wat hij allemaal wist. Ik zou dus moeten wachten.

Het duurde uiteindelijk nog twee dagen voordat Wiggins terugkeerde naar 221b Baker Street, deze keer alleen. Hij had Holmes' telegram ontvangen (hoe precies weet ik niet, ik ben er nooit achter gekomen waar Wiggins woonde, of in welke omstandigheden) en sindsdien was hij op zoek geweest naar Ross, maar zonder resultaat.

'Hij is aan het eind van de zomer naar Londen gekomen,' legde Wiggins uit.

'Waar kwam hij vandaan?'

'Geen idee. Toen ik hem leerde kennen woonde hij met een familie in de keuken van King's Cross – met z'n negenen in twee kamers – en ik heb ze gesproken, maar ze hebben hem sinds die avond bij het pension niet meer gezien. Niemand heb 'm gezien. Volgens mij houdt-ie zich ergens schuil.'

'Wiggins, ik wil dat je me vertelt wat er die avond gebeurd is,' zei Holmes streng. 'Jullie hebben met zijn tweeën de Amerikaan gevolgd van het pandjeshuis naar het pension. Je liet Ross daar achter toen je naar me toe kwam. Hij moet een paar uur alleen zijn geweest.'

'Ross was mans genoeg. Ik heb 'm niet gedwongen.'

'Dat suggereer ik ook niet. Na een tijdje kwamen we aan, meneer Carstairs, dokter Watson, jij en ik. Ross was er nog. Ik gaf jullie geld en liet jullie gaan. Jullie gingen samen weg.'

'We zijn niet lang bij mekaar gebleven,' antwoordde Wiggins. 'Hij ging de ene kant op en ik de andere.'

'Zei hij nog iets tegen je? Hebben jullie met elkaar gepraat?'

'Ross was in een hartstikke rare bui. Hij had iets gezien...'

'Bij het pension? Zei hij wat dat was?'

'Er was een man geweest. Meer niet. Wat het ook was, het had 'm de stuipen op het lijf gejaagd. Ross is nog maar dertien, maar meestal laat-ie zich niet gek maken. Nou, hij was zich rot geschrokken.'

'Hij heeft de moordenaar gezien!' riep ik uit.

'Ik weet niet wat-ie gezien heb, maar ik kan jullie wel vertellen wat-ie zei. "Ik weet wie dat is en ik kan geld aan 'm verdienen. Meer dan de guinea die ik van die verdomde Holmes kan krijgen." Vergeef me, meneer, maar dat was precies wat-ie zei. Ik denk dat-ie van plan was het iemand flink moeilijk te maken.'

'En was er verder nog iets?'

'Alleen dat-ie er snel vandoor wilde. Hij rende het donker in. Hij ging niet naar King's Cross. Ik weet niet waar-ie heen is gegaan. Niemand heb 'm meer gezien.'

Holmes luisterde en keek ernstiger dan ik hem ooit had zien kijken. Nu liep hij dichter naar de jongen toe en hurkte neer. Bij hem vergeleken leek Wiggins heel klein. Hij was ondervoed en ziekelijk, met samengeklit haar en druipende ogen, en zijn huid zat onder de Londense viezigheid. In een menigte zou hij absoluut niet opvallen. Misschien was het daarom zo gemakkelijk om de hopeloze toestand van deze kinderen te negeren. Er waren er zoveel, en ze leken allemaal op elkaar. 'Luister naar me, Wiggins,' zei Holmes. 'Ik denk dat Ross wel eens in groot gevaar zou kunnen zijn…'

'Ik ben hem gaan zoeken! Ik ben overal geweest!'

'Dat geloof ik graag, maar je moet me vertellen wat je over zijn verleden weet. Waar kwam hij vandaan voordat je hem leerde kennen? Wie waren zijn ouders?'

'Hij heb nooit ouders gehad. Die zijn allang dood. Hij heb nooit gezegd waar-ie vandaan kwam en ik heb het nooit gevraagd. Waar denkt u dat we vandaan komen? Wat doet het ertoe?'

'Denk na, jongen. Was er iemand naar wie hij toe ging als hij in de problemen zat, een plek waar hij zijn heil kon zoeken?'

Wiggins schudde zijn hoofd, maar toen leek hij iets te bedenken. 'Krijg ik dan weer een guinea?' vroeg hij.

Holmes kneep zijn ogen toe en ik zag dat het hem moeite kostte kalm te blijven. 'Is het leven van je compagnon zo weinig waard?' vroeg hij op strenge toon.

'Ik weet niet wat een "compagnon" is. Hij betekende niks voor me, meneer Holmes. Wat ken mij het nou schelen of-ie doodgaat? Als niemand Ross ooit nog ziet zijn er zo twintig anderen om z'n plek in te nemen.' Holmes keek hem nog steeds kwaad aan en Wiggins keek plotseling een stuk milder. 'Goed. D'r is in elk geval een tijdje voor 'm gezorgd. D'r was een liefdadigheidsstichting die hem in huis heb genomen. Chorley Grange, in Hamworth. Dat is een jongensschool. Hij heb me een keer verteld dat-ie daar geweest was, maar dat-ie het vreselijk vond en was weggelopen. Daarna ging-ie naar King's Cross, maar als-ie bang was of als d'r iemand achter hem aan zat, is hij d'r misschien wel naar teruggegaan. Baat het niet…'

Holmes kwam overeind. 'Dankjewel, Wiggins,' zei hij. 'Ik wil dat je hem blijft zoeken. Ik wil dat je iedereen die je tegenkomt naar hem vraagt.' Hij haalde een muntje tevoorschijn en overhandigde het. 'Als je hem vindt, moet je hem meteen hierheen brengen. Mevrouw Hudson zal jullie allebei te eten geven en voor jullie zorgen tot ik terug ben. Begrepen?'

'Ja, meneer Holmes.'

'Goed. Watson, ik neem aan dat je met me meegaat? We kunnen bij Baker Street de trein nemen.'

Een uur later zette een huurkoets ons af voor drie mooie gebouwen op een rij aan een smalle laan die bijna een kilometer steil omhoogliep, van het dorp Roxeth naar Hamworth Hill. Het grootste gebouw, dat in het midden stond, leek op een landhuis van een Engelse heer dat misschien wel honderd jaar oud was, met een dak van rode dakpannen en langs de hele eerste verdieping een open galerij. De voorzijde van het huis was bedekt met ranken die in de zomer misschien weelderig maar nu kaal en stakerig waren, en de hele woning werd omringd door landbouwgrond. Er was een gazon dat schuin afliep naar een boomgaard met stokoude appelbomen. Het was moeilijk te geloven dat we zo dicht bij Londen waren, want de lucht was fris en het omringende platteland uiterst aantrekkelijk, of dat zou het geweest zijn als het aangenamer weer was geweest, want het was heel koud en begon te motregenen. De gebouwen aan weerszijden waren oorspronkelijk schuren of brouwerijen geweest, maar waren vermoedelijk verbouwd om aan de behoeften van de school te voldoen. Aan de andere kant van de laan bevond zich een vierde gebouw met eromheen een barok ijzeren hek waarvan de poort open stond. Het leek leeg te staan, aangezien er nergens licht brandde en er niemand te zien was. Op een houten bordje stond: CHORLEY GRANGE JONGENSSCHOOL. Ik keek over de velden en zag een kleine groep jongens die zich met scheppen en schoffels op een groentebed stortten.

We belden aan en werden binnengelaten door een man die somber gekleed ging in een donkergrijs pak en zwijgend luisterde toen Holmes uitlegde wie we waren en waarom we hier waren. 'Heel goed, heren. Als u hier zou willen wachten…' We gingen naar binnen en hij liet ons achter in een strenge hal met houten lambrisering waar niets aan hing, op enkele portretten na die zo verschoten waren dat er bijna niets meer van te zien was, en een zilveren kruis. In de verte liep een lange gang met aan weerszijden verschillende deuren. Ik kon me aan de andere kant daarvan klaslokalen voorstellen, maar er kwam geen enkel geluid uit. Het gebouw had meer weg van een klooster dan van een school.

Op dat moment keerde de bediende – als hij dat was – terug, en hij had een kleine man met een rond gezicht bij zich die voor elke stap van zijn metgezel drie passen moest doen en luidruchtig hijgde bij zijn pogingen hem bij te houden. Alles aan deze nieuwkomer was rond. Wat zijn vorm betrof deed hij me denken aan de sneeuwpoppen die ik nu elk moment in Regent's Park kon zien, want zijn hoofd vormde één bal en zijn lichaam een andere, en zijn gezicht had een eenvoud die uit te beelden zou zijn met een wortel en een paar stukjes kool. Hij was ongeveer veertig jaar en kaal met rond zijn oren slechts een restje donker haar. Hij ging gekleed als een geestelijke, inclusief de hoge boord die om zijn nek nóg een cirkel vormde. Met een stralende blik kwam hij op ons af en hartelijk spreidde hij zijn armen.

'Meneer Holmes! Dit is een hele eer voor ons. Ik heb vanzelfsprekend over uw prestaties gelezen, meneer. De beste raadgevend detective van het land hier in Chorley Grange! Het is echt buitengewoon. En u moet dokter Watson zijn. We hebben uw verhalen hier in de klas gelezen. De jongens smullen ervan. Ze zullen niet kunnen geloven dat u hier bent. Hebt u wellicht tijd om ze toe te spreken? Maar ik loop op de zaken vooruit. U moet me vergeven, heren, maar ik ben door het dolle heen. Ik ben predikant Charles Fitzsimmons. Vosper zegt me dat u hierheen bent gekomen voor een serieuze kwestie. Meneer Vosper helpt bij de dagelijkse gang van zaken hier en geeft leesles en wiskunde. Komt u alstublieft mee naar mijn studeerkamer. U moet kennismaken met mijn vrouw, en wellicht mogen we u een kop thee aanbieden?'

We volgden de kleine man een tweede gang door en een deur door naar een kamer die te groot en te koud was om gerieflijk genoemd te kunnen worden, hoewel er een poging gedaan was er iets van te maken met boekenkasten, een sofa en enkele stoelen in een halve cirkel voor een open haard. Een groot bureau, volgestapeld met documenten, was zo neergezet dat het door enkele ramen uitkeek op het gazon en de boomgaard daarachter. In de gang was het koud geweest, maar hier was het ondanks het vuur op het roosterwerk nog kouder. De rode gloed en de geur van brandende kool wekten de illusie van warmte, maar daar bleef het wel bij. De regen ging nu tekeer tegen de ramen en stroomde langs het glas omlaag. Het beroofde de velden van hun kleur. Hoewel het nog maar halverwege de middag was, had het net zo goed avond kunnen zijn.

'Lieveling, dit zijn meneer Sherlock en dokter Watson,' zei onze gastheer luidkeels. 'Ze zijn gekomen om onze hulp te vragen. Heren, mag ik u voorstellen aan mijn vrouw, Joanna?'

Ik had de vrouw die in een leunstoel in de donkerste hoek van de kamer zat en een boek van honderden pagina's las dat nu op haar schoot lag, niet gezien. Als dit mevrouw Fitzsimmons was, vormden de twee een merkwaardig paar, want zij was opmerkelijk lang, en voor zover ik kon zien ook jaren ouder dan hij. Ze ging geheel in het zwart gekleed: een ouderwetse satijnen jurk die hoog om de hals sloot en strakke mouwen had, met om haar schouders een met kralen bestikt boordsel. Haar haar zat in een knot en ze had lange, dunne vingers. Als ik een jongen was geweest, zou ik wellicht een heks in haar hebben gezien. Nu ik naar hen keek had ik in elk geval de wellicht onbetamelijke gedachte dat ik kon begrijpen waarom Ross was weggelopen. Als ik hem was geweest, zou ik heel goed hetzelfde hebben kunnen doen.

'Wilt u thee?' vroeg de vrouw. Haar stem was net zo dun als de rest, haar accent doelbewust bijgeschaafd.

'We willen u geen overlast bezorgen,' antwoordde Holmes. 'Zoals u weet zijn we hier voor een dringende kwestie. We zijn op zoek naar een jongen, een straatschooiertje van wie we alleen weten dat hij Ross heet.'

'Ross? Ross?' De predikant pijnigde zijn hersens. 'O ja! Die arme jonge Ross! We hebben hem al geruime tijd niet gezien, meneer Holmes. Hij kwam uit een moeilijk milieu, maar dat geldt voor veel pupillen onder onze hoede. Hij is niet lang bij ons geweest.'

'Hij was een lastig en slechtgeluimd kind,' onderbrak zijn vrouw hem. 'Hij hield zich niet aan de regels. Hij viel de andere jongens lastig en weigerde zich aan te passen.'

'Je bent té streng, lieveling. Maar het is waar dat Ross nooit dankbaar was voor de hulp die we hem probeerden te bieden, en dat hij nooit gewend is geraakt aan de manier waarop wij de dingen doen, meneer Holmes. Hij was hier nog maar een paar maanden toen hij wegliep. Dat was vorige zomer... juli of augustus. Ik zou mijn aantekeningen moeten bekijken om het met zekerheid te kunnen zeggen. Mag ik vragen waarom u hem zoekt? Ik hoop niet dat hij iets heeft gedaan wat niet mocht?'

'Absoluut niet. Een paar avonden geleden was hij getuige van bepaalde gebeurtenissen in Londen. Ik wil alleen maar weten wat hij gezien heeft.'

'Het klinkt heel mysterieus, vind je niet, liefste? Ik zal u niet vragen uit te weiden. We weten niet waar hij vandaan kwam en waar hij heen is gegaan.'

'Dan zal ik u niet langer storen.' Holmes draaide zich om naar de deur, maar leek toen van gedachten te veranderen. 'Hoewel u ons voordat we weggaan misschien nog iets over uw werk kunt vertellen. Is Chorley Grange uw eigendom?'

'Absoluut niet, meneer. Mijn vrouw en ik zijn in dienst van de Stichting voor de Integratie van Jeugdige Delinquenten.' Hij wees naar een portret van een aristocratisch heerschap dat tegen een pilaar leunde. 'Dat is de oprichter, Sir Crispin Ogilvy, die inmiddels overleden is. Hij heeft deze boerenhoeve vijftig jaar geleden gekocht en dankzij zijn erfenis zijn wij in staat die te onderhouden. We hebben vijfendertig jongens die stuk voor stuk van de straten van Londen komen en die we gered hebben van een toekomst waarin ze touw hadden moeten pluizen of hun tijd hadden moeten verdoen in de tredmolen. We geven ze eten en onderdak, en belangrijker nog: goed, christelijk onderwijs. Naast lezen, schrijven en de beginselen van de wiskunde leren de jongens schoenmaken, timmerwerk en kleermakerswerk. U zult de velden wel gezien hebben. We hebben veertig hectare en verbouwen bijna al ons eigen voedsel. Daarnaast leren de jongens hoe ze varkens en gevogelte moeten fokken. Als ze hier weggaan, gaan veel van hen naar Amerika om een nieuw leven te beginnen. We hebben contact met een aantal boeren die bereid zijn ze te verwelkomen en een nieuwe start te laten maken.'

'Hoeveel leraren heeft u?'

'We zijn slechts met zijn vieren, inclusief mijn vrouw, en we verdelen de taken onderling. Meneer Vosper heeft u al ontmoet toen u binnenkwam. Hij is portier en geeft wiskunde en leesles, zoals ik geloof ik al heb gezegd. Op dit moment zijn de middaglessen bezig en geven mijn andere twee leraren les.'

'Hoe is Ross hier gekomen?'

'Hij is ongetwijfeld opgepikt in een tijdelijk onderkomen voor daklozen of een plek waar ze kunnen slapen. De stichting heeft in de stad vrijwilligers werken die de jongen naar ons toe brengen. Als u wilt kan ik het navragen, hoewel we al zo lang niets van hem hebben gehoord dat ik betwijfel of we u tot hulp kunnen zijn.'

'We kunnen de jongens niet dwingen te blijven,' zei mevrouw Fitzsimmons. 'De grote meerderheid kiest ervoor dat wel te doen, en zij groeien op tot een aanwinst voor de school en voor zichzelf. Maar er zitten zo nu en dan ook onruststokers tussen, jongens die heel erg ondankbaar zijn.'

'We moeten in elk kind geloven, Joanna.'

'Je bent te zachtaardig, Charles. Ze buiten je uit.'

'Je kunt Ross niet de schuld geven van wat hij was. Zijn vader was een vleeshouwer die in aanraking kwam met een ziek schaap en daardoor heel langzaam aan zijn einde is gekomen. Zijn moeder zocht haar toevlucht in alcohol. Zij is ook overleden. Er heeft nog een tijdje een oudere zus voor Ross gezorgd, maar wat er van haar is geworden weten we niet. O ja! Ik herinner het me weer. U vroeg hoe hij hier was gekomen. Ross was gearresteerd voor winkeldiefstal. De politie had met hem te doen en stuurde hem naar ons.'

'Een laatste kans.' Mevrouw Fitzsimmons schudde haar hoofd. 'Ik ril als ik eraan denk waar hij nu is.'

'Dus u hebt geen enkel idee waar we hem zouden kunnen vinden?'

'Het spijt me dat u uw tijd heeft verdaan, meneer Holmes. Het ontbreekt ons aan de middelen om op zoek te gaan naar jongens die er zelf voor gekozen hebben weg te gaan, en eerlijk gezegd: wat zou het voor zin hebben? "Gij hebt Mij verlaten, daarom heb Ik u ook verlaten." Kunt u ons vertellen waarvan hij getuige is geweest en waarom het zo belangrijk voor u is dat u hem vindt?'

'We denken dat hij in gevaar is.'

'Al die dakloze jongens zijn in gevaar.' Fitzsimmons klapte zijn handen ineen alsof hij opeens iets bedacht. 'Misschien helpt het om een paar van zijn voormalige klasgenoten te spreken? Er is altijd kans dat hij een van hen misschien iets verteld heeft wat hij voor ons wilde verzwijgen. En als u met me mee wilt komen, geeft mij dat de kans u de school te laten zien en iets meer over ons werk te vertellen.'

'Dat zou heel aardig van u zijn, meneer Fitzsimmons.'

'Het genoegen is geheel aan mij.'

We verlieten de studeerkamer. Mevrouw Fitzsimmons kwam niet mee, maar bleef met haar neus in haar dikke boek in de hoek zitten.

'U moet het mijn vrouw vergeven,' mompelde de eerwaarde Fitzsimmons. 'Ze komt misschien nogal streng over, maar ik kan u verzekeren dat ze voor deze jongens lééft. Ze geeft godsdienstles, helpt met het wasgoed en verzorgt ze als ze ziek zijn.'

'Heeft u zelf geen kinderen?' vroeg ik.

'Misschien heb ik mezelf niet duidelijk uitgedrukt, dokter Watson. We hebben vijfendertig kinderen, aangezien we ze behandelen alsof ze ons eigen vlees en bloed zijn.'

Hij nam ons weer mee de gang door die ik eerder had gezien en we gingen een van de kamers in. Het rook er sterk naar leer en verse hennep. Er bevonden zich acht of negen jongens, elk schoon en keurig verzorgd en met een schort voor, die zich in stilte concentreerden op de schoenen die voor hen lagen. De man die ons had binnengelaten, meneer Vosper, keek toe. Ze kwamen allemaal overeind toen we binnenkwamen en bleven in eerbiedige stilte staan, maar Fitzsimmons gebaarde opgewekt dat dat niet nodig was. 'Ga zitten, jongens! Ga zitten! Dit is meneer Sherlock Holmes uit Londen die ons een bezoekje komt brengen. Laat maar zien hoe ijverig jullie zijn.' De jongens gingen verder met hun werk. 'Gaat het goed, meneer Vosper?'

'Ja, meneer.'

'Mooi! Mooi!' Fitzsimmons glunderde ronduit van voldoening. 'Ze hebben nog twee uur te gaan en hebben dan een uur vrij voor de avondmaaltijd. Onze dag eindigt om acht uur met gebed, waarna we gaan slapen.'

Hij liep weer verder, en zijn korte benen moesten hard werken om hem voort te bewegen, deze keer naar boven om ons een slaapzaal te laten zien die een beetje Spartaans was ingericht maar absoluut schoon en ruim was. Bedden stonden als soldaten op een rij, elk ongeveer een meter van elkaar. We zagen de keukens, de eetzaal en een werkplaats, en ten slotte bereikten we een klaslokaal waar een les aan de gang was. Het was een vierkante ruimte met in een hoek een enkel klein fornuis, aan een van de muren een schrijfbord en aan een andere een geborduurde eerste regel van een psalm of iets dergelijks. Op planken lagen een paar keurig opgestapelde boeken, een telraam en her en der een aantal voorwerpen – dennenappels, stenen en botjes van dieren – die ongetwijfeld verzameld waren tijdens excursies. Een jongeman keek een schrift na terwijl een jongen van een jaar of twaalf, die fungeerde als leraarshulpje, zijn klasgenoten staand voorlas uit een aftandse bijbel. De jongen zweeg toen we binnenkwamen. Vijftien leerlingen zaten in drie rijen aandachtig te luisteren, en ook zij stonden eerbiedig op en staarden ons met bleke, ernstige gezichten aan.

'Ga alsjeblieft zitten!' riep de geestelijke uit. 'Vergeeft u ons de onderbreking, meneer Weeks. Was dat het boek Job, Harry? "Naakt ben ik uit mijner moeders buik gekomen, en naakt zal ik daarhenen wederkeren…"'

'Ja, meneer.'

'Heel goed. Een uitstekende keuze.' Hij gebaarde naar de leraar, die als enige was blijven zitten. Hij was achter in de twintig, met een merkwaardig vertrokken gezicht en een warrige bos bruin haar die scheef langs één kant van zijn hoofd viel. 'Dit is Robert Weeks. Hij is afgestudeerd aan Balliol College. Meneer Weeks had een succesvolle carrière in de stad, maar heeft ervoor gekozen een jaar bij ons te komen om jongens te helpen die in het leven minder geluk hebben. Herinnert u zich Ross nog, meneer Weeks?'

'Ross? Dat was die jongen die is weggelopen.'

'Deze meneer hier is niemand minder dan Sherlock Holmes, de bekende detective.' Dat veroorzaakte bij sommige jongens een vlaag van herkenning. 'Hij is bang dat Ross misschien in de problemen is gekomen.'

'Dat verbaast me niets,' mompelde meneer Weeks. 'Hij was geen gemakkelijk kind.'

'Was jij bevriend met hem, Harry?'

'Nee, meneer,' antwoordde het leraarshulpje.

'Iemand in dit lokaal moet toch bevriend met hem zijn geweest en met hem gepraat hebben? Diegene kan ons nu helpen hem te vinden. Jullie herinneren je nog wel dat we veel met elkaar gepraat hebben nadat Ross hier is weggegaan. Ik heb jullie allemaal gevraagd waar hij heen gegaan zou kunnen zijn en jullie konden me niets vertellen. Ik verzoek jullie dringend er nog één keer goed over na te denken.'

'Ik wil alleen maar jullie vriend helpen,' voegde Holmes er nog aan toe.

Er viel een korte stilte. Toen stak een jongen op de achterste rij zijn hand op. Hij was blond, zag er heel kwetsbaar uit en ik schatte hem een jaar of elf. 'Bent u de man uit de verhalen?' vroeg hij.

'Inderdaad. En dit is de man die ze schrijft.' Het kwam niet vaak voor dat Holmes me op deze manier voorstelde, en ik moet zeggen dat het me veel plezier deed. 'Lees jij ze?'

'Nee, meneer, er staan te veel lange woorden in. Maar soms leest meneer Weeks ze aan ons voor.'

'We moeten jullie weer aan jullie werk laten,' zei Fitzsimmons, en hij begon ons naar de deur te dirigeren.

Maar de jongen was nog niet klaar. 'Ross had een zus, meneer,' zei hij.

Holmes draaide zich om. 'In Londen?'

'Ik geloof het wel, ja. Hij had het een keer over haar. Ze heet Sally. Hij zei dat ze in een café werkte, The Bag of Nails.'

Voor het eerst keek de eerwaarde Fitzsimmons kwaad, en er verschenen doffe rode vlekken op zijn wangen. 'Dat is niet eerlijk van je, Daniel,' zei hij. 'Waarom heb je me dat niet eerder verteld?'

'Ik was het vergeten, meneer.'

'Als je het onthouden had, hadden we hem misschien wel

kunnen vinden en hem kunnen behoeden voor de problemen waar hij zich nu in bevindt.'

'Het spijt me, meneer.'

'We hebben het er verder niet meer over. Kom, meneer Holmes.'

Met zijn drieën liepen we terug naar de hoofdingang van de school. Holmes had de koetsier betaald om op ons te wachten en ik was blij hem te zien, want het regende nog steeds hard.

'De school strekt u tot eer,' zei Holmes. 'Ik vind het opmerkelijk hoe rustig en goed gedisciplineerd de jongens lijken te zijn.'

'Ik ben u heel erg dankbaar,' antwoordde Fitzsimmons, die zich ontspande en weer de sympathieke man van eerder werd. 'Mijn methodes zijn heel eenvoudig, meneer Holmes. De stok en de wortel, heel letterlijk. Als de jongens zich misdragen, geef ik ze ervan langs. Maar als ze hard werken en zich aan onze regels houden, krijgen ze goed te eten. In de zes jaar dat mijn vrouw en ik hier nu zijn, zijn er twee jongens gestorven, eentje aan een aangeboren hartkwaal, de andere aan tuberculose. Ross is de enige die is weggelopen. Als u hem vindt, en u vindt hem vast, hoop ik dat u hem kunt overhalen terug te komen. Het leven hier is niet zo hardvochtig als het in dit vreselijke weer lijkt. Als de zon schijnt en de jongens rond kunnen rennen in de open lucht, kan Chorley Grange ook een vrolijke plek zijn.'

'Daar twijfel ik niet aan. Nog één laatste vraag, meneer Fitzsimmons. Het gebouw hiertegenover. Maakt dat deel uit van de school?'

'Inderdaad, meneer Holmes. Toen we hier aankwamen was het een koetsfabriek, maar die hebben we aangepast aan onze eigen behoeften en we gebruiken het gebouw nu voor optredens die iedereen kan bijwonen. Had ik al gezegd dat elke jongen op school lid is van een fanfare?'

'U hebt onlangs nog een optreden gehad.'

'Eergisteravond. U hebt ongetwijfeld de vele wielsporen opgemerkt. Het zou me een eer zijn als u naar onze volgende uitvoering kon komen, meneer Holmes, en u ook, dokter Watson. Sterker nog: zou u willen overwegen donateur van de school te worden? We doen ons best, maar daarnaast hebben we alle hulp nodig die we kunnen krijgen.'

'Ik zal erover nadenken.' We schudden elkaar de hand en vertrokken. 'We moeten meteen naar The Bag of Nails, Watson,' zei Holmes zodra we in de koets waren geklommen. 'Er is geen moment te verliezen.'

'Denk je echt…'

'Die jongen, Daniel, vertelde ons wat hij geweigerd had zijn meesters te vertellen, maar alleen omdat hij wist wie we waren en dacht dat we zijn vriend konden redden. Voor deze ene keer laat ik me leiden door mijn instinct in plaats van door mijn verstand, Watson. Ik vraag me af waarom ik zo ongerust ben. Jaag de paarden op, koetsier, en breng ons naar het station! En laten we bidden dat we niet te laat zijn.'

7

Het witte lint

Hoe anders had alles kunnen lopen als er niet twee cafés in Londen waren geweest die The Bag of Nails heetten. We kenden er één in Edge Lane in het hart van Shoreditch, en aangezien dat ons een plek leek waar de verweesde zus van een straatkind dat geen rooie cent bezat heel goed zou kunnen werken, gingen we er onmiddellijk heen. Het was een kleine, groezelige kroeg op een straathoek. De stank van oud bier en sigarettenrook walmde uit het hout, maar de waard leek best aardig te zijn en veegde zijn enorme handen af aan zijn vieze schort terwijl hij ons vanachter de bar opnam.

'Er werkt hier geen Sally,' zei hij toen we ons hadden voorgesteld. 'En er heeft ook nooit een Sally gewerkt. Waarom denken jullie dat jullie haar hier kunnen vinden?'

'We zijn op zoek naar haar broer, een jongen die Ross heet.'

Hij schudde zijn hoofd. 'Ik ken ook geen Ross. Weten jullie zeker dat jullie naar de juiste plek zijn gestuurd? Er is ook een The Bag of Nails in Lambeth, geloof ik. Misschien moeten jullie daar je geluk beproeven.'

We stonden meteen weer op straat en snelden in een mum van tijd in een tweewielig rijtuigje door Londen, maar het was al laat en tegen de tijd dat we het verre Lambeth hadden bereikt, was het al bijna donker. Het tweede café dat vernoemd was naar een spijkerzak was sympathieker dan het eerste, maar de waard juist minder. Het was een nukkige, bebaarde kerel met een gebroken neus die niet goed gezet was en met een bijpassende chagrijnige blik.

'Sally?' vroeg hij. 'En welke Sally moet dat dan wel wezen?'

'We kennen alleen haar voornaam,' antwoordde Holmes. 'En we weten dat ze een jongere broer heeft, Ross.'

'Sally Dixon? Is dat het meisje dat jullie zoeken? Die heeft een broer, ja. Ze is hierachter, maar eerst moeten jullie me vertellen wat jullie van haar willen.'

'We willen haar alleen maar spreken,' antwoordde Holmes. Opnieuw voelde ik de spanning in hem gloeien, het niet-aflatende gevoel van energie en doorzettingsvermogen dat hem in elke zaak dreef. Niemand doorzag beter wanneer alles tegen hem samenspande om hem te frustreren. Hij schoof een paar munten over de bar. 'Dit is voor u, voor de tijd die ze met ons doorbrengt.'

'Dat is niet nodig,' antwoordde de waard, maar hij haalde het geld toch weg. 'Goed, ze is op de binnenplaats. Maar ik betwijfel of jullie veel uit haar zullen krijgen, ze is niet zo spraakzaam. Ik zou nog beter gezelschap hebben als ik een doofstomme in dienst had genomen.'

Achter het gebouw bevond zich een binnenplaats, waarvan de stenen nog glinsterden door de regen. De binnenplaats lag vol met troep, dat hoog langs de muren eromheen lag opgestapeld. Onwillekeurig vroeg ik me af hoe het hier was gekomen. Ik zag een kapotte piano, een hobbelpaard, een vogelkooi, verscheidene fietsen, halve stoelen, halve tafels… allerlei meubels, maar niet een ervan was compleet. Aan een kant stond een stapel gebroken kratten en aan de andere kant lagen oude kolenzakken gevuld met god mag weten wat. Er lagen stukken glas, hoge stapels papier, verdraaide stukken metaal en in het midden van dit alles veegde blootsvoets en in een jurk die te dun was voor dit weer een meisje van een jaar of zestien de weinige ruimte die nog vrij was, alsof het enig verschil maakte. Ik herkende haar jongere broer in haar. Haar haar was blond, haar ogen blauw, en in andere omstandigheden zou ik gezegd hebben dat ze knap was. De wrede sporen van armoede en ontbering waren ook zichtbaar in de scherpe lijn van haar jukbeenderen, in haar armen, die zo dun waren als stokjes, en het vuil dat zich had vastgezet in haar handen en wangen. Toen ze opkeek toonde haar gezicht slechts achterdocht en minachting. Zestien! En hoe was haar leven gelopen, dat ze nu hier was?

We gingen voor haar staan, maar ze ging door met haar werk en negeerde ons.

'Juffrouw Dixon?' vroeg Holmes. De haren van de bezem zwiepten in hetzelfde ritme heen en weer. 'Sally?'

Ze stopte, keek langzaam op en wierp ons een blik toe. 'Ja?' Ik zag dat haar handen zich steviger om de bezemsteel hadden gesloten en die als een wapen vastgrepen.

'We wilden je niet laten schrikken,' zei Holmes. 'We willen je geen kwaad doen.'

'Wat moeten jullie?' Haar ogen waren fel. We stonden geen van beiden dicht bij haar. Dat durfden we niet.

'We willen je broer spreken. Ross.'

Haar greep verstrakte. 'Wie zijn jullie?'

'Wij zijn vrienden van hem.'

'Zijn jullie van het Huis van Zijde? Ross is hier niet. Hij is hier nog nooit geweest, en jullie zullen hem niet vinden.'

'We willen hem helpen.'

'Natuurlijk zeggen jullie dat. Nou, en ik zeg jullie dat hij hier niet is. Dus jullie kunnen allebei weggaan! Ik word misselijk van jullie. Ga maar terug naar waar jullie vandaan komen.'

Holmes wierp me een vluchtige blik toe, en in de hoop hem van dienst te kunnen zijn deed ik een stap naar het meisje. Ik dacht dat ik haar wel kon geruststellen, maar ik beging een ernstige vergissing. Ik weet nog steeds niet wat er precies gebeurde. Ik zag de bezem vallen en hoorde Holmes een kreet slaken. Toen leek het meisje uit te halen naar de lucht voor me en ik voelde iets witheets over mijn borstkas snijden. Ik strompelde naar achteren en drukte mijn hand op mijn jas. Toen ik naar beneden keek, zag ik bloed tussen mijn vingers door druppelen. Ik was zo verbijsterd dat het een tijdje duurde voordat ik besefte dat ik was neergestoken, met een mes of een glasscherf. Even bleef het meisje voor me staan, helemaal geen kind meer maar grauwend als een dier, haar ogen in vuur en vlam en haar lippen teruggetrokken in een wilde grimas. Holmes kwam op me af gerend. 'Mijn beste Watson!' Toen merkte ik achter me beweging.

'Wat is hier aan de hand?' De waard was verschenen. Het meisje slaakte een enkele jankende keelklank, waarna ze zich omdraaide en wegvluchtte door een smal steegje dat uitkwam op de straat.

Ik had pijn, maar ik wist al dat ik niet ernstig gewond was. Mijn dikke jas en mijn vest eronder hadden me behoed voor het ergste wat het mes had kunnen aanrichten, en later die avond verzorgde en desinfecteerde ik een relatief kleine wond. Nu ik eraan terugdenk, herinner ik me dat er tien jaar later nog een voorval zou plaatsvinden waarbij ik gewond raakte en waar Sherlock Holmes bij was, en hoe vreemd het ook mag klinken, ik was mijn aanvallers bijna dankbaar dat ze hadden aangetoond dat mijn fysieke welzijn de grootse man op zijn minst toch íets deed en dat hij niet zo onverschillig over me dacht als hij me soms behandelde.

'Watson?'

'Het is niks, Holmes. Een schrammetje.'

'Wat is er gebeurd?' vroeg de waard. Hij staarde naar mijn bebloede handen. 'Wat heb je haar aangedaan?'

'U kunt beter vragen wat zij mij heeft aangedaan,' gromde ik, hoewel ik zelfs tijdens de heftige emotie die ik op dat moment voelde geen enkele wrok kon koesteren tegenover dat arme, ondervoede kind dat uit angst en onwetendheid naar me had uitgehaald en me niet echt kwaad wilde doen.

'Het meisje was bang,' zei Holmes. 'Weet je zeker dat je niet gewond bent, Watson? Kom binnen en ga even zitten.'

'Nee, Holmes. Ik verzeker je dat het niet zo erg is als het eruitziet.'

'Goddank. We moeten onmiddellijk een rijtuig laten komen.' Hij richtte zich tot de waard. 'We waren op zoek naar de broer van het meisje. Een jongen van dertien, ook blond, korter dan zij en beter gevoed.'

'Bedoelt u Ross?'

'Kent u hem?'

'Dat zei ik al. Hij werkte hier met haar. U had meteen naar hem moeten vragen.'

'Is hij hier nu?'

'Nee. Hij kwam hier een paar dagen geleden naartoe, op zoek naar onderdak. Ik zei dat hij bij zijn zus kon blijven in ruil voor werk in de keuken. Sally heeft een kamertje onder de trap en daar sliep hij met haar. Maar ik had alleen maar last van die jongen, hij was er nooit als ik hem nodig had. Ik weet niet waar hij mee bezig was, maar hij voerde iets in zijn schild, dat kan ik u wel vertellen. Vlak voordat jullie aankwamen ging hij ervandoor.'

'Heeft u enig idee waar hij heen is gegaan?'

'Nee. Dat had het meisje u misschien kunnen vertellen, maar zij is nu ook weg.'

'Ik moet mijn vriend verzorgen, maar als een van de twee terugkomt, is het heel belangrijk dat u een bericht stuurt naar de kamers die ik huur op 221b Baker Street. Hier is nog wat geld, voor het ongemak. Kom mee, Watson. Leun maar op mij. Ik geloof dat ik een rijtuig hoor…'

En zo eindigde de dag: samen voor het vuur. Ik had een opbeurend glas cognac met spuitwater en Holmes rookte verwoed. Ik stond even stil bij de omstandigheden die ons daar hadden gebracht, want het leek me dat we heel ver waren afgedwaald van ons oorspronkelijke doel, de man met de platte pet, of de identiteit van degene die hem had vermoord. Was dat dezelfde persoon die Ross voor Mrs Oldmore's Pension had gezien, en zo ja, hoe had de jongen hem dan kunnen herkennen? Op de een of andere manier dacht hij door die toevallige ontmoeting dat hij wat geld kon verdienen, en sindsdien was hij spoorloos verdwenen. Hij moet zijn zus iets over zijn voornemen hebben verteld, want zij was bang voor hem geweest. Het leek wel of ze ons al verwacht had. Waarom zou ze anders een wapen bij zich hebben gehad? En dan had ze ook nog gezegd: 'Zijn jullie van het Huis van Zijde?' Toen we terugkwamen had Holmes zijn kaartenbak en de verschillende encyclopedieën in zijn boekenkast geraadpleegd, maar we waren er niet achter gekomen wat ze bedoelde. We zeiden geen woord tegen elkaar. Ik was uitgeput en zag dat mijn vriend in gedachten verzonken was. We zouden gewoon moeten afwachten wat de volgende dag ons zou brengen.

Wat die ons bracht was een agent die vlak na het ontbijt aanklopte. 'Inspecteur Lestrade laat u groeten, meneer. Hij is bij Southwark Bridge en zou u heel dankbaar zijn als u naar hem toe kon komen.'

'Om wat voor zaak gaat het?'

'Een moord, meneer, en een zeer gewelddadige.'

We trokken onze jas aan en gingen meteen op pad. We namen een rijtuig naar de Southwark Bridge en reden de drie grote gietijzeren bogen over die de rivier bij Cheapside overspanden. Lestrade wachtte ons op de zuidelijke oever op bij een groepje politiemannen die ergens omheen stonden wat er van een afstandje uitzag als een hoopje afgedankte vodden. De zon scheen, maar het was weer bitter koud en het water van de Thames was killer dan ooit, met grijze golven die monotoon op de oever beukten. We gingen een grijze stalen wenteltrap af die vanaf de weg naar beneden kronkelde en liepen verder over het slijk en grind. Het was laagwater en de rivier leek achteruit te deinzen, alsof hij walgde van wat er gebeurd was. Een eindje verderop liep een pier voor stoomboten de rivier in. Er stonden een paar passagiers stampvoetend op een boot te wachten, en hun adem bevroor in de lucht. Ze leken volledig verwijderd van het tafereel dat ons opwachtte. Zij hoorden bij het leven. Hier heerste de dood.

'Is dit degene naar wie u op zoek was?' vroeg Lestrade. 'De jongen van het pension?'

Holmes knikte. Misschien vertrouwde hij er niet op dat hij iets zou kunnen uitbrengen.

De jongen was genadeloos toegetakeld. Zijn ribben waren verbrijzeld, evenals zijn armen, zijn benen en al zijn vingers. Ik keek naar die vreselijke verwondingen en wist meteen dat ze systematisch waren toegebracht, één voor één, en dat de dood voor Ross één lange tunnel van pijn geweest moest zijn. Ten slotte was zijn keel zo ver doorgesneden dat zijn hoofd bijna los was gekomen van zijn romp. Ik had wel eerder lijken gezien, zowel met Holmes als in mijn tijd als legerarts, maar zoiets vreselijks als dit had ik nog nooit onder ogen gekregen. Het ging alle begrip te boven dat iemand een jongen van dertien dit kon aandoen.

'Het is een kwalijke zaak,' zei Lestrade. 'Wat weet u over hem, meneer Holmes? Was hij bij u in dienst?'

'Zijn naam was Ross Dixon,' antwoordde Holmes. 'Ik weet maar weinig over hem, inspecteur. Je zou navraag kunnen doen bij de Chorley Grange Jongensschool in Hamsworth, maar ik denk niet dat ze je daar veel meer kunnen vertellen. Hij was een weeskind, maar hij had een zus die tot voor kort in het café The Bag of Nails in Lambeth werkte. Misschien dat je haar daar kunt vinden. Heb je het lichaam al onderzocht?'

'Ja. Zijn zakken waren leeg, maar er was iets merkwaardigs dat ik u wil laten zien. God mag weten wat het betekent. Ik werd er een beetje onpasselijk van, dat kan ik u wel vertellen.'

Lestrade knikte en een van de agenten knielde neer en pakte een van de kleine gebroken armen. De mouw van het overhemd van de jongen viel naar achteren en onthulde een wit lint dat om zijn pols was geknoopt. 'De stof is nieuw,' zei Lestrade. 'Zo te zien is het zijde van goede kwaliteit. En kijk, er zit geen bloed of iets van de viezigheid uit de Thames op. Ik zou dus zeggen dat het is aangebracht nadat de jongen werd vermoord, als een soort teken.'

'Het Huis van Zijde!' riep ik uit.

'Wat is dat?'

'Heb je daarvan gehoord, Lestrade?' vroeg Holmes. 'Zegt je dat iets?'

'Nee. Het Huis van Zijde? Is dat een fabriek? Ik heb er nooit van gehoord.'

'Maar ik wel.' Holmes staarde in de verte, en zijn ogen vulden zich met afschuw en zelfverwijt. 'Het witte lint, Watson! Dat heb ik eerder gezien.' Hij wendde zich weer tot Lestrade. 'Bedankt dat je me hebt laten komen en me dit hebt laten zien.'

'Ik hoopte dat u in staat zou zijn enig licht op de zaak te werpen. Het zou immers wel eens uw schuld kunnen zijn.'

'Mijn schuld?' Holmes leek als door een wesp gestoken.

'Ik had u al gewaarschuwd voor deze kinderen. U hebt de jongen in dienst genomen. U zette hem op het spoor van iemand van wie we wisten dat hij een crimineel was. Ik geef toe dat hij misschien wel zo zijn eigen ideeën heeft gehad en dat die zijn ondergang zijn geworden, maar dit is het gevolg.'

Ik weet niet of Lestrade Holmes bewust tartte, maar zijn

woorden hadden een effect op Holmes dat zelfs ik op de weg terug naar Baker Street opmerkte. Hij zat weggezonken in de hoek van het rijtuig en een groot deel van de rit zweeg hij. Ook weigerde hij me aan te kijken. Zijn huid leek over zijn jukbeenderen gespannen en hij zag er uitgemergelder uit dan ooit, alsof hij geveld was door een gevaarlijke ziekte. Ik probeerde niet om hem aan het praten te krijgen, ik wist dat hij niet door mij gerustgesteld wilde worden. In plaats daarvan wachtte ik tot hij die enorme intelligentie van hem zou gebruiken voor de vreselijke wending die dit avontuur had genomen.

'Misschien had Lestrade wel gelijk,' zei hij uiteindelijk. 'Ik heb de jongens van Baker Street ingeschakeld zonder er al te lang bij stil te staan. Ik vond het amusant hoe ze voor me in een rij gingen staan en het deed me plezier ze een paar shilling te geven, maar ik heb ze nooit moedwillig in gevaar gebracht, Watson, dat weet je. En toch word ik beschuldigd van amateurisme en ik moet schuld bekennen. Wiggins, Ross en de rest betekenden niets voor me, net zoals ze niets betekenen voor de maatschappij die ze de straat op heeft gestuurd. Het is nooit bij me opgekomen dat deze verschrikkingen wel eens het gevolg zouden kunnen zijn van mijn daden. Onderbreek me niet! Zou ik een jonge jongen hebben toegestaan alleen bij een pension te blijven staan als het jouw of mijn zoon was geweest? En de logica van wat er gebeurd is lijkt onweerlegbaar. De jongen zag de moordenaar het pension binnengaan. We hebben allebei gezien hoezeer dat hem aangreep. Toch dacht hij dat hij zijn voordeel kon doen met de situatie. Dat heeft hij geprobeerd en hij is om het leven gekomen, en daar moet ik mezelf verantwoordelijk voor houden.

Maar toch! Maar toch! Hoe past het Huis van Zijde in dit raadsel, en wat moeten we aan met dat stuk zijde om de pols van de jongen? Dat is de grote vraag, en opnieuw ben ik schuldig! Ik was gewaarschuwd. Het is waar. Echt, Watson, er zijn momenten waarop ik me afvraag of ik dit beroep niet moet opgeven om mijn geluk op een ander terrein te beproeven. Er zijn nog een paar monografieën die ik zou willen schrijven. Ik heb altijd bijen willen houden. Als ik uitga van mijn prestaties tot op heden in deze zaak heb ik het recht niet mezelf detective te noemen. Er is een kind omgekomen. Je hebt gezien wat ze hem hebben aangedaan. Hoe kan ik daarmee leven?'

'Mijn beste vriend…'

'Zeg maar niets. Ik moet je iets laten zien. Ik was gewaarschuwd. Ik had het kunnen voorkomen…'

We waren thuis. Holmes stormde het pand binnen en rende met twee treden tegelijk de trap op. Ik volgde langzamer, want al had ik niets gezegd, de verwonding die ik de dag ervoor had opgelopen deed veel meer pijn dan op het moment dat die was toegebracht. Toen ik aankwam in onze woonkamer zag ik hem voorover bukken en een envelop pakken. Het was een van de vele eigenaardigheden van mijn vriend dat hij weliswaar in een ongelooflijke rommel, ja, zelfs chaos, leefde, met overal stapels brieven en documenten, maar dat hij datgene wat hij zocht altijd in een mum van tijd kon vinden. 'Hier is hij!' zei hij. 'De envelop maakt ons niets wijzer. Mijn naam is op de voorkant geschreven, maar het adres niet. Hij is persoonlijk bezorgd. De persoon die dat gedaan heeft, heeft geen moeite genomen zijn handschrift te veranderen en ik zou het zeker herkennen als ik het nogmaals zag. Kijk naar de Griekse e in "Holmes". Die ongebruikelijke krul aan de bovenkant zal ik niet snel vergeten.'

'En wat zit erin?' vroeg ik.

'Dat mag je zelf zien,' antwoordde Holmes, en hij overhandigde me de envelop.

Ik maakte hem open en met een rilling die ik niet kon onderdrukken haalde ik een kort lint van witte zijde tevoorschijn. 'Wat heeft dit te betekenen, Holmes?'

'Dat vroeg ik me ook af toen ik hem kreeg. Achteraf gezien lijkt het een waarschuwing.'

'Wanneer is hij bezorgd?'

'Zeven weken geleden. Ik was destijds betrokken bij een bizarre affaire waarbij ook een pandjesbaas was betrokken, meneer Jabez Wilson, die uitgenodigd was om lid te worden van de...'

'...vereniging van roodharigen!' onderbrak ik hem, want ik herinnerde me de zaak nog goed en had het geluk gehad die tot een goed einde te brengen.

'Precies, dat was bij uitstek een probleem waarvoor ik drie pijpen moest roken voordat ik hem had opgelost, en toen deze envelop arriveerde, was ik ergens anders met mijn gedachten. Ik bekeek de inhoud en probeerde uit te vogelen wat die te betekenen had, maar aangezien ik met iets anders bezig was, legde ik hem opzij en vergat hem. Zoals je kunt zien word ik er nu weer door gekweld.'

'Maar wie heeft hem bezorgd? En met welk doel?'

'Ik heb geen idee, maar voor die vermoorde jongen ga ik het uitzoeken.' Holmes pakte de sliert zijde weer van me aan. Hij liet hem door zijn skeletachtige vingers gaan en hield hem voor zich, waarbij hij de stof bestudeerde zoals iemand naar een giftige slang zou kijken. 'Als dit als een uitdaging bij me bezorgd is, ga ik die bij dezen aan.' Hij sloeg in de lucht, met het witte lint in zijn vuist. 'En ik zeg het je, Watson, ik zorg ervoor dat diegene de dag zal berouwen waarop hij dit lint heeft bezorgd.'

8

Een raaf en twee sleutels

Sally was die avond en de volgende ochtend niet teruggekeerd op haar werkplek. Dat was nauwelijks een verrassing, aangezien ze mij had aangevallen en ongetwijfeld bang was voor de gevolgen. Bovendien stonden er nu in de kranten berichten over de dood van haar broer, en hoewel zijn naam niet werd genoemd, was het heel goed mogelijk dat ze wist dat hij de jongen was die gevonden was onder de Southwark Bridge, want zo ging dat in die tijd, vooral in de armere wijken van de stad. Slecht nieuws had een manier om zich net als rook bij een brand te verspreiden en zich al sijpelend een weg te banen door elke kamer vol mensen en elke smerige kelder, zachtjes en gestaag, onderweg alles bezoedelend waarmee het in aanraking kwam. De waard van The Bag of Nails wist dat Ross dood was – Lestrade was al bij hem langsgekomen – en hij was nog minder blij ons te zien dan de dag ervoor.

'Hebben jullie niet al genoeg problemen veroorzaakt?' vroeg hij. 'Dat meisje heeft het dan misschien niet ver geschopt, maar ze deed haar werk goed en het spijt me dat ze weg is. En het is niet goed voor de zaak om de politie over de vloer te hebben! Ik wou dat jullie hier nooit gekomen waren.'

'Wij hebben de problemen niet veroorzaakt, meneer Hardcastle,' antwoordde Holmes. Hij had de naam van de waard

– Ephraim Hardcastle – boven de deur gelezen. 'Die waren er al en we hebben alleen maar hun spoor gevolgd. Het lijkt erop dat u de laatste bent die de jongen in leven heeft gezien. Heeft hij niets tegen u gezegd voordat hij wegging?'

'Waarom zou hij iets tegen me zeggen, of ik tegen hem?'

'Maar u zei dat hij iets in zijn schild voerde.'

'Daar weet ik niks van.'

'Hij is doodgemarteld, meneer Hardcastle. Zijn botten zijn stuk voor stuk gebroken. Ik heb gezworen zijn moordenaar te vinden en hem voor het gerecht te brengen. Dat lukt me niet als u weigert te helpen.'

De waard knikte langzaam, en toen hij verderging, koos hij zijn woorden zorgvuldiger. 'Goed. De jongen kwam drie avonden geleden opdagen met een verhaal dat hij ruzie had met zijn buren en een kamertje nodig had tot hij iets anders had geregeld. Sally vroeg mijn toestemming en ik gaf mijn goedkeuring. Waarom niet? U hebt de binnenplaats gezien. Die ligt vol troep die moet worden opgeruimd en ik dacht dat hij wel kon helpen. Hij deed ook wat werk die eerste dag, maar 's middags ging hij weg, en toen hij terugkwam, zag ik dat hij heel erg in z'n nopjes was.'

'Wist zijn zus waar hij mee bezig was?'

'Misschien wel, maar tegen mij zei ze niks.'

'Gaat u alstublieft verder.'

'Ik heb er weinig meer aan toe te voegen, meneer Holmes. Ik heb hem nog één keer gezien en dat was vlak voordat u hier aankwam. Hij kwam de bar binnen terwijl ik naar boven kwam met de biervaten en hij vroeg hoe laat het was, wat alleen maar bewijst hoe ongeschoold hij was, want je kunt de tijd zo aflezen van de kerkklok aan de overkant van de straat.'

'Dan was hij op weg naar een afspraak.'

'Dat zou kunnen, ja.'

'Dat staat vast. Waarom zou een kind als Ross moeten weten hoe laat het was tenzij iemand hem gevraagd had zich op een bepaalde plek en op een bepaald tijdstip ergens te melden? U zei dat hij hier drie nachten heeft doorgebracht met zijn zus.'

'Hij deelde haar kamer met haar.'

'Die zou ik graag willen zien.'

'De politie is al geweest. Ze hebben hem doorzocht en niks gevonden.'

'Ik ben de politie niet.' Holmes legde een biljet van tien shilling op de bar. 'Voor het ongemak.'

'Goed. Maar deze keer neem ik uw geld niet aan. U bent op zoek naar een monster en het lijkt me genoeg als u doet wat u zegt en ervoor zorgt dat hij niemand anders iets kan aandoen.'

Hij bracht ons naar achteren door een smal gangetje tussen de gelagkamer en de keuken. Er liep een trap naar de kelder beneden en met een brandende kaars ging de waard ons voor naar een troosteloos kamertje eronder, klein en zonder raam, met een kale houten vloer. Dit was de plek waar Sally, uitgeput na een lange dag zwoegen, naartoe was gekomen en op een matrasje op de grond geslapen had, onder een enkele deken. Midden op dit geïmproviseerde bed lagen twee voorwerpen. Eén daarvan was een pop die ze gered moest hebben van een stortplaats. Ik keek naar de gebroken ledematen en het starre witte gezicht en moest onwillekeurig aan haar broer denken, die net zo nonchalant was afgedankt. In een hoek stond een tafeltje met een kaars erop. De politie zou niet lang nodig gehad hebben om de kamer te doorzoeken, want op de pop en het mes na had Sally geen bezittingen, afgezien van haar naam had ze niets wat ze als haar eigendom kon beschouwen. Holmes liet zijn blik door het kamertje gaan. 'Waarom het mes?' mompelde hij.

'Om zich te beschermen,' opperde ik.

'Het wapen dat ze gebruikte om zichzelf mee te beschermen droeg ze bij zich, wat jij beter weet dan wie ook. Dat zal ze meegenomen hebben. Dit tweede mes is bijna helemaal bot.'

'En uit de keuken gestolen,' mompelde Hardcastle.

'Ik denk dat die kaars een rol speelt.' Holmes doelde op de kaars op het tafeltje. Hij pakte hem op, knielde en begon over de vloer te schuifelen. Het duurde even voordat ik besefte dat hij een spoor van gesmolten wasdruppeltjes volgde. Voor het menselijk oog waren die nagenoeg onzichtbaar, maar hij had ze natuurlijk meteen opgemerkt. Ze brachten hem naar de hoek die het verst van het bed lag. 'Ze liep ermee naar deze hoek… Maar waarom? Tenzij… Het mes alsjeblieft, Watson.' Ik overhandigde het hem en hij drukte het lemmet in een van de groeven tussen de houten vloerplanken. Een van de planken zat los en hij gebruikte het mes om hem omhoog te wrikken, waarna hij zijn hand eronder stak en een dichtgevouwen zakdoek tevoorschijn trok. 'Als u zo vriendelijk wilt zijn, meneer Hardcastle…'

De waard kwam naar voren met zijn eigen brandende kaars. Holmes vouwde de zakdoek open en bij het licht van de flakkerende kaars zagen we dat er een paar munten in lagen – drie farthings, twee florijnen, een kroon, een gouden soeverein en vijf shillings. Voor twee berooide kinderen was het een heuse schat, maar van wie was dit geld geweest?

'Dit is van Ross,' zei Holmes, alsof hij mijn gedachten kon lezen. 'De soeverein heb ik hem gegeven.'

'Mijn beste Holmes, hoe kun je nu zeker weten dat het dezelfde soeverein is?'

Holmes hield hem in het licht. 'Het jaartal is hetzelfde. Maak kijk vooral ook naar de afbeelding. Sint-Joris rijdt op zijn paard maar heeft een diepe wond in zijn been. Dat viel me op toen ik hem gaf. Dit is een deel van de guinea die Ross verdiende voor zijn werk met de jongens van Baker Street. Maar de rest?'

'Die heeft hij van zijn oom gekregen,' mompelde Hardcastle. Holmes draaide zich naar hem om. 'Toen hij hier aankwam en vroeg of hij mocht blijven slapen, zei hij dat hij voor de kamer kon betalen. Toen ik lachte zei hij dat hij geld had gekregen van zijn oom, maar ik geloofde hem niet en zei dat hij in plaats van te betalen op de binnenplaats kon werken. Als ik geweten had dat de jongen zo veel geld had, had ik hem een fatsoenlijke kamer boven gegeven.'

'Alles begint op zijn plek te vallen. Het wordt duidelijker. De jongen besluit de informatie te gebruiken die hij heeft opgevangen toen hij bij Mrs Oldmore's Pension de wacht hield. Hij vertrekt meteen, stelt zich voor en noemt zijn eisen. Hij wordt uitgenodigd voor een afspraak. Tijdens die afspraak wordt hij vermoord, maar hij heeft een paar voorzorgsmaatregelen getroffen en zijn rijkdom achtergelaten bij zijn zus. Die verstopt het geld onder de vloerplanken. Wat zal zij zich ellendig voelen nu ze weet dat ze het niet kan komen halen omdat jij en ik haar hebben weggejaagd, Watson. Ik heb nog één laatste vraag voor u, meneer Hardcastle, en dan gaan we weer. Heeft Sally het tegen u ooit over het Huis van Zijde gehad?'

'Het Huis van Zijde? Nee, meneer Holmes, daar heb ik nooit van gehoord. Wat moet ik met deze munten doen?'

'Bewaar ze. Het meisje is haar broer kwijtgeraakt. Ze is álles kwijtgeraakt. Misschien komt ze op een dag terug naar u om hulp te vragen, en dan kunt u ze op zijn minst aan haar teruggeven.'

Van The Bag of Nails volgden we de bocht van de Thames terug naar Bermondsey. Ik vroeg me hardop af of Holmes van plan was weer naar het pension te gaan. 'Niet naar het pension, Watson,' zei hij. 'Maar we moeten wel in de buurt zijn. We moeten op zoek naar de bron van de rijkdom van de jongen. Dat is misschien wel de belangrijkste reden waarom hij is vermoord.'

'Hij heeft het geld van zijn oom gekregen,' zei ik. 'Maar als zijn ouders dood zijn, hoe kunnen we dan familieleden van hem vinden?'

Holmes lachte. 'Je verbaast me, Watson. Weet je echt niet hoe minstens de helft van de bevolking van Londen praat? Elke week gaan duizenden arbeiders en rondtrekkende krachten op bezoek bij hun oom, waarmee ze pandjesbazen bedoelen. Daar is Ross aan zijn woekergeld gekomen. De enige vraag is wat hij verkocht heeft om aan zijn florijnen en shillings te komen.'

'En waar heeft hij het verkocht?' voegde ik er nog aan toe. 'Alleen al in dit deel van Londen moeten tientallen pandjeshuizen zijn.'

'Dat is inderdaad zo. Aan de andere kant herinner je je vast nog wel dat Wiggins de mysterieuze aanvaller van een lommerd in Bridge Lane naar het pension gevolgd is, en dat hij heeft gezegd dat Ross daar ook regelmatig heen ging. Misschien dat we daar zijn "oom" kunnen vinden.'

Wát een plek vol gebroken beloften en verloren hoop was het pandjeshuis. Elke bevolkingsgroep, elk beroep, elke rang en stand was vertegenwoordigd in de groezelige etalage, en de restanten van al die levens waren als vlinders vastgepind achter het glas. Aan de winkel hing een houten bord met drie rode ballen tegen een blauwe achtergrond aan een roestige ketting, en het weigerde heen en weer te zwaaien in het briesje, alsof het wilde bevestigen dat niets hier ooit nog van zijn plek zou komen, dat als de eigenaars hun bezittingen kwijt waren ze die nooit meer terug zouden zien. 'Voorschot tegen borgstelling op zilver- en goudwerk, sieraden, kledij en allerlei eigendommen,' stond er onder de ballen, en daar was geen woord van gelogen, want zelfs Aladdin in zijn grot zou waarschijnlijk nooit op een dergelijke schat stuiten. Granaatrode broches en zilveren horloges, porseleinen kopjes en vazen, pennenhouders, theelepeltjes en boeken vochten met willekeurige voorwerpen als een klok in de vorm van een soldaat en een opgezette Vlaamse gaai om een plek in de vitrines. Aan de zijkant van de kast hingen linnen zakdoekjes, tafelkleden en bont geborduurde spreien. Een heel leger van schaakstukken hield de wacht bij een lukrake verzameling van ringen en armbanden die uitgestald waren op een groen laken. En welke ambachtsman had zijn beitels en zagen opgeofferd om in het weekeinde bier en worst te kunnen nuttigen? Welk meisje moest het zonder haar zondagse jurk stellen omdat haar ouders zich uitsloofden om eten op tafel te kunnen zetten? De etalage was niet alleen een uitstalling van menselijke verloedering, ze was ook een feest. En dit was misschien wel de plek waar Ross naartoe was gekomen.

Ik had pandjeshuizen in West End gezien en wist dat de meeste een zijdeur hadden waardoor je ongezien binnen kon komen, maar dat was hier niet het geval, want dergelijke scrupules hadden de mensen die rondom Brick Lane woonden niet. Er was maar één deur en die stond open. Ik volgde Holmes een donkere ruimte in waar een man in zijn eentje op een kruk zat. In één hand hield hij het boek dat hij las en de andere rustte op de toonbank. Zijn vingers krulden langzaam naar binnen, alsof hij op zijn handpalm een onzichtbaar voorwerp ronddraaide. Hij was een magere, kwetsbaar ogende man van een jaar of vijftig met een smal gezicht. Hij droeg een overhemd dat tot aan zijn hals was dichtgeknoopt, een vest en een sjaal. Hij had iets netjes en nauwgezet dat me aan een horlogemaker deed denken.

'Wat kan ik voor u doen, heren?' vroeg hij, waarbij hij amper opkeek. Toch moest hij ons geobserveerd hebben toen we binnenkwamen, want hij ging verder: 'Het lijkt me dat u hier voor een officiële zaak bent. Bent u van de politie? Zo ja, dan kan ik u niet helpen. Ik weet niets over mijn klanten. Ik maak er een gewoonte van nooit vragen te stellen. Als u iets heeft wat u bij me wilt achterlaten, bied ik u een redelijke prijs. Anders moet ik u een goede dag wensen.'

'Mijn naam is Sherlock Holmes.'

'De detective? Ik ben vereerd. En wat brengt u hier, meneer Holmes? Heeft het misschien iets te maken met een gouden ketting, ingelegd met saffieren, een mooi kleinood? Ik heb er vijf pond voor betaald en de politie heeft het weer van me afgenomen, dus ik heb er niets aan verdiend. Vijf pond, en het had me twee keer zoveel kunnen opleveren als het niet was weggehaald. Maar het is niet anders. We zijn allemaal op weg naar de afgrond, maar sommigen hebben een voorsprong.'

Ik wist dat hij in minstens één opzicht loog. Wat de ketting van mevrouw Carstairs ook waard was, hij zou Ross er slechts een paar penny's voor hebben gegeven. Misschien kwamen de farthings die we hadden gevonden wel hier vandaan.

'We hebben geen belangstelling voor de ketting,' zei Holmes. 'Of voor de man die hem hier heeft gebracht.'

'En dat is maar goed ook, want de man die hem hier heeft gebracht, een Amerikaan, is dood. Dat vertelde de politie me tenminste.'

'We zijn geïnteresseerd in een andere klant van u. Een jongen die Ross heet.'

'Ik heb gehoord dat Ross dit aardse tranendal ook heeft verlaten. Hoe groot is de kans om zo kort na elkaar twee arme duiven te verliezen?'

'U heeft Ross onlangs nog geld betaald.'

'Wie heeft u dat verteld?'

'Ontkent u het?'

'Ik ontken het niet en bevestig het niet. Ik zeg alleen maar dat ik het druk heb en heel dankbaar zou zijn als u weer kon vertrekken.'

'Hoe heet u?'

'Russell Johnson.'

'Heel goed, meneer Johnson. Ik zal u een voorstel doen. Ik koop datgene wat Ross u gebracht heeft, en ik zal u er een goede prijs voor betalen, maar alleen op voorwaarde dat u eerlijk tegen me bent. Ik weet heel veel over u, meneer Johnson, en als u tegen me probeert te liegen heb ik dat door, en dan kom ik terug met de politie en neem ik mee wat ik wil. Dan zult u geen enkele winst hebben gemaakt.'

Johnson glimlachte, maar ik vond dat hij een blik vol melancholie had. 'U weet helemaal niets over me, meneer Holmes.'

'Nee? Ik zou zeggen dat u opgegroeid bent in een rijke familie en een goede opleiding hebt genoten. U had misschien een succesvolle pianist kunnen worden, want dat ambieerde u. Uw ondergang was te wijten aan een verslaving, waarschijnlijk aan gokken, wellicht het dobbelspel. U zat eerder dit jaar in de gevangenis voor heling, en de bewakers daar vonden u een lastpak. U heeft een straf van minstens drie maanden uitgezeten maar bent in oktober vrijgelaten, en sindsdien heeft u goede zaken gedaan.'

Voor het eerst had Holmes Johnsons onverdeelde aandacht. 'Wie heeft u dat allemaal verteld?'

'Het hoefde me niet verteld te worden, meneer Johnson. Het is allemaal vreselijk duidelijk. En nu moet ik het u nogmaals vragen: wat heeft Ross u gebracht?'

Johnson dacht na en knikte langzaam. 'Ik heb die jongen twee maanden geleden leren kennen,' zei hij. 'Hij was zojuist in Londen aangekomen en woonde in King's Cross. Een stel andere straatjongens nam hem hier mee naartoe. Ik herinner me heel weinig over hem, behalve dan dat hij weldoorvoed leek en beter gekleed was dan de anderen en dat hij een herenzakhorloge bij zich had, dat ongetwijfeld gestolen was. Hij is daarna nog een paar keer langsgekomen, maar zoiets waardevols had hij nooit meer bij zich.' Hij liep naar een kast, rommelde wat en haalde een horloge in een gouden kast aan een ketting tevoorschijn. 'Dit is het horloge, en ik gaf de jongen er slechts vijf shilling voor, hoewel het minstens tien pond waard is. Jullie kunnen het krijgen voor wat ik ervoor betaald heb.'

'En in ruil?'

'In ruil moet u me vertellen hoe u zoveel over me weet. Ik weet dat u een detective bent, maar ik geloof niet dat u zoveel heeft kunnen oppikken op basis van deze ene korte ontmoeting.'

'Het is zo eenvoudig dat u als ik het u uitleg zult beseffen dat u duur uit bent.'

'Maar als u het niet doet, zal ik geen oog dichtdoen.'

'Heel goed, meneer Johnson. Wat voor onderwijs u hebt genoten is duidelijk door de manier waarop u spreekt. Ik zag ook dat u de onvertaalde brieven van Flaubert aan George Sand las toen we binnenkwamen. Alleen een welgestelde familie geeft een kind een gedegen scholing in Frans. U heeft ook vele uren aan de piano doorgebracht. De vingers van een pianist zijn gemakkelijk herkenbaar. Dat u nu in een dergelijke zaak werkt wijst op een catastrofe in uw leven en maakt duidelijk dat u in korte tijd uw rijkdom en positie bent kwijtgeraakt. Er zijn niet veel manieren waarop dat gebeurd kan zijn: alcohol, drugs, wellicht een ongunstige zakelijke transactie. Maar u had het over kansen en noemt uw klanten "duiven", een naam die vaak aan beginnende gokkers wordt gegeven, dus dat is de wereld die zich opdringt. Ik zie dat u een tic hebt. De manier waarop u met uw hand rolt wijst op de dobbeltafel.'

'En de gevangenisstraf?'

'Ze hebben u daar een wat volgens mij een "coupe terriër" heet gegeven, een gevangeniskapsel, hoewel uw haar zo te zien inmiddels acht weken gegroeid is, wat erop wijst dat u in september bent vrijgelaten. Dat wordt bevestigd door de teint van uw huid. Het was vorige maand uitzonderlijk warm en zonnig en het is duidelijk te zien dat u toen op vrije voeten was. Aan uw beide polsen is te zien dat u handboeien droeg toen u in de gevangenis zat en dat u zich ertegen verzet hebt. Heling is de meest voor de hand liggende misdaad voor een pandjesbaas. En wat deze winkel betreft: het feit dat u lang weg bent geweest is meteen zichtbaar aan de boeken in de ramen die verschoten zijn in het zonlicht, en aan de laag stof op de planken. Tegelijkertijd zie ik veel voorwerpen – waaronder dit horloge – waar geen stof op zit en die dus nieuwe aanwinsten zijn, wat op een levendige handel wijst.'

Johnson overhandigde hem de prijs. 'Bedankt, meneer Holmes,' zei hij. 'U hebt het helemaal goed. Ik kom uit een goede familie in Sussex en hoopte ooit pianist te worden. Toen dat niet lukte, ging ik rechten studeren en daar had ik misschien succes in kunnen hebben, maar ik vond het verdomd saai. Toen introduceerde een vriend me op een avond in de Frans-Duitse club in Charlotte Street. Die zult u wel niet kennen. Er is niets Frans of Duits aan – de club wordt gedreven door een jood. Nou, zodra ik die club zag – de deur zonder huisnummer met het roostertje, de beschilderde ramen, de trap die naar de felverlichte kamertjes boven leidde – was mijn lot bezegeld. Daar vond ik de opwinding waaraan het in mijn leven zo ontbrak. Ik betaalde mijn lidmaatschap van een halve kroon en werd ingewijd in baccarat, roulette, het hazardspel en ja, in dobbelen. Ik merkte dat ik de dagen moeizaam doorkwam tot ik me weer kon overgeven aan de verlokkingen van de nacht. Opeens was ik omgeven door fantastische nieuwe vrienden die stuk voor stuk blij waren om me te zien en natuurlijk allemaal onder één hoedje speelden. Dat wil zeggen dat de eigenaar ze betaalde om me over te ha-

len om te spelen. Soms won ik. Meestal verloor ik. De ene
nacht vijf pond. De volgende tien pond. Moet ik nog verdergaan? Ik werd onverschillig op mijn werk. Ik raakte mijn baan
kwijt. Met mijn laatste spaargeld vestigde ik mezelf hier. Ik
dacht dat een nieuw beroep, hoe ordinair en beklagenswaardig ook, me bezig zou houden. Niets ervan! Ik ga nog steeds
terug, elke avond. Ik kan het niet laten, en wie weet wat de toekomst voor me in petto heeft! Ik schaam me als ik bedenk wat
mijn ouders zouden zeggen als ze me konden zien. Gelukkig
zijn ze allebei dood. Ik heb geen vrouw en geen kinderen. Ik
heb maar één troost, en dat is dat niemand op deze wereld iets
om me geeft. Daardoor heb ik ook geen reden om me te scha-
men.'

Holmes betaalde hem het geld en samen keerden we terug
naar Baker Street. Als ik echter dacht dat we wel klaar waren
voor die dag, vergiste ik me. Holmes had in de taxi het horloge
bestudeerd. Het was een mooi exemplaar, een repetitiehorlo-
ge dat ook de minuten aangaf, met een wijzerplaat van wit
email in een gouden kast, en het was vervaardigd door Tou-
chon & Co. te Genève. Verder was er geen naam of inscriptie
te zien, maar in de achterkant was een afbeelding gegraveerd:
een vogel die neerstreek op twee gekruiste sleutels.

'Een familiewapen?' opperde ik.

'Wat scherpzinnig, Watson,' antwoordde hij. 'Dat is precies
wat ik denk dat het is. En hopelijk zal mijn encyclopedie ons
verder helpen.'

En inderdaad, de pagina's van de encyclopedie onthulden
dat een raaf en twee sleutels het wapen van de Ravenshaws
waren, een van de oudste families in het koninkrijk, met een
herenhuis even buiten het dorp Coln St. Aldwyn in Gloucestershire. Lord Ravenshaw was de gedistingeerde minister van
Buitenlandse Zaken in het toenmalige kabinet en was onlangs op tweeëntachtigjarige leeftijd gestorven. Zijn zoon, de

edelachtbare Alec Ravenshaw, was zijn enige erfgenaam en had zowel de titel als het familielandgoed geërfd. Enigszins tot mijn ongenoegen stond Holmes erop onmiddellijk uit Londen te vertrekken, maar ik kende hem maar al te goed, en dan met name de rusteloosheid die zo'n groot deel van zijn karakter vormde. Ik ging niet tegen hem in, maar ik zou het ook niet erg gevonden hebben om achter te blijven. Nu ik eraan denk was ik net zo gedienstig in mijn werkzaamheden als zijn biograaf als hij bij de oplossing van zijn zaken. Misschien was dat de reden waarom we het zo goed met elkaar konden vinden.

Ik had slechts tijd om een paar spullen voor één nacht in te pakken, en toen de zon onderging bevonden we ons in een aangename herberg, waar we lamsbout met muntsaus aten en een groot glas aardige rode wijn dronken. Ik weet niet meer waar we het tijdens het eten over hadden. Holmes vroeg naar mijn praktijk en ik geloof dat ik hem iets vertelde over het interessante werk van Metsjinkoff op het gebied van de cellulaire theorie. Holmes had altijd een levendige belangstelling voor geneeskunde en wetenschap gehad, hoewel ik ergens anders al geschreven heb dat hij er wel voor zorgde dat zijn hoofd niet vol raakte met informatie die wat hem betrof niet van wezenlijke waarde was. God behoede de man die probeerde een gesprek over politiek of filosofie met hem aan te knopen. Daar wist een kind van tien meer over. Het enige wat ik over die avond kan zeggen is dat we met geen woord over de onderhavige zaak repten, en hoewel de tijd verstreek in de gemoedelijke sfeer waarin we zo vaak verkeerden, merkte ik dat dat wilskracht vereiste. Vanbinnen was hij nog steeds van streek. De dood van Ross deed hem pijn en liet hem niet met rust.

Nog voordat hij had ontbeten, had Holmes zijn visitekaartje naar Ravenshaw Hall gestuurd om een audiëntie aan te vragen, en het antwoord kwam al snel. De nieuwe Lord Raven-shaw had nog wat werk te doen, maar het zou hem een genoegen zijn ons om tien uur te zien. We kwamen aan toen de kerkklok het uur sloeg en liepen de oprit over naar een mooi elizabethaans herenhuis van steen uit de Cotswold dat was omringd door gazons die glinsterden van de ochtendvorst. Onze vriend, de raaf met twee sleutels, was zichtbaar in het metselwerk naast de hoofdingang en ook in de latei boven de voordeur. We waren te voet gekomen, een korte en aangename wandeling vanaf onze herberg, maar toen we het huis naderden zagen we dat er een koets voor geparkeerd stond, en plotseling kwam er een man het huis uit rennen. Hij klom in de koets en trok de deur met een klap achter zich dicht. De koetsier knalde met zijn zweep om de paarden aan te sporen en daar gingen ze. De koets kletterde langs ons heen de oprit af, maar ik had de man herkend. 'Holmes!' zei ik. 'Ik ken die man!'

'Inderdaad, Watson. Het was Tobias Finch, of niet? De oudere compagnon van de galerie Carstairs en Finch in Albemarle Street. Een buitengewoon toeval, vind je niet?'

'Het lijkt inderdaad heel merkwaardig.'

'Misschien moeten we het onderwerp met enige discretie aansnijden. Als Lord Ravenshaw het nodig vindt enkele erfstukken van zijn familie te verkopen...'

'Misschien kóópt hij wel werken.'

'Dat zou ook kunnen.'

We belden aan en werden binnengelaten door een livreiknecht die ons door de hal voorging naar een salon van statige afmetingen. De wanden waren deels met hout bekleed en erboven hingen familieportretten. Het plafond was zo hoog dat geen bezoeker het zou wagen zijn stem te verheffen uit angst voor de echo. De ramen hadden verticale raamstijlen en keken uit over een rozentuin met erachter een hertenkamp. Voor een grote stenen schouw waren enkele stoelen en sofa's geplaatst – en daar had je de raaf weer, in de latei gegraveerd – en in de vlammen knetterden groene houtblokken. Lord Ravenshaw stond daar zijn handen te warmen. Mijn eerste indruk was niet erg positief. Hij had grijs haar dat naar achteren was gekamd en een blozend, onaantrekkelijk gezicht. Zijn ogen puilden opvallend uit en ik bedacht dat dat wellicht kwam door een afwijking aan de schildklier. Hij droeg een jagersjas en leren laarzen en hij hield een zweep onder zijn arm gestoken. Nog voordat we ons hadden voorgesteld leek hij al ongeduldig, alsof hij niet kon wachten om weg te gaan.

'Meneer Sherlock Holmes,' zei hij. 'Ja, ja, ik heb geloof ik wel van u gehoord. Een detective? Ik kan me geen enkele omstandigheid indenken waarbij uw vak in aanraking zou kunnen komen met dat van mij.'

'Ik heb iets bij me waarvan ik denk dat het misschien wel van u is, Lord Ravenshaw.' Er werd ons niet gevraagd of we wilden zitten. Holmes haalde het horloge tevoorschijn en liep ermee naar de beheerder van het landgoed. Ravenshaw pakte het aan. Even hield hij het in zijn hand, alsof hij niet zeker wist of het van hem was. Langzaam begon het hem te dagen dat hij het kende. Hij vroeg zich af waar Holmes het had gevonden, hoewel hij blij was dat hij het weer terug had. Hij zei geen woord, maar al die emoties gleden over zijn gezicht en het kostte me geen moeite ze te ontcijferen. 'Ik ben u zeer dankbaar,' zei hij ten slotte. 'Ik ben erg op dit horloge gesteld. Ik heb het van mijn zuster gekregen en ik had nooit gedacht dat ik het nog eens terug zou zien.'

'Ik zou graag willen weten hoe u het bent kwijtgeraakt, Lord Ravenshaw.'

'Dat kan ik u precies vertellen, meneer Holmes. Dat was in de zomer, in Londen. Ik was er voor de opera.'

'Herinnert u zich de maand nog?'

'Het was juni. Toen ik uit mijn rijtuig stapte, botste er een jong schooiertje tegen me op. Hij kan niet ouder dan twaalf, dertien zijn geweest. Ik stond er dat moment niet bij stil, maar tijdens de pauze keek ik hoe laat het was, en toen kwam ik er natuurlijk achter dat ik bestolen was.'

'Het is een mooi horloge, en u hecht er duidelijk waarde aan. Heeft u het voorval aangegeven bij de politie?'

'Ik begrijp het doel van deze vragen niet, meneer Holmes. En nu we het er toch over hebben, verbaast het me nogal dat een man met uw reputatie de moeite neemt hier helemaal uit Londen naartoe te komen om het terug te brengen. Ik neem aan dat u een beloning verwacht?'

'Helemaal niet. Het horloge maakt deel uit van een groter onderzoek en ik hoopte dat u me zou kunnen helpen.'

'Nou, ik ben bang dat ik u moet teleurstellen. Meer weet ik niet. En ik heb de diefstal niet aangegeven, omdat ik wist dat er zich op elke straathoek dieven en ploerten bevinden. Ik betwijfelde of de politie iets zou kunnen betekenen, dus waarom zou ik hun tijd verdoen? Ik ben u heel erg dankbaar dat u het horloge heeft teruggebracht, meneer Holmes, en ik zou u heel graag betalen voor uw reiskosten en uw tijd, maar daarna moet ik u een goede dag wensen.'

'Ik heb nog één laatste vraag, Lord Ravenshaw,' zei Holmes terloops. 'Er ging hier een man weg toen wij aankwamen. We hebben hem helaas net gemist. Ik vraag me af of ik een oude vriend van me herkende, Tobias Finch.'

'Een vriend?' Zoals Holmes al verwacht had, vond Lord Ravenshaw het maar niets dat hij gezien was in het gezelschap van de kunsthandelaar.

'Een kennis.'

'Nu u het toch vraagt: ja, dat was hem inderdaad. Ik bespreek niet graag familiezaken, meneer Holmes, maar u mag best weten dat mijn vader wat kunst betreft een afschuwelijke smaak had, en ik ben van plan een deel van zijn collectie van de hand te doen. Ik ben in gesprek met verschillende galeries in Londen. Carstairs en Finch is de meest discrete.'

'En heeft meneer Finch het ooit over het Huis van Zijde gehad?'

De stilte die volgde op de vraag van Holmes viel toevallig samen met het knappen van een houtblok in het vuur, zodat het geluid bijna klonk als een vraagteken.

'U zei dat u één vraag had, meneer Holmes. Dit is de tweede, en ik geloof dat ik wel genoeg heb van uw impertinentie. Moet ik mijn bediende roepen of vertrekt u uit eigen beweging?'

'Het was een waar genoegen kennis met u te maken, Lord Ravenshaw.'

'Ik ben u dankbaar dat u mijn horloge hebt teruggebracht, meneer Holmes.'

Het deed me deugd die kamer achter me te laten, want ik voelde me bijna gevangen in al die rijkdom en welvaart. Toen we het pad op liepen en ons weer naar het hek begaven, begon Holmes te gniffelen. 'Welnu, dat is nóg een mysterie voor je, Watson.'

'Hij leek wel érg vijandig, Holmes.'

'Ik heb het over de diefstal van het horloge. Als het in juni is gestolen, kan Ross daar niet verantwoordelijk voor zijn geweest, want voor zover we weten zat hij destijds op Chorley Grange. Volgens Jones is het een paar weken geleden verpand, in oktober. Dus wat is er in de vier tussenliggende maanden mee gebeurd? Als Ross het gestolen heeft, waarom hield hij het dan zo lang?'

We hadden bijna het hek bereikt toen er een zwarte vogel over ons heen vloog, geen raaf maar een kraai. Ik keek hem na, en terwijl ik dat deed, maakte iets dat ik me omdraaide en een laatste blik op het herenhuis wierp. En daar stond Lord Ravenshaw, die ons van achter het raam nakeek. Hij had zijn handen in zijn zij, en zijn ronde, uitpuilende ogen keken ons strak aan. En aangezien we behoorlijk ver waren kan ik me vergist hebben, maar hij leek vervuld van haat.

9

De waarschuwing

'Er zit niets anders op,' zei Holmes met een zucht van ergernis. 'We zullen Mycroft moeten inschakelen.'

Ik had Mycroft Holmes leren kennen toen hij om hulp had gevraagd namens een buurman van hem, een Griekse tolk die te maken had gekregen met een stel meedogenloze criminelen. Tot dat moment had ik niet het flauwste idee gehad dat Holmes een zeven jaar oudere broer had. Sterker nog: het was nooit bij me opgekomen dat hij überhaupt familie had. Het lijkt misschien vreemd dat een man die ik redelijkerwijs mijn beste vriend kon noemen en iemand met wie ik honderden uren had doorgebracht het nooit over zijn jeugd of zijn ouders had, of over de plek waar hij geboren was of wat dan ook over zijn leven vóór Baker Street. Maar dat lag natuurlijk in zijn aard. Hij vierde nooit zijn verjaardag, en ik kwam er pas achter op welke dag die viel toen ik dat las in zijn overlijdensbericht. Hij had ooit tegen me gezegd dat zijn voorouders landjonkers waren geweest en dat een van zijn familieleden een redelijk beroemde kunstenaar was, maar over het algemeen deed hij het liefst of zijn familie nooit had bestaan, alsof een wonderkind als hij zonder enige hulp op het wereldtoneel was verschenen.

Toen ik voor het eerst hoorde dat Holmes een broer had,

maakte hem dat menselijk, in elk geval tot ik kennismaakte met de broer. Mycroft was in veel opzichten net zo eigenaardig als hij: hij was ongehuwd, had verder geen familie en leefde in een kleine wereld die hij zelf had gecreëerd. Die werd voornamelijk begrensd door de Diogenes Club op Pall Mall, waar hij elke dag van kwart voor vijf tot acht uur te vinden was. Ik geloof dat hij ergens in de buurt een appartement had. Zoals bekend trok de Diogenes Club de meest eenkennige mannen, die eigenlijk helemaal niet geschikt waren voor het lidmaatschap van een club. Niemand zei ooit een woord. Praten was zelfs helemaal niet toegestaan, behalve in de Kamer der Vreemden, en ook daar verliepen de gesprekken allesbehalve soepel. Ik herinner me ooit in de krant gelezen te hebben dat de portier een lid een keer een goede avond had gewenst en prompt ontslagen was. De eetzaal was net zo warm en gezellig als een trappistenklooster, al was het eten er beter, aangezien de club een vermaarde Franse kok in dienst had. Dat Mycroft van zijn eten genoot was duidelijk te zien aan zijn uiterst corpulente lichaam. Ik zie hem nog steeds voor me, vastgeklemd in een stoel met aan één kant een glas cognac en aan de andere een sigaar. Het was altijd verontrustend om hem te ontmoeten, aangezien ik dan steevast een glimp opving van de gelaatstrekken van mijn vriend: de lichtgrijze ogen, dezelfde felle uitdrukking, maar ze leken op een merkwaardige manier niet op hun plek, alsof ze vertaald waren naar deze levende hoop vlees. Vervolgens draaide Mycroft dan zijn hoofd om en was hij weer een volkomen vreemdeling, het type man dat je op een bepaalde manier waarschuwde om afstand te bewaren. Ik vroeg me soms af hoe de twee als jongens waren geweest. Hadden ze ooit ruzie gezocht, samen gelezen, tegen een bal geschopt? Je kon het je onmogelijk voorstellen, want ze waren opgegroeid tot het soort man dat liever heeft dat je denkt dat hij nooit een jongen is geweest.

Toen Holmes Mycroft voor het eerst beschreef, zei hij dat hij een accountant was die voor verschillende overheidsdiensten werkte. Dat was echter een halve waarheid, want ik kwam er later achter dat zijn broer veel rijker en gezaghebbender was. Ik heb het natuurlijk over het avontuur met de ontwerpen van Bruce Partington, waarbij de schetsen voor een uiterst geheime onderzeeër ontvreemd waren uit de admiraliteit. Het was Mycroft die de opdracht kreeg ze terug te halen, en op dat moment gaf Holmes toe dat hij in overheidskringen een uiterst belangrijke man was, een menselijke vergaarbak van geheimzinnige feiten, de man die door alle departementen werd geraadpleegd als ze iets wilden weten. Holmes was van mening dat als Mycroft ervoor gekozen zou hebben detective te worden, hij wellicht zijn gelijke of – en ik was verbijsterd Holmes dit te horen toegeven – zelfs beter dan hij had kunnen worden. Mycroft Holmes had echter een eigenaardige karaktertrek: hij bezat een zekere mate van luiheid die dermate diepgeworteld was dat hij niet in staat zou zijn geweest een misdrijf op te lossen, om de eenvoudige reden dat hij zich er niet voor zou interesseren. Hij leeft trouwens nog. Het laatste wat ik over hem gehoord heb is dat hij geridderd is en hoofd van een bekende universiteit is geweest, en dat hij inmiddels met pensioen is.

'Is hij in Londen?' vroeg ik.

'Hij is bijna nooit ergens anders. Ik zal hem laten weten dat we naar de club komen.'

De Diogenes was een van de kleinere clubs op Pall Mall en was min of meer ontworpen als een Venetiaans paleis in gotische stijl, met uiterst sierlijke boogramen en kleine balustrades. Dat had als effect dat het interieur nogal mistroostig leek. Achter de voordeur lag een atrium dat de volledige lengte van het gebouw besloeg, met hoog bovenin een koepelraam. De architect had het gebouw echter gevuld met een overdaad aan portieken, zuilen en trappen, en het resultaat was dat maar heel weinig licht in staat was zich erdoorheen te verspreiden. Bezoekers mochten slechts op de onderste verdieping komen. De regels luidden dat ze twee dagen per week een lid mochten meenemen naar de boven gelegen eetzaal, maar in het zeventigjarige bestaan van de club was dat nog nooit gebeurd. Mycroft ontving ons net als altijd in de Kamer der Vreemden, met eiken boekenplanken die doorbogen onder het gewicht van de vele boeken, verscheidene marmeren borstbeelden en boogramen met uitzicht over Pall Mall. Boven de open haard hing een portret van de koningin, waarvan men zei dat het geschilderd was door een lid van de club, dat haar beledigd had door een zwerfhond en een aardappel aan het schilderij toe te voegen, hoewel ik van geen van beide ooit de betekenis heb begrepen.

'Mijn beste Sherlock!' riep Mycroft uit toen hij binnen kwam waggelen. 'Hoe gaat het met je? Ik zie dat je bent afgevallen, maar ik ben blij om te zien dat je weer de oude bent.'

'En jij bent genezen van de griep.'

'Een lichte vorm. Ik heb me vermaakt met je monografie over tatoeages. Duidelijk geschreven in de nachtelijke uurtjes. Heb je last van slapeloosheid?'

'Het was een onaangenaam warme zomer. Maar jij hebt me niet verteld dat je een papegaai hebt aangeschaft.'

'Niet aangeschaft, Sherlock. Geleend. Dokter Watson, een genoegen. Hoewel u uw vrouw bijna een week geleden voor het laatst hebt gezien, neem ik aan dat het goed met haar gaat. Jullie komen zojuist terug uit Gloucestershire.'

'En jij uit Frankrijk.'

'Is mevrouw Hudson weggeweest?'

'Ze is vorige week teruggekomen. Jij hebt een nieuwe kok.'

'De vorige kokkin heeft ontslag genomen.'

'Vanwege de papegaai.'

'Ze was altijd al heel gevoelig.'

Deze woordenwisseling ging zo snel dat ik me een toeschouwer van een tenniswedstrijd voelde: mijn blik ging van de een naar de ander. Mycroft gebaarde dat we op de sofa moesten komen zitten en liet zijn eigen lijf op een chaise longue zakken. 'Ik vond het heel erg om over de dood van die jongen te horen, die Ross,' zei hij opeens ernstiger. 'Je weet dat ik je het gebruik van die straatkinderen heb afgeraden, Sherlock. Ik hoop dat je hem niet in gevaar hebt gebracht.'

'Het is te vroeg om dat met zekerheid te kunnen zeggen. Heb je de krantenberichten gelezen?'

'Natuurlijk. Lestrade leidt het onderzoek. Hij is de kwaadste niet. De kwestie van het witte lint vind ik echter nog het meest verontrustend. Gekoppeld aan de uiterst pijnlijke en langdurige wijze waarop hij is omgebracht zou ik zeggen dat het is aangebracht als waarschuwing. De belangrijkste vraag die jij jezelf moet stellen is of het een algemene waarschuwing was of dat hij rechtstreeks aan jou was gericht.'

'Ik heb zeven weken geleden een wit lint opgestuurd gekregen.' Holmes had de envelop bij zich. Hij haalde hem tevoorschijn en gaf hem aan zijn broer, die hem bestudeerde.

'De envelop deelt ons weinig mee,' zei hij. 'Hij is gehaast in je brievenbus gestoken, je kunt zien dat het uiteinde verkreukt is. Je naam is geschreven door een rechtshandige, ontwikkelde man.' Hij haalde het lint eruit. 'Dit is Indiase zijde, dat heb je zelf ongetwijfeld ook gezien. Het is blootgesteld aan zonlicht, want de stof is dun geworden. Het is precies 23 centimeter lang, wat interessant is. Het is aangeschaft bij een hoedenmaker en vervolgens in twee stukken van gelijke lengte geknipt. Het ene uiteinde is professioneel afgeknipt met een scherpe schaar, het andere ruw doorgesneden met een mes. Daar heb ik niet veel aan toe te voegen, Sherlock.'

'Dat verwachtte ik ook niet van je, Mycroft, maar ik vraag

me af of je me zou kunnen vertellen wat het betekent. Heb je wel eens gehoord van een plek of instelling die het Huis van Zijde heet?'

Mycroft schudde zijn hoofd. 'De naam zegt me niets. Het klinkt als een winkel. Nu ik erover nadenk, meen ik me te herinneren dat er in Edinburgh een herenmodezaak met die naam was. Zou het lint daar gekocht kunnen zijn?'

'Dat lijkt me gezien de omstandigheden onwaarschijnlijk. We hebben de naam voor het eerst gehoord van een meisje dat waarschijnlijk al haar hele leven in Londen woont. De naam joeg haar zo veel angst aan dat ze heeft uitgehaald naar dokter Watson hier, waarbij ze hem een steekwond in zijn borst bezorgde.'

'Goeie genade!'

'Ik heb het ook aan Lord Ravenshaw gevraagd…'

'De zoon van de voormalige minister van Buitenlandse Zaken?'

'Die, ja. Ik vond dat hij geschrokken reageerde, hoewel hij zijn best deed dat niet te tonen.'

'Ik kan wel een paar vragen voor je stellen, Sherlock. Komt het je gelegen morgen op hetzelfde tijdstip langs te komen? In de tussentijd bewaar ik dit wel.' Hij legde het witte lint op zijn mollige hand.

We hoefden echter niet vierentwintig uur te wachten op het resultaat van Mycrofts onderzoek. De volgende ochtend hoorden we rond tien uur het geratel van naderende wielen, en Holmes, die toevallig bij het raam stond, wierp een blik naar buiten. 'Daar is Mycroft!'

Ik liep naar hem toe en zag dat Holmes' broer uit een landauer werd geholpen. Ik besefte meteen dat dit een bijzondere gebeurtenis was, aangezien Mycroft ons nooit eerder in Baker Street was komen opzoeken en dat ook nooit meer zou doen. Holmes zelf deed er het zwijgen toe en hij had een heel sombere uitdrukking, waaruit ik opmaakte dat de zaak een sinistere wending genomen moest hebben als dit gewichtige moment het gevolg was. We moesten een tijdje wachten voordat Mycroft zich bij ons in de kamer voegde. De trap naar boven was smal en steil, en bijzonder ongeschikt voor een man van zijn kolossale omvang. Uiteindelijk verscheen hij in de deuropening. Hij wierp een blik om zich heen en ging in de dichtstbijzijnde stoel zitten. 'Woon je hier?' vroeg hij.

Holmes knikte.

'Het is precies zoals ik het me voorstelde. Zelfs de positie van de haard – jij zit rechts en je vriend natuurlijk links. Is het niet merkwaardig hoe we vervallen in dergelijke patronen, hoezeer we gedicteerd worden door de ruimte om ons heen.'

'Mag ik je een kop thee aanbieden?'

'Nee, Sherlock. Ik ben niet van plan lang te blijven.'

Mycroft haalde de envelop tevoorschijn en gaf hem aan Holmes. 'Deze is voor jou. Ik geef hem terug met een advies dat je hopelijk zult opvolgen.'

'Ga alsjeblieft verder.'

'Ik heb geen antwoord op je vraag. Ik heb geen idee wat het Huis van Zijde is of waar je het zou kunnen vinden. Geloof me als ik je vertel dat ik zou willen dat dat niet zo was, want dan zou je misschien meer reden hebben om te accepteren wat ik nu ga zeggen. Je moet dit onderzoek onmiddellijk staken. Je moet geen vragen meer stellen. Vergeet het Huis van Zijde, Sherlock. Gebruik die woorden nooit meer.'

'Je weet dat ik dat niet kan doen.'

'Ik weet hoe je bent. Dat is de reden waarom ik dwars door Londen ben gereisd om je te zien. Ik dacht wel dat je er een persoonlijke kruistocht van zou maken als ik je probeerde te waarschuwen, en ik hoop dat het feit dat ik hierheen ben gekomen de ernst van wat ik te zeggen heb benadrukt. Ik had tot vanavond kunnen wachten en je dan kunnen vertellen dat mijn onderzoek tot niets heeft geleid en je je gang kunnen laten gaan, maar dat kon ik niet, omdat ik bang ben dat je je in een uiterst gevaarlijke situatie begeeft, en dokter Watson ook. Ik zal je uitleggen wat er sinds onze ontmoeting in de Diogenes Club gebeurd is. Ik heb een paar mensen die ik ken op bepaalde ministeries benaderd. Op dat moment ging ik ervan uit dat het Huis van Zijde een crimineel complot was, en ik wilde alleen maar weten of iemand van de politie of een van de inlichtingendiensten er onderzoek naar deed. De mensen die ik sprak konden me niet helpen. Tenminste, dat zeiden ze.

Wat er daarna gebeurde was echter een uiterst onaangename verrassing. Toen ik vanochtend naar buiten ging, werd ik opgewacht door een rijtuig en meegenomen naar een kantoor in Whitehall, waar ik een man trof van wie ik niet kan zeggen wie het is, maar wiens naam jullie ongetwijfeld kennen en die nauw samenwerkt met de premier. Ik moet er nog aan toevoegen dat dit iemand is die ik goed ken en wiens wijsheid en mening ik nooit in twijfel zou trekken. Hij was beslist niet blij me te zien en kwam direct ter zake. Hij vroeg me waarom ik vragen had gesteld over het Huis van Zijde. Ik moet zeggen dat zijn gedrag ronduit vijandig was, Sherlock, en ik moest heel goed nadenken voordat ik antwoord gaf. Ik besloot al snel je naam niet te noemen, anders had er wel eens iemand anders bij je kunnen aankloppen. Maar misschien maakte dat wel geen enkel verschil, aangezien mijn relatie met jou algemeen bekend is, en misschien word je al verdacht. Hoe het ook zij: ik vertelde hem alleen maar dat een van mijn informanten het Huis van Zijde had genoemd in verband met een moord in Bermondsey, en dat het mijn nieuwsgierigheid had geprikkeld. Hij vroeg om de naam van de informant en ik verzon iets, waarbij ik de indruk probeerde te wekken dat het een triviale kwestie was en dat mijn oorspronkelijke vraag maar heel terloops was geweest.

Hij leek een beetje te ontspannen, hoewel hij zijn woorden zorgvuldig bleef afwegen. Hij vertelde me dat de politie inderdaad onderzoek doet naar het Huis van Zijde, en daarom was mijn onverwachte vraag om informatie naar hem doorverwezen. De zaak bevond zich in een gevoelige fase en de bemoeienis van een buitenstaander kon onnoemelijk veel schade aanrichten. Ik geloofde geen woord van wat hij zei, maar ik deed alsof ik me erbij neerlegde, en zei dat het me speet dat mijn lukrake vraag dergelijke ontsteltenis had veroorzaakt. We praatten nog een paar minuten verder en na een uitwisseling van beleefdheden en een laatste verontschuldiging mijnerzijds voor het verdoen van de tijd van deze heer, vertrok ik weer. Maar waar het om gaat, Sherlock, is dat politici op dit hoge niveau een manier hebben om heel veel duidelijk te maken zonder veel mee te delen, en dit heerschap slaagde erin me duidelijk te maken wat ik je nu probeer te vertellen. Je moet je er verre van houden! De dood van een straatjongen, hoe tragisch ook, valt in het niet bij het grotere geheel. Wat het Huis van Zijde ook is, het is een zaak van nationaal belang. De regering is zich ervan bewust en werkt eraan, en je hebt geen idee van de schade die je zou kunnen aanrichten en wat een schandaal je zou kunnen veroorzaken als je je ermee blijft bemoeien. Begrijp je me?'

'Je had niet duidelijker kunnen zijn.'

'En neem je nota van wat ik gezegd heb?'

Holmes pakte een sigaret. Hij hield hem even in zijn hand, alsof hij zich afvroeg of hij hem wel moest aansteken. 'Dat kan ik niet beloven,' zei hij. 'Zolang ik het gevoel heb dat ik verantwoordelijk ben voor de dood van de jongen, ben ik het hem verschuldigd alles te doen wat ik kan om zijn moordenaar – of moordenaars – voor het gerecht te brengen. Het enige wat hij hoefde te doen was een man in een pension in de gaten te houden, meer niet, maar als hij daardoor onbedoeld betrokken is geraakt bij een grotere samenzwering, ben ik bang dat ik geen keuze heb dan de zaak voort te zetten.'

'Ik dacht wel dat je dat zou zeggen, Sherlock, en je woorden strekken je tot eer, maar laat me er nog iets aan toevoegen.' Mycroft stond op. Hij kon niet wachten om te vertrekken. 'Als je mijn advies negeert en verdergaat met dit onderzoek, en als het je in gevaar brengt, wat ik denk, kun je niet naar me terugkomen, want ik zal niets kunnen doen om je te helpen. Het feit dat ik mezelf bekendgemaakt heb door vragen voor je te stellen betekent dat mijn handen nu gebonden zijn. Tegelijkertijd verzoek ik je nogmaals om goed na te denken. Dit is niet een van je onbeduidende puzzels in de politierechtbank. Als je de verkeerde mensen tegen het zere been schopt, kan dat het einde van je carrière betekenen, of erger nog.'

Er viel niets meer te zeggen, dat wisten beide broers. Mycroft maakte een lichte buiging en vertrok. Holmes boog naar de sifon om zijn sigaret aan te steken. 'Nou, Watson, wat zeg je daarvan?'

'Ik hoop dat je wat Mycroft te zeggen had in overweging neemt,' opperde ik.

'Dat heb ik al gedaan.'

'Daar was ik al bang voor.'

Holmes lachte. 'Je kent me te goed, jongen. En nu moet ik je achterlaten. Ik moet iets doen en ik zal snel moeten zijn als ik de avondkranten wil halen.'

Hij snelde de deur uit en liet me alleen achter met mijn bange voorgevoelens. Hij kwam terug voor het middagmaal, maar at niets, wat een onmiskenbaar teken was dat hij bezig was met een deel van het onderzoek dat hem stimuleerde. Ik had hem al zo vaak zo gezien. Hij deed me denken aan een jachthond die op borsthoogte een geur voorgehouden heeft gekregen, want net zoals een dier zich volledig aan één handeling wijdt, kon ook hij volledig in beslag worden genomen, zozeer dat primaire menselijke behoeften – eten, water drinken, slaap – geheel terzijde konden worden gezet. Toen de avondkrant bezorgd werd, werd me duidelijk wat hij gedaan had. Hij had een advertentie geplaatst in de familieberichten.

BELONING VAN £20 – INFORMATIE OVER HET HUIS VAN ZIJDE. STRIKT VERTROUWELIJK. INLICHTINGEN BIJ 221B BAKER STREET.

'Holmes!' riep ik uit. 'Je hebt het tegenovergestelde gedaan van wat je broer suggereerde. Als je verdergaat met je onderzoek, en ik begrijp waarom je dat wilt, had je op zijn minst discreet kunnen zijn.'

'Discretie helpt ons niet verder, Watson. Het is tijd om het initiatief te nemen. Mycroft begeeft zich in een wereld van fluisterende mannen in donkere kamers. Laten we eens kijken hoe die reageren op een lichte provocatie.'

'Denk je dat je er gereageerd gaat worden?'

'De tijd zal het leren, maar we hebben in elk geval ons visitekaartje achtergelaten in deze kwestie, en ook al komt er niets van, het kan geen kwaad.'

Dat waren zijn woorden, maar Holmes had geen idee van het soort mensen met wie hij te maken had of van de moeite die ze zouden doen om zichzelf te beschermen. Hij was een heus moeras van het kwaad ingestapt, en weldra zou ons groot onheil ten deel vallen.

10

Bluegate Fields

'Ha, Watson! Het lijkt erop dat het aas dat we in onbekende wateren hebben uitgeworpen misschien toch een vis heeft opgeleverd!'

Dat zei Holmes enkele ochtenden later. Hij stond in zijn kamerjas voor ons boograam, met zijn handen diep in zijn zakken gestoken. Ik liep meteen naar hem toe en keek naar de mensen die beneden ons aan beide kanten van Baker Street liepen.

'Hoe bedoel je?' vroeg ik.

'Zie je hem niet?'

'Ik zie heel veel mensen.'

'Ja, maar in dit koude weer hebben er maar weinigen zin om te blijven dralen. Er is één man die dat juist wel doet. Daar! Hij kijkt onze kant op.'

De man in kwestie ging gehuld in een jas, droeg een sjaal en een breedgerande zwartvilten hoed en hield zijn handen onder zijn armen gestoken. Behalve dat hij inderdaad een man was en niet alleen aan de grond genageld stond maar ook duidelijk twijfelde of hij verder moest lopen of niet, zag ik maar heel weinig waarmee ik hem nauwkeuriger zou kunnen beschrijven. 'Denk je dat hij hier is naar aanleiding van onze advertentie?' vroeg ik.

'Het is de tweede keer dat hij langs onze voordeur komt,' antwoordde Holmes. 'Ik merkte hem een kwartier geleden voor het eerst op, toen hij van de Metropolitan Railway kwam lopen. Hij kwam terug en sindsdien heeft hij zich amper verroerd. Hij zorgt ervoor dat niemand hem ziet. Eindelijk, hij heeft een besluit genomen!' Terwijl we naar hem keken – een eindje naar achteren, zodat hij ons niet kon zien – stak de man de straat over. 'Hij is binnen een paar tellen bij ons,' zei Holmes, en hij keerde terug naar zijn stoel.

En inderdaad, de deur ging open en mevrouw Hudson bracht onze nieuwe bezoeker binnen, die zijn hoed en sjaal afdeed en zijn jas uittrok. Hij bleek een merkwaardig ogende jongeman wiens gezicht en lichaam zo veel tegenstrijdigheden vertoonden dat ik zeker wist dat zelfs Holmes er moeite mee zou hebben hem te beschrijven. Ik zou zeggen dat hij jong was – hij kon niet ouder zijn dan dertig – en hij had de bouw van een professionele bokser, maar zijn haar was dun, zijn huid grijs en zijn lippen gebarsten, waardoor hij veel ouder leek. Zijn kleren waren duur en modieus, maar ook vies. Hij leek nerveus, maar keek ons aan met een stijfkoppig zelfvertrouwen dat bijna agressief was. Ik wachtte tot hij iets zou zeggen, want dan pas zou ik weten of ik me in het gezelschap bevond van een aristocraat of een misdadiger van het laagste allooi.

'Gaat u alstublieft zitten,' zei Holmes op zijn vriendelijkst. 'U hebt een tijdje buiten gestaan en ik zou het heel vervelend vinden als u kou zou vatten. Wilt u een kop thee?'

'Ik heb liever een scheut rum,' antwoordde hij.

'Dat hebben we niet. Een beetje cognac misschien?' Holmes knikte naar me en ik schonk een aardige hoeveelheid in een glas en reikte hem dat aan.

De man sloeg het in één teug achterover. Er keerde wat kleur terug in zijn wangen en hij ging zitten. 'Bedankt,' zei hij.

Hij klonk schor maar ontwikkeld. 'Ik ben hier voor de beloning, maar ik had niet moeten komen. De mensen met wie ik te maken heb zouden mijn keel doorsnijden als ze wisten dat ik hier was, maar ik heb het geld nodig, daar komt het op neer. Twintig pond houdt die duivels een tijdje op afstand, en dat is het wel waard om mijn hachje te wagen. Heeft u het hier?'

'U krijgt het geld als u ons vertelt wat u weet,' antwoordde Holmes. 'Ik ben Sherlock Holmes. En u?'

'U kunt me Henderson noemen. Dat is niet mijn echte naam, maar hij volstaat. Ik moet namelijk voorzichtig zijn, meneer Holmes. U plaatste een advertentie over het Huis van Zijde, en vanaf dat moment wordt dit huis in de gaten gehouden. Iedereen die hier binnenkomt en iedereen die weer weggaat zal genoteerd worden, en het zou heel goed kunnen dat u op een dag gevraagd wordt de namen van al uw bezoekers op te geven. Ik heb ervoor gezorgd dat mijn gezicht niet zichtbaar was voordat ik bij u binnenkwam. U zult begrijpen dat ik hetzelfde doe met mijn identiteit.'

'Toch zult u me iets over uzelf moeten vertellen voordat ik mijn geld afsta. Bent u onderwijzer?'

'Hoe komt u daarbij?'

'Er zit kalk op de rand van uw manchet en ik zie een rode inktvlek aan de binnenkant van uw middelvinger.'

Henderson, als dat de naam was die ik voor hem moest gebruiken, glimlachte vluchtig, en lachte zijn verkleurde, scheve tanden bloot. 'Het spijt me u te moeten corrigeren, in werkelijkheid ben ik een havenarbeider, maar ik gebruik inderdaad krijt om de colli te markeren voordat die gelost worden, en daarna noteer ik de aantallen met rode inkt in een grootboek. Vroeger werkte ik voor de douane in Chatham, maar twee jaar geleden ben ik naar Londen gekomen. Ik dacht dat een nieuwe omgeving goed zou zijn voor mijn carrière. In werkelijkheid is het bijna mijn ondergang geworden. Wat kan ik nog meer over mezelf vertellen? Ik kom oorspronkelijk uit Hampshire en mijn ouders wonen daar nog steeds. Ik ben getrouwd maar heb mijn vrouw al een tijdje niet gezien. Ik ben een schooier van de ergste soort, en hoewel ik anderen graag de schuld geef van mijn ellende, weet ik dat het uiteindelijk allemaal mijn eigen schuld is. En erger nog: er is geen weg terug. Voor twintig pond zou ik mijn moeder nog verkopen, meneer Holmes. Ik doe er alles voor.'

'En wat is de oorzaak van uw ondergang, meneer Henderson?'

'Heeft u nog wat cognac voor me?' Ik schonk hem een tweede glas in, en deze keer bekeek hij het vluchtig. 'Opium,' zei hij, en hij sloeg het achterover. 'Dat is mijn geheim. Ik ben verslaafd aan opium. Vroeger gebruikte ik het omdat ik het lekker vond. Nu kan ik niet meer zonder.

Ik zal u mijn verhaal vertellen. Ik liet mijn vrouw achter in Chatham tot ik mezelf gevestigd had en huurde een kamer in Shadwell om dicht bij mijn werk te zijn. Kent u die wijk? Er wonen natuurlijk zeelui, maar ook dokwerkers, Chinezen, laskaren en negers. O, het is een kleurrijke wijk en er zijn genoeg verleidingen – pubs en dansgelegenheden – waar een dwaas zijn geld kan uitgeven. Ik kan u wel vertellen dat ik eenzaam was en mijn familie miste. Ook kan ik u vertellen dat ik te dom was om beter te weten. Wat maakt het ook uit? Een jaar geleden betaalde ik mijn eerste vier stuivers voor het balletje bruine was uit de likkepot. Wat leek het toen goedkoop! Wat wist ik weinig! Het genot dat het verschafte was groter dan ik ooit had ervaren. Het was alsof ik nooit echt geleefd had. Ik ging natuurlijk terug. Eerst een maand later, toen een week later, en voor ik het wist was het elke dag en al snel leek het alsof ik er elk uur moest zijn. Ik kon niet meer aan mijn werk denken. Ik maakte fouten en werd woedend als ik kritiek kreeg. Mijn echte vrienden raakten op de achtergrond, en mijn onechte vrienden moedigden me aan om steeds meer te roken. Mijn werkgevers beseften al snel hoe ik eraan toe was, en ze hebben gedreigd me te ontslaan, maar het kan me niet meer schelen. Ik ben de hele dag bezig met mijn verlangen naar opium, ook op dit moment. Ik heb drie dagen geleden voor het laatst gerookt. Geef me de beloning, zodat ik me weer kan verliezen in de mist van vergetelheid.'

Ik bekeek de man met afschuw en medelijden, en toch was er iets aan hem waardoor ik niet met hem mee kon leven, iets wat bijna trots leek op wat er van hem geworden was. Henderson was ziek. Hij werd van binnenuit langzaam kapotgemaakt.

Holmes keek ook ernstig. 'Gebruikt u dat verdovende middel in het Huis van Zijde?' vroeg hij.

Henderson lachte. 'Denkt u nu echt dat ik bang geweest zou zijn of zo veel voorzorgsmaatregelen getroffen zou hebben om hier te komen als het Huis van Zijde slechts een opiumhol was?' riep hij uit. 'Weet u wel hoeveel opiumholen er in Shadwell en Limehouse zijn? Niet zoveel als tien jaar geleden, zeggen ze, maar je kunt nog steeds op een willekeurig kruispunt gaan staan en er zo eentje vinden, welke kant je ook op gaat. Je hebt Mott en Mother Abdullah en Creer's Place en Yahee. Ik heb gehoord dat je het spul ook kunt kopen in de nachthuizen op Haymarket en Leicester Square.'

'Wat is het dan wel?'

'Eerst het geld!'

Holmes aarzelde, maar schoof hem toen vier biljetten van vijf pond toe. Henderson griste ze weg en streelde ze. Er verscheen een doffe glans in zijn ogen toen zijn verslaving, het beest dat in hem sluimerde, weer ontwaakte. 'Waar denkt u dat het opium vandaan komt dat Londen, Liverpool, Portsmouth en alle andere verkooppunten in Engeland voorziet, en Schotland en Ierland trouwens ook? Waar gaan Creer en Yahee heen als hun voorraad opraakt? Waar is het centrum van het web dat het hele land beslaat? Dat is het antwoord op uw vraag, meneer Holmes. Ze gaan naar het Huis van Zijde!

Het Huis van Zijde is een criminele organisatie die op reusachtige schaal opereert en ik heb gehoord – geruchten, meer niet – dat het vrienden in de hoogste kringen heeft, dat zijn tentakels uitgespreid zijn over het hele land en dat het bewindslieden en rechercheurs in zijn macht heeft. We hebben het over een import- en exportbedrijf, zo u wilt, en een bedrijf dat vele duizenden ponden per jaar omzet. Het opium komt uit het oosten. Het wordt vervoerd naar een centraal depot en daarvandaan wordt het gedistribueerd, maar voor een veel hogere prijs.'

'Waar kunnen we het Huis van Zijde vinden?'

'In Londen. Ik weet niet precies waar.'

'Wie heeft er de leiding?'

'Dat zou ik niet kunnen zeggen. Ik heb geen idee.'

'Dan heeft u ons nauwelijks verder geholpen, meneer Henderson. Hoe kunnen we er zeker van zijn dat u de waarheid spreekt?'

'Omdat ik het kan bewijzen.' Hij hoestte onaangenaam en ik herinnerde me dat gebarsten lippen en een droge mond symptomen van langdurig gebruik van de drug waren. 'Ik ben al geruime tijd klant van Creer's Place. Het is er ingericht om Chinees te lijken, met wandkleden en waaiers, en soms zie ik er een paar oosterlingen bij elkaar op de grond liggen. Maar de eigenaar is net zo Engels als u en ik, en ik hoop voor u dat u nooit iemand ontmoet die zo wreed en harteloos is. Zwarte ogen en een hoofd als de schedel van een skelet. O, hij lacht wel en noemt je zijn vriend als je vier stuivers hebt, maar vraag hem om een gunst of probeer hem te dwarsbomen en hij laat je meteen de hersens inslaan en in een greppel smijten. Toch kunnen hij en ik het samen aardig vinden. Vraag me niet waarom. Hij heeft een klein kantoortje naast de grote kamer en soms nodigt hij me uit om daar met hem te roken – tabak, geen opium. Hij luistert graag naar verhalen over het leven in de haven. Toen ik daar een keer zat hoorde ik voor het eerst over het Huis van Zijde. Hij gebruikt jongens om zijn voorraad aan te voeren en om in de houtzagerijen en de kolenopslagen op zoek te gaan naar nieuwe klanten…'

Ik onderbrak hem. 'Jongens. Heeft u die ooit ontmoet? Heette een ervan Ross?'

'Ze hebben geen namen en ik spreek ze niet. Maar luister naar wat ik te zeggen heb! Ik was er een paar weken geleden en een van de jongens kwam binnen, duidelijk te laat. Creer had gedronken en was in een slecht humeur. Hij greep de jongen beet en maaide hem met een klap tegen de grond. "Waar ben je geweest?" vroeg hij.

"In het Huis van Zijde," antwoordde de jongen.

"En wat heb je voor me?"

De jongen overhandigde hem een pakje en sloop de kamer uit. "Wat is het Huis van Zijde?" vroeg ik.

Op dat moment vertelde Creer me wat ik jullie nu heb verteld. Zonder de whisky was hij niet zo loslippig geweest, en toen hij klaar was, besefte hij wat hij gedaan had en werd hij opeens nijdig. Hij opende een klein laatje naast zijn bureau en voordat ik het wist richtte hij een pistool op me. "Waarom wil je dat weten?" riep hij. "Waarom stel je me zulke vragen?"

"Ik heb er geen enkel belang bij," verzekerde ik hem. Ik was geschrokken en bang. "Ik maakte zomaar een praatje, meer niet."

"Een praatje? Hier kun je niet zomaar een praatje over maken. Als je hier iemand ooit één woord over doorvertelt, vissen ze je lijk uit de Thames. Begrepen? Als zij je niet vermoorden, doe ik het." Toen leek hij zich te bedenken. Hij liet het pistool zakken en ging op zachtere toon verder. "Vanavond mag je je pijp roken zonder te betalen," zei hij. "Je bent een goede klant. Jij en ik kennen elkaar goed. We moeten goed voor je zorgen. Vergeet dat ik iets tegen je gezegd heb en begin er niet meer over. Begrepen?"

En daarmee was de kous af. Ik was het hele voorval al bijna vergeten tot ik jullie advertentie zag en toen kwam het natuurlijk weer boven. Als hij erachter komt dat ik naar u toe ben gekomen, weet ik zeker dat hij zijn woord houdt. Maar als u op zoek bent naar het Huis van Zijde, moet u beginnen in zijn kantoortje, want hij kan u erheen leiden.'

'Waar kan ik dat vinden?'

'In Bluegate Fields. Het huis zelf bevindt zich op de hoek van Milward Street. Het is een laag, vies gebouw met een rood licht in de deuropening.'

'Bent u er vanavond?'

'Ik ben er elke avond, en dankzij uw gulheid ben ik er nog vele avonden.'

'Komt die man, Creer, ooit uit zijn kantoor?'

'Regelmatig. De kit is benauwd en hangt vol met rook. Hij gaat naar buiten voor frisse lucht.'

'Dan ziet u me vanavond misschien. En als alles goed gaat en ik vind waar ik naar op zoek ben, zal ik uw beloning verdubbelen.'

'Zeg niet dat u me kent. Laat niet merken dat u me ooit eerder hebt gezien. Verwacht geen hulp als het fout gaat.'

'Ik begrijp het.'

'Veel geluk dan, meneer Holmes. Ik wens u succes – voor mezelf, niet voor u.'

We wachtten tot Henderson weg was, en Holmes draaide zich met een glinstering in zijn ogen naar me om. 'Een opiumkit! En ook nog eentje dat zaken doet met het Huis van Zijde? Wat denk je ervan, Watson?'

'Het bevalt me niets, Holmes. Volgens mij moet je je er verre van houden.'

'Foei! Ik denk dat ik wel voor mezelf kan zorgen.' Holmes beende naar zijn bureau, opende een la en haalde er een pistool uit. 'Ik ga gewapend.'

'Dan ga ik met je mee.'

'Mijn beste Watson, dat kan ik onmogelijk toestaan. Hoe dankbaar ik ook ben dat je zo attent bent, moet ik eerlijk zijn: wij zouden met zijn tweeën in niets op het soort klanten lijken dat op donderdagavond een bezoekje brengt aan een opiumkit in Oost-Londen.'

'En toch sta ik erop, Holmes. Als je wilt, blijf ik buiten. We moeten toch in staat zijn in de buurt een plekje te vinden waar ik kan wachten. Als je dan hulp nodig hebt, ben ik na een enkel schot meteen ter plekke. Creer heeft misschien wel meer schurken die voor hem werken. En kunnen we erop rekenen dat Henderson je niet verraadt?'

'Daar zeg je wat. Goed. Waar is je revolver?'

'Die heb ik niet meegenomen.'

'Dat doet er niet toe. Ik heb er nog een.' Holmes glimlachte en ik zag het plezier in zijn ogen. 'Vanavond brengen we Creer's Place een bezoekje, en dan zien we wel verder.'

Er hing weer mist die nacht, de ergste van de maand tot nu toe. Ik zou er bij Holmes op hebben aangedrongen zijn bezoek aan Bluegate Fields uit te stellen als ik gedacht had dat dat zin zou hebben. Aan zijn bleke en havikachtige gezicht zag ik echter dat hij zich niet van zijn voorgenomen koers zou laten afbrengen. Hoewel hij het niet met zo veel woorden had gezegd, wist ik dat hij gedreven werd door de dood van Ross. Zolang hij zich ook maar voor een deel verantwoordelijk voelde voor wat er gebeurd was, zou hij niet rusten, en afwegingen over zijn eigen veiligheid zou hij eenvoudigweg terzijde schuiven.

En toch voelde ik me doodsbenauwd toen de koets ons af-
zette bij een steegje nabij het Limehouse Basin. De dikke, gele
mist verspreidde zich door de straten en dempte elk geluid.
Het leek abject, als een boosaardig dier dat snuffelend door de
duisternis op zoek was naar zijn prooi, en naarmate we verder
liepen leek het steeds meer alsof we ons aan zijn kaken opof-
ferden. We begaven ons door het steegje, gevangen tussen
muren van rode baksteen die dropen van het vocht, en die zo
hoog waren dat ze op de flauwe zilveren glans van de maan na
de hemel bijna volledig aan het zicht onttrokken. Aanvankelijk waren onze eigen voetstappen het enige geluid dat we
hoorden, maar toen werd het steegje breder en van verschillende kanten weergalmde het gehinnik van een paard, het
zachte gerommel van een stoommachine, kabbelend water en
het schrille gehuil van een slapeloze baby. Op zijn eigen manier bakende elk geluid de duisternis om ons heen af. We bevonden ons bij een gracht. Een rat of een ander beest stoof
voor ons uit, schoot over de rand van het voetpad en viel met
een plons in het zwarte water. Een hond blafte. We liepen
langs een woonboot, die aan één kant lag vastgebonden, en
achter de raampjes waar gordijnen voor hingen waren net
flarden licht zichtbaar en er kringelde rook uit de schoorsteen. Erachter lag een droogdok, waar vaag een wirwar aan
schepen zichtbaar was. Ze hingen daar als prehistorische ske-
letten te wachten om gerepareerd te worden en hun kabels en
touwwerk bungelden omlaag. We gingen een hoek om en alles
werd meteen opgeslokt door de mist die als een gordijn achter
ons dichtviel, en toen ik me omdraaide was het alsof ik zojuist
uit het niets was opgedoken. Vóór ons was ook niets te zien,
en als we op het punt hadden gestaan van de rand van de wereld te stappen, zouden we dat niet beseft hebben. Maar toen
hoorden we het getingel van een piano, een enkele vinger die
een melodietje uitprobeerde. Opeens doemde er een vrouw

voor ons op, en ik ving een glimp op van een afzichtelijk op-
gemaakt gerimpeld gezicht, een opzichtige hoed, een sjaal van
veren. Ik ving haar geur op, die me deed denken aan stervende
bloemen in een vaas. Ze lachte even en was toen weer verdwenen. En ten slotte zag ik voor ons lichten: de ramen van een
café. Daar kwam de muziek vandaan.

Het café heette de Rose and Crown. We konden de naam
pas lezen toen we pal onder het bord stonden. Het was een
merkwaardige plek, een constructie van stenen die bijeengehouden werden door een allegaartje van houten planken,
maar nog steeds onbeholpen wankelde, alsof hij elk moment
kon instorten. Geen van de ramen hing recht, en de deur was
zo laag dat we zouden moeten bukken om naar binnen te
kunnen.

'We zijn er, Watson,' fluisterde Holmes, en ik zag de adem
van zijn lippen wolken. Hij wees. 'Daar is Milward Street, en
dat lijkt me Creer's Place. Je ziet het rode licht in de deuropening.'

'Holmes, ik smeek het je nog één keer: laat me met je mee-
gaan.'

'Nee, nee. Het is beter als een van ons buiten blijft, want als
blijkt dat ze me al verwachtten, ben jij in een betere positie om
me te hulp te komen.'

'Denk je dat Henderson tegen je loog?'

'Ik vond zijn verhaal op elke mogelijke manier onwaarschijnlijk.'

'Maar Holmes, laten we in dat geval in vredesnaam…'

'Ik weet het pas zeker als ik naar binnen ga, Watson. Henderson zóu de waarheid kunnen spreken. Maar als dit een val
is, laten we er dan voor zorgen dat die dichtklapt, dan zien we
wel waar hij ons brengt.' Ik opende mijn mond om bezwaar te
maken, maar hij ging al verder. 'We hebben iets heel ernstigs
aangeroerd, mijn vriend. Dit is een heel ongewone kwestie, en

we kunnen dit niet uitzoeken als we weigeren risico's te nemen. Blijf een uur op me wachten. Ik stel voor dat je in dit café iets nuttigt. Als ik wegblijf, moet je me achternakomen, maar zo voorzichtig mogelijk. En als je schoten hoort, moet je meteen komen.'

'Ik doe wat je wilt, Holmes.'

Ik had echter nog steeds ernstige bedenkingen toen ik hem de straat over zag steken en hij even uit het zicht verdween toen de mist en de duisternis hem omarmden. Aan de andere kant kwam hij weer tevoorschijn. Hij stond in de gloed van het rode licht, omlijst door de deuropening. In de verte hoorde ik een klok elf uur slaan. Nog voordat de eerste klokslag was weggestorven, was Holmes al verdwenen.

Zelfs in mijn zware overjas was het te koud om een uur lang buiten te staan, en ik voelde me slecht op mijn gemak, laat op de avond op straat, en dan ook nog in een wijk die erom bekendstond dat de inwoners ervan tot de laagste klasse behoorden en veel van hen gevaarlijke criminelen waren. Ik duwde de deur open en kwam in een ruimte die door een smalle bar met biertaps van geschilderd porselein en twee planken met een hele rij flessen in twee helften werd gedeeld. Tot mijn verrassing hadden tien tot vijftien mensen het barre weer getrotseerd en zich in deze kleine ruimte verzameld. Ze zaten bij elkaar gekropen rondom tafels te kaarten en te drinken. De lucht hing vol rook van sigaretten en pijpen en ook was er een sterke geur van brandende turf, die van een gehavende gietijzeren kachel in de hoek afkomstig was. Op een paar kaarsen na was dit de enige bron van licht in de kamer, maar dat leek bijna het tegenovergestelde effect te hebben, want als je naar de rode gloed achter het dikke glazen raam keek, leek het bijna alsof het vuur het op de een of andere manier opzoog, het consumeerde en vervolgens als zwarte rook en as de schoorsteen uit en de nacht in spuugde. Naast de deur stond een uitgeleefde piano. Er zat een vrouw achter die gedachteloos de toetsen indrukte. Dat was de muziek die ik buiten had gehoord.

Ik liep naar de bar, waar een oude grijze man met staar me voor een paar penny's een glas ale inschonk, en ik bleef daar staan. In dronk niet, maar onderdrukte mijn ergste waandenkbeelden en probeerde niet aan Holmes te denken. De meeste mannen om me heen waren matrozen en dokwerkers en veel van hen kwamen uit het buitenland, Spanje en Malta. Geen van hen keurde me een blik waardig, en daar was ik blij om. Sterker nog: ze spraken zelfs nauwelijks met elkáár, en het enige geluid dat in de ruimte te horen was, was dat van de kaartspelers. Een klok aan de muur toonde de tijd die verstreek en het kwam me voor dat de kleine wijzer bewust treuzelde en de wetten van de tijd negeerde. Ik had vaak met en zonder Holmes gewacht tot er ergens een schurk verscheen, of het nu om het moerasachtige terrein bij Baskerville Hall ging, langs de oevers van de Thames of in de tuin van een huis in de voorsteden. Maar ik zal nooit de wake van vijftig minuten vergeten die ik doorbracht in de kleine ruimte met het gepets, pets, pets van de kaarten op de tafel, de valse noten die gespeeld werden op de piano en de donkere gezichten die in hun glazen staarden, alsof ze daar wellicht alle antwoorden op hun vragen over het geheim van het leven zouden vinden.

Het waren precies vijftig minuten, want om tien voor twaalf werd de stilte van de nacht opeens verbroken door twee pistoolschoten en bijna meteen daarna klonk een schel politiefluitje en het geluid van geschrokken geschreeuw. Ik stormde de deur uit en de straat op, teleurgesteld in mezelf en boos dat ik me door Holmes had laten overhalen om mee te werken aan dit gevaarlijke plan. Maar had hij de schoten afgevuurd als waarschuwing voor mij, of was hij in gevaar, gedwongen zichzelf te verdedigen? De mist was enigszins opgetrokken en ik snelde de straat over naar de ingang van Creer's Place. Ik draaide de deurkruk om. De deur zat niet op slot. Ik trok mijn wapen uit mijn zak en rende naar binnen.

Mijn neusgaten werden direct begroet door de droge geur van brandend opium die mijn ogen irriteerde en me een scherpe hoofdpijn bezorgde, zo erg dat ik weigerde in te ademen uit angst ook in de ban te raken van de drug. Ik stond in een dompige, donkere kamer die ingericht was in Chinese stijl, met tapijten met figuren erop, rode hanglampen en zijden wandtapijten, precies zoals Henderson had beschreven. Van onze informant was geen spoor te bekennen. Vier mannen lagen uitgestrekt op matrassen, met hun bordjes van Japans porselein en opiumlampen op lage tafeltjes naast hen. Drie van hen waren buiten bewustzijn of zouden zelfs wel dood kunnen zijn. De vierde rustte met zijn kin in zijn hand en staarde me wezenloos aan. Eén matras was leeg.

Er kwam een man op me af gebeend en ik wist dat dit Creer zelf moest zijn. Hij was volkomen kaal, zijn huid wit als papier en zo strak over zijn botten getrokken dat hij met zijn zwarte, diepgelegen ogen de schedel van een lijk leek te hebben. Ik zag dat hij op het punt stond iets te zeggen, me uit te dagen, maar toen zag hij mijn revolver en deinsde hij achteruit.

'Waar is hij?' vroeg ik.

'Wie?'

'U weet wel wie ik bedoel!'

Mijn blik schoot langs hem heen naar een open deur aan de andere kant van de kamer en een gang erachter die werd verlicht door een gaslamp. Ik negeerde Creer en kon niet wachten deze vreselijke plek achter me te laten voordat de dampen me overweldigden, dus liep ik verder. Een van de stakkers op de matrassen riep naar me en hield een bedelende hand op, maar ik negeerde hem. Aan het einde van de gang was nog een deur, en aangezien Holmes onmogelijk door de voordeur kon zijn weggegaan, was hij ongetwijfeld deze kant op gegaan. Toen ik hem intrapte, voelde ik een vlaag koude wind. Ik bevond me aan de achterkant van het pand. Ik hoorde nog meer geschreeuw, het gekletter van een paard met een rijtuig en een politiefluitje waar fel op geblazen werd. Ik wist al dat we om de tuin waren geleid, dat het helemaal mis was gegaan, maar ik had nog steeds geen idee wat ik kon verwachten. Waar was Holmes? Was hij gewond geraakt?

Ik rende door een smalle straat, langs een overdekte galerij en een hoek om, waarna ik uitkwam op een binnenplaats. Daar had zich een groepje mensen verzameld. Waar konden die op dit late tijdstip allemaal vandaan zijn gekomen? Ik zag een man in smoking, een politieagent en nog twee anderen. Ze staarden allemaal naar een tafereel voor zich, en geen van hen durfde naar voren te stappen en de leiding te nemen. Ik wurmde me langs hen heen. En ik zal nooit vergeten wat ik op dat moment zag.

Er lagen twee gedaantes. Een ervan was een jong meisje dat ik onmiddellijk herkende – en met reden, aangezien ze me een paar dagen eerder nog had geprobeerd te doden. Het was Sally Dixon, de oudere zus van Ross die in The Bag of Nails had gewerkt. Er was twee keer op haar geschoten, in de borst en in het hoofd. Ze lag op de straatkeien in een poel van vloeistof die er in de duisternis zwart uitzag, maar ik wist dat het bloed was. Ik wist ook wie de man was die bewusteloos voor haar lag, met in een uitgestoken hand nog het pistool waarmee ze was neergeschoten.

Het was Sherlock Holmes.

II

In arrest

Ik ben die nacht en de gevolgen ervan nooit vergeten.

Nu ik hier vijfentwintig jaar later in mijn eentje zit, staat elk detail nog in mijn geheugen gegrift, en hoewel ik soms moeite moet doen om door de vervormende lens van de tijd te kijken en om me de gelaatstrekken van vrienden en vijanden te herinneren, hoef ik maar met mijn ogen te knipperen om ze allemaal weer voor me te zien: Harriman, Creer, Ackland, en zelfs de agent… Hoe heette hij ook alweer? Perkins! Feit is dat ik veel avonturen met Sherlock Holmes heb beleefd en vaak heb gezien dat hij ernstig in het nauw werd gedreven. Er waren momenten waarop ik dacht dat hij dood was. Nog maar een week daarvoor had ik hem hulpeloos zien ijlen, vermoedelijk het slachtoffer van een koeliezetkte uit Sumatra. Dan was er die keer in Poldhu Bay in Cornwall geweest, waar hij ongetwijfeld bezweken zou zijn aan gekte en zelfdestructie als ik hem de kamer niet had uit gesleurd. Ik herinner me dat ik in Surrey de wacht bij hem had gehouden toen er uit de duisternis een dodelijke moerasslang was komen aanglijden. En hoe zou ik deze korte lijst kunnen afronden zonder terug te denken aan de volkomen wanhoop en het gevoel van leegte die ik voelde toen ik alleen terugkeerde van de watervallen van Reichenbach? Toch vallen ze allemaal in het niet bij die nacht in Bluegate Fields. Arme Holmes. Ik zie hem nog voor me. Toen hij bij bewustzijn kwam, zag hij dat hij omringd was, waarna hij gearresteerd werd. Hij kon niet uitleggen wat er zojuist was gebeurd. Hij had zich moedwillig in een val laten lokken en dit was het onfortuinlijke resultaat.

Er was een agent gearriveerd, waarvandaan weet ik niet. Hij was jong en nerveus, maar al met al ging hij lovenswaardig doeltreffend te werk. Om te beginnen controleerde hij of het meisje dood was, waarna hij zijn aandacht op mijn vriend richtte. Holmes zag er vreselijk uit. Zijn huid was lijkbleek, en hoewel zijn ogen open waren, leek hij niet goed te kunnen zien… Mij herkende hij in elk geval niet. De omstanders maakten de hele situatie er niet beter op, en ik vroeg me opnieuw af hoe het mogelijk was dat ze uitgerekend die nacht hadden uitgekozen om hier bijeen te komen. Er waren twee vrouwen die op het vreselijke oude wijf leken dat ons bij de gracht was gepasseerd, en bij hen twee matrozen die tegen elkaar aan leunden en naar ale stonken. Een neger staarde met grote ogen voor zich uit. Een paar van mijn Maltese kroeggenoten uit de Rose and Crown stonden naast hem. En er waren zelfs een paar kinderen verschenen, haveloos gekleed en blootsvoets, die naar het spektakel keken alsof het voor hen werd opgevoerd. Ik nam dit alles in me op toen een lange man met een rood gezicht en elegante kleding met zijn stok wees en riep: 'Reken hem in, agent! Ik zag hem dat meisje neerschieten. Ik heb het met mijn eigen ogen gezien.' Hij had een zwaar Schots accent dat bijna misplaatst klonk, alsof dit een toneelstuk was en hij een bezoeker die ongevraagd het podium op was komen lopen. 'God sta haar bij, het arme schepsel. Hij heeft haar in koelen bloede vermoord.'

'Wie bent u?' vroeg de agent.

'Mijn naam is Thomas Ackland. Ik was op weg naar huis, ik heb precies gezien wat er gebeurde.'

Ik kon me niet langer afzijdig houden en dus stapte ik naar voren en knielde neer naast mijn gevelde vriend. 'Holmes!' riep ik. 'Holmes, kun je me horen? Vertel me in godsnaam wat er gebeurd is.'

Holmes was echter nog steeds niet in staat om te antwoorden en nu zag ik dat de agent naar me keek. 'Kent u deze man?' vroeg hij.

'Ja. Hij heet Sherlock Holmes.'

'En u?'

'Ik heet John Watson en ik ben arts. Meneer, u moet me toestaan mijn vriend te verzorgen. Hoe duidelijk de feiten ook mogen lijken, ik kan u verzekeren dat hij onschuldig is, aan welk misdrijf dan ook.'

'Dat is niet waar. Ik zag dat hij het meisje neerschoot. Ik zag hem zelf de kogel afvuren.' Ackland deed een stap naar voren. 'Ik ben ook arts, en ik kan u vertellen dat deze man onder de invloed van opium is. Dat is duidelijk merkbaar aan zijn ogen en zijn adem, en u hoeft niet verder op zoek te gaan naar een motief voor dit verachtelijke en zinloze misdrijf.'

Had hij gelijk? Daar lag Holmes, niet in staat om iets uit te brengen. Hij was absoluut in de greep van een bedwelmend middel, en aangezien hij het afgelopen uur in Creer's Place was geweest, was het absurd te suggereren dat iets anders dan de drug die de dokter had genoemd de oorzaak was. En toch zat iets aan de diagnose me dwars. Ik keek van dichtbij naar Holmes' ogen en hoewel ik moest beamen dat ze opengesperd waren, ontbraken de lelijke speldenprikjes van licht die ik verwacht had. Ik voelde zijn pols en die was bijna té traag, wat erop wees dat hij zojuist gewekt was uit een diepe slaap, in plaats van betrokken te zijn geweest bij zware inspanningen, zoals zijn slachtoffer achternarennen en vervolgens neerschieten. En sinds wanneer had opium ooit een dergelijke passiviteit veroorzaakt? Euforie, totale ontspanning en bevrijding van fysieke pijn kunnen tot de uitwerkingen horen, maar ik had nog nooit gehoord van een gebruiker die tot gewelddaden was gedreven. En zelfs als Holmes in de greep van hevige paranoia was geweest, welk motief had hij met zijn verwarde bewustzijn dan kunnen bedenken om het meisje te doden dat hij koste wat kost wilde vinden en beschermen? En trouwens: hoe was zij hier terechtgekomen? Ten slotte betwijfelde ik of Holmes in staat zou zijn geweest zo nauwkeurig te schieten als hij inderdaad onder invloed van opium was geweest. Het zou hem moeite hebben gekost het pistool recht te houden. Ik zet dit hier allemaal uiteen alsof ik in staat was uitgebreid stil te staan bij het bewijs dat zich pal voor me bevond, maar in feite gebeurde het in hoogstens een seconde, door mijn vele jaren in het medische vak en het feit dat ik de verdachte als geen ander kende.

'Was u vanavond bij deze man?' vroeg de agent aan mij.

'Ja, maar we waren een tijdje uit elkaar gegaan. Ik was in de Rose & Crown.'

'En hij?'

'Hij…' Ik deed er het zwijgen toe. Ik mocht absoluut niet onthullen waar Holmes was geweest. 'Mijn vriend is een gevierd detective en was bezig met een zaak. U zult er nog wel achter komen dat hij bekend is bij Scotland Yard. Laat inspecteur Lestrade komen, die zal voor hem instaan. Hoe slecht dit er voor hem ook uitziet, er moet een andere verklaring zijn.'

'Er is geen andere verklaring,' wierp dokter Ackland tussenbeide. 'Hij kwam wankelend die hoek om. Het meisje was op straat aan het bedelen. Hij haalde een pistool tevoorschijn en schoot haar neer.'

'Er zit bloed op haar kleding,' beaamde de agent, hoewel hij enigszins aarzelend leek te spreken. 'Hij was duidelijk in de buurt toen ze werd vermoord. En toen ik op deze binnenplaats kwam, was er verder niemand te zien.'

'Hebt u gezien dat het schot gelost werd?'

'Nee, maar ik kwam even later aan. En er rende niemand weg van de plaats van het misdrijf.'

'Hij heeft het gedaan!' riep een van de omstanders, wat werd gevolgd door instemmend gemompel van de kinderen, die het allemaal geweldig vonden dat ze zich op de eerste rang van dit spektakel bevonden.

'Holmes!' riep ik. Ik knielde naast hem neer en probeerde zijn hoofd met mijn handen te ondersteunen. 'Kun je me vertellen wat er hier gebeurd is?'

Holmes gaf geen antwoord, en even later werd ik me bewust van een andere man die stilletjes genaderd was en nu naast de Schotse arts over me heen stond gebogen. 'Staat u alstublieft op,' gebood hij op een toon zo kil als de nacht zelf.

'Deze man is mijn vriend…' begon ik.

'En dit is de plaats van een misdrijf, waar u niets te zoeken heeft. Staat u op en gaat u naar achteren. Dank u. Als u hier iets gezien heeft, geef dan uw naam en adres aan de agent. Zo niet, gaat u dan terug naar huis. Kinderen, weg hier voordat ik jullie allemaal arresteer. Wat is je naam, agent? Perkins! Heb jij de leiding hier?'

'Ja, meneer.'

'Is dit jouw wijk?'

'Ja, meneer.'

'Nou, je lijkt tot nu toe aardig werk geleverd te hebben. Kun je me vertellen wat je gezien hebt en wat je weet? Probeer het kort te houden. Het is verdomd koud vannacht, en hoe sneller we dit afronden, hoe sneller we naar bed kunnen.' Hij bleef zwijgend staan terwijl de agent zijn versie van de gebeurtenissen vertelde, wat weinig meer inhield dan ik al wist. Hij knikte. 'Heel goed, Perkins. Zorg voor deze mensen. Noteer de details in je zakboekje. In neem de leiding over.'

Ik heb deze nieuwkomer nog niet beschreven en ik vind het

zelfs nu nog moeilijk om te doen, aangezien hij een van de meest reptielachtige mannen is die ik ooit ben tegengekomen, met ogen die te klein waren voor zijn gezicht, dunne lippen en een huid die zo glad was dat de man nauwelijks gelaatstrekken had. Zijn belangrijkste eigenschap was een dikke bos haar die bijna onnatuurlijk wit was, wat wil zeggen dat het haar volkomen kleurloos was en misschien wel nooit kleur had gehad. Zijn haar stond in schril contrast met zijn kleding, die bestond uit een zwarte overjas, zwarte handschoenen en een zwarte sjaal. Hoewel hij geen grote man was, had hij een zekere uitstraling, een arrogantie zelfs, die ik al had waargenomen in de manier waarop hij het bevel op zich had genomen. Hij sprak zacht, en toch had zijn stem een scherpte die zonneklaar maakte dat hij gewend was gehoorzaamd te worden. Maar het was zijn rusteloosheid, zijn weigering om echt contact te maken, die me nog het meest van mijn stuk bracht. Daardoor moest ik aan een slang denken. Vanaf het moment dat ik hem voor het eerst sprak, voelde ik hem om me heen glibberen. Hij was het soort mens dat door of langs je heen keek, maar je nooit aankeek. Ik had nog nooit iemand leren kennen die zichzelf zo onder controle had, en in een wereld leefde waarin verder iedereen alleen maar een indringer was en niet in de buurt mocht komen.

'Dus u bent dokter Watson?' zei hij.

'Ja.'

'En dit is Sherlock Holmes! Nou, ik betwijfel of we hierover zullen lezen in een van uw vermaarde kronieken, tenzij die de titel "Het avontuur van de psychotische opiumverslaafde" krijgt. Was uw collega vanavond in Creer's Place?'

'Hij werkte aan een zaak.'

'Met een pijp en een naald, kennelijk. Een nogal onorthodoxe methode van speurwerk, zou ik zo zeggen. Nou, u kunt gaan, dokter Watson. Er is hier niets meer voor u te doen.

Mooi is dat! Dit meisje kan niet ouder dan zestien of zeventien jaar zijn.'

'Ze heet Sally Dixon. Ze werkte in een café in Shoreditch dat The Bag of Nails heet.'

'Dus ze kende haar aanvaller?'

'Meneer Holmes heeft haar niet aangevallen!'

'Dat wilt u ons wijsmaken. Helaas zijn er getuigen die een andere mening zijn toegedaan.' Hij wierp een blik op de Schot. 'U bent arts?'

'Ja, meneer.'

'En u hebt gezien wat hier vanavond gebeurd is?'

'Dat heb ik de agent al verteld, meneer. Het meisje was op straat aan het bedelen. Deze man kwam uit dat gebouw daar. Ik dacht dat hij dronken of gek was. Hij volgde het meisje naar deze binnenplaats en doodde haar met een revolver. Zo eenvoudig is het.'

'Is de heer Holmes naar uw mening sterk genoeg om met me mee te gaan naar het politiebureau van Holborn?'

'Hij kan niet lopen, maar er is geen reden waarom hij niet met een rijtuig kan reizen.'

'Er is er een onderweg.' De man met het witte haar, die me nog steeds zijn naam niet had verteld, liep langzaam naar Holmes toe. Die lag nog steeds op de grond, waar hij enigszins bij zinnen kwam en moeite deed om weer de oude te worden. 'Kunt u me verstaan, meneer Holmes?'

'Ja.' Het was het eerste woord dat hij zei.

'Mijn naam is inspecteur Harriman. Ik arresteer u wegens moord op deze jonge vrouw, Sally Dixon. U hoeft niets te zeggen als u dat niet wilt, maar wat u zegt zal ik noteren en kan als bewijs tegen u worden gebruikt. Begrijpt u dat?'

'Dit is onmenselijk!' riep ik. 'Ik zeg u dat Sherlock Holmes niets met dit misdrijf te maken heeft. Uw getuige liegt. Dit is een samenzwering, en…'

'Als u niet gearresteerd wilt worden wegens belemmering van de rechtsgang en ook niet voor het gerecht gedaagd wilt worden voor smaad, raad ik u aan zo verstandig te zijn er het zwijgen toe te doen. Wanneer dit voor de rechter komt krijgt u uw kans het woord te voeren. Tot die tijd moet ik u nogmaals vragen opzij te gaan en me mijn werk te laten doen.'

'Weet u echt niet wie dit is en in welke mate de politie in deze stad, wat zeg ik, in dit hele lánd, schatplichtig aan hem is?'

'Ik weet heel goed wie hij is, maar ik kan niet zeggen dat het iets verandert aan de situatie zoals ik die heb aangetroffen. We hebben hier een dood meisje. Het moordwapen bevindt zich in zijn hand. We hebben een getuige. Dat lijkt me genoeg om mee aan het werk te gaan. Het is bijna middernacht en ik kan niet de hele nacht met u bakkeleien. Als u reden heeft zich te beklagen over mijn gedrag, dan kunt u dat morgenochtend doen. Ik hoor een rijtuig naderen. Laten we deze man naar een cel brengen en deze arme drommel naar het lijkenhuis.'

Er zat niets anders voor me op dan achteruit te stappen en toe te kijken hoe Perkins terugkeerde en Holmes met behulp van de dokter overeind hielp en wegsleepte. Het pistool dat hij in zijn hand had gehad was in een stoffen doek gewikkeld en werd met hem meegenomen. Op het laatste moment, toen hij in het rijtuig werd geholpen, keek hij om en onze blikken troffen elkaar. Ik was opgelucht dat ik weer iets levendigs in zijn ogen zag en dat de werking van het verdovende middel dat hij had genuttigd – of dat hem was toegediend – langzaam afnam. Er waren meer agenten aangekomen en ik zag dat er een deken over Sally werd gelegd, waarna ze op een baar werd weggedragen. Dokter Ackland schudde Harriman de hand, overhandigde hem zijn visitekaartje, schudde hem opnieuw de hand en liep weg. Voor ik het wist was ik alleen, in een vijandig, onguur deel van Londen. Ik herinnerde me opeens dat ik de revolver die Holmes me had gegeven nog in mijn jaszak had. Mijn hand sloot zich eromheen en de dwaze gedachte kwam bij me op dat ik die had moeten gebruiken om Holmes te redden, hem vast had moeten grijpen en meesleuren terwijl ik Harriman en de omstanders op afstand hield. Maar een dergelijke poging zou ons geen van beiden geholpen hebben. Er waren andere manieren om terug te vechten, en met die gedachte in mijn hoofd en het koude staal in mijn hand draaide ik me om en haastte ik me naar huis.

Ik had de volgende ochtend vroeg bezoek. Het was de man die ik het liefst wilde zien: inspecteur Lestrade. Toen hij binnen kwam benen terwijl ik aan het ontbijt zat was mijn eerste gedachte dat hij het nieuws kwam brengen dat Holmes al was vrijgelaten en zich snel bij ons zou voegen. Eén blik op zijn gezicht volstond echter om mijn hoop de bodem in te slaan. Hij was nors en lachte niet, en zo te zien was hij heel vroeg opgestaan of hij had misschien wel helemaal niet geslapen. Zonder toestemming te vragen plofte hij zo hard neer aan de tafel dat ik me afvroeg of hij ooit nog de kracht zou hebben om op te staan.

'Wilt u iets eten, inspecteur?'

'Dat is heel aardig van u, dokter Watson. Ik heb beslist iets nodig om op te knappen. Wat een zaak! Eerlijk gezegd kan ik er niet bij. Mijn god, Sherlock Holmes! Zijn die mensen vergeten hoeveel we hem bij Scotland Yard verschuldigd zijn? Hoe kunnen ze denken dat hij schuldig is! En toch ziet het er niet best uit, dokter Watson. Het ziet er niet best uit.'

Ik schonk een kop thee voor hem in en gebruikte daarvoor de kop die mevrouw Hudson voor Holmes had klaargezet. Ze wist natuurlijk niet wat er de vorige avond had plaatsgevonden. Lestrade dronk er luidruchtig uit. 'Waar is Holmes?' vroeg ik.

'Ze hebben hem vannacht opgesloten in Bow Street.'

'Heeft u hem gezien?'

'Dat mocht ik niet! Toen ik hoorde wat er vannacht was gebeurd, ging ik er meteen heen. Maar die Harriman is een rare snuiter. De meesten van ons bij Scotland Yard met dezelfde rang modderen samen zo goed en zo kwaad als dat gaat voort, maar hij niet. Harriman houdt zijn mening altijd voor zich. Voor zover ik weet heeft hij geen vrienden of familie. Hij doet zijn werk goed, dat moet ik hem nageven, maar hoewel we elkaar soms op de gang tegenkomen, heb ik nooit meer dan een paar woorden tegen hem gezegd, en hij heeft nog nooit iets teruggezegd. Toevallig kwam ik hem vanochtend tegen en ik vroeg hem of ik bij de heer Holmes op bezoek mocht, dat leek me wel het minste wat ik kon doen, maar hij liep zo langs me heen. Een beetje beleefdheid had geen kwaad gekund, maar dat is de man met wie we te stellen hebben. Hij is nu bij Holmes om hem te verhoren. Ik zou er alles voor over hebben om bij ze in dat kamertje te zijn, want dat wordt een heftig gesprek. Voor zover ik weet staat Harrimans oordeel al vast, maar dat is natuurlijk onzin en daarom ben ik hierheen gekomen in de hoop dat u enig licht op deze kwestie kunt werpen. Was u erbij gisteravond?'

'Ik was in Bluegate Fields.'

'En klopt het dat de heer Holmes een opiumhol heeft bezocht?'

'Hij is erheen gegaan, maar niet om zich aan de verachtelijke praktijken daar te bezondigen.'

'Nee?' Lestrades blik ging naar de schoorsteenmantel en naar het marokijnen etui dat een injectiespuit bevatte. Ik vroeg me af hoe hij achter Holmes' gewoonte was gekomen. 'U kent Holmes te goed om iets anders te denken,' berispte ik hem. 'Hij doet nog steeds onderzoek naar de dood van de man met de platte pet en de jongen, Ross. Dat voerde hem naar het oosten van Londen.'

Lestrade haalde zijn schrijfboekje tevoorschijn en sloeg het open. 'Ik denk dat u me maar beter kunt vertellen welke vooruitgang u en meneer Holmes hebben geboekt, dokter Watson. Als ik namens hem de strijd aanga, en het zou heel goed kunnen dat er een verwoede strijd in het verschiet ligt, is het beter dat ik zoveel mogelijk weet. Ik vraag u niets achterwege te laten.'

Eigenlijk was het vreemd. Holmes was altijd van mening dat hij concurreerde met de politie en zou ze in gewone omstandigheden geen enkel detail van zijn onderzoek hebben verteld. In dit geval had ik echter geen keuze en moest ik Lestrade wel op de hoogte brengen van alles wat er gebeurd was, zowel vóór als nadat het meisje was vermoord, om te beginnen met ons bezoek aan de Chorley Grange Jongensschool, dat ons naar Sally Dixon en The Bag of Nails had gebracht. Ik vertelde dat ze me had aangevallen, over onze ontdekking van het gestolen zakhorloge, het gesprek met Lord Ravenshaw, waar we weinig mee waren opgeschoten, en Holmes' besluit om een advertentie in de avondkranten te plaatsen. Ten slotte beschreef ik het bezoek van de man die zichzelf Henderson noemde en hoe hij ons naar Creer's Place had geleid.

'Was hij een havenarbeider?'

'Dat zei hij, Lestrade, maar ik ben bang dat hij loog, en dat dat voor zijn hele verhaal gold.'

'Hij zou onschuldig kunnen zijn. U weet niet wat er gebeurd is in Creer's Place.'

'Ik was er inderdaad niet bij, maar dat was Henderson ook niet, en zijn afwezigheid is reden tot bezorgdheid. Gezien alles wat er gebeurd is, geloof ik dat dit een welbewuste val was om Holmes als schuldige aan te wijzen en een einde te maken aan zijn onderzoek.'

'Maar wat is dat Huis van Zijde? Waarom doet iemand zo veel moeite om het geheim te houden?'

'Dat zou ik niet weten.'

Lestrade schudde zijn hoofd. 'Ik ben praktisch ingesteld, dokter Watson, en ik moet u zeggen dat dit allemaal weinig te maken lijkt te hebben met ons uitgangspunt: een dode man in een kamer van een pension. Voor zover we weten was die man Keelan O'Donaghue, een gevaarlijke crimineel en een bankovervaller uit Boston die naar Engeland was gekomen om wraak te nemen op de kunsthandelaar, meneer Carstairs uit Wimbledon. Dus hoe komt u daarvandaan uit bij de dood van twee kinderen, de kwestie met het witte lint, die mysterieuze Henderson en al het andere?'

'Dat was precies waar Holmes achter probeerde te komen. Kan ik hem zien?'

'Harriman heeft de leiding over de zaak en tot de heer Holmes formeel in staat van beschuldiging is gesteld, mag niemand hem spreken. Hij wordt vanmiddag naar een politierechtbank gebracht.'

'Daar moeten we bij zijn.'

'Natuurlijk. U zult begrijpen dat er op dit moment nog geen getuigen à decharge worden opgeroepen, dokter Watson, maar ik zal proberen het woord namens hem te voeren en een getuigenis afleggen over zijn goede reputatie.'

'Waar wordt hij vastgehouden?'

'Hij is nu nog in Bow Street, maar als de rechter vindt dat er genoeg bewijsmateriaal is – en ik zie niet in waarom hij iets anders zal denken – wordt hij naar de gevangenis gebracht.'

'Welke gevangenis?'

'Dat kan ik niet zeggen, dokter Watson, maar ik zal alles voor hem doen wat in mijn vermogen ligt. Is er in de tussentijd iemand tot wie u zich kunt richten? Ik kan me voorstellen dat twee heren als uzelf ongetwijfeld vrienden met invloed hebben, vooral omdat u betrokken bent geweest bij veel zaken die nogal gevoelig liggen. Misschien kunt u een beroep doen op een van de klanten van meneer Holmes?'

Ik dacht meteen aan Mycroft. Ik had hem natuurlijk nog niet genoemd, maar hij was al in mijn gedachten geweest voordat Lestrade het woord had genomen. Zou hij ermee instemmen me te zien? Hij had in deze kamer een waarschuwing geuit en hij was overduidelijk geweest: hij kon niets doen als die werd genegeerd. Toch nam ik de beslissing me zodra de mogelijkheid zich voordeed opnieuw bij de Diogenes Club te melden. Dat zou echter moeten wachten tot na de politierechtbank. Lestrade stond op. 'Ik kom u om twee uur ophalen,' zei hij.

'Bedankt, meneer Lestrade.'

'U hoeft me nog niet te bedanken, dokter Watson. Misschien kan ik niets doen. Als de uitkomst van een zaak ooit al bij voorbaat vast leek te staan, is het wel bij deze zaak.' Ik herinnerde me dat inspecteur Harriman de vorige avond min of meer hetzelfde tegen me had gezegd. 'Hij wil meneer Holmes berechten voor moord, en ik denk dat u zich op het ergste moet voorbereiden.'

12

Het bewijs in de zaak

Ik was nooit eerder in een politierechtbank geweest, en toch, toen ik dat massieve, strenge gebouw op Bow Street in gezelschap van Lestrade naderde, ervoer ik een merkwaardig gevoel van vertrouwdheid, alsof het goed was dat ik gedagvaard was en dat het op de een of andere manier onvermijdelijk was dat ik hier naartoe kwam. Lestrade moet de blik op mijn gezicht gezien hebben, want hij lachte bedroefd. 'U zult wel niet gedacht hebben dat u ooit op een plek als deze zou komen, hè, dokter Watson?' Ik zei dat hij mijn gedachten raadde. 'Je vraagt je af hoeveel andere mannen hier dankzij jullie terecht zijn gekomen, en met jullie bedoel ik natuurlijk u en meneer Holmes.'

Hij had gelijk. Dit was het einde van een proces dat wij zo vaak op gang hadden gebracht, de eerste stap op weg naar de Old Bailey en vervolgens misschien de galg. Het is merkwaardig om nu, aan het einde van mijn carrière als schrijver, te bedenken dat elk van mijn verhalen eindigde met de ontmaskering of de arrestatie van een schurk, en na dat moment nam ik eigenlijk altijd aan dat mijn lezers zich niet zouden interesseren voor het lot van die misdadigers en besteedde dus geen aandacht meer aan hen, alsof alleen hun overtreding hun bestaan rechtvaardigde en ze, als de misdaden eenmaal waren opgelost, niet langer mensen waren met een kloppend hart en een gebroken geest. Nooit heb ik stilgestaan bij de angst en het hartzeer die ze doorstaan moeten hebben toen ze door deze draaideur kwamen en door deze mistroostige gangen liepen. Hebben ze ooit tranen van berouw geplengd, of om redding gebeden? Hebben sommigen van hen tot het einde gevochten? Het interesseerde me nooit. Het vormde geen deel van mijn verhaal.

Maar als ik terugkijk op die ijskoude decemberdag waarop Holmes zelf oog in oog kwam te staan met de krachten die hij zo vaak had ontketend, denk ik dat ik hun onrecht heb gedaan, zelfs schurken zo wreed als Culverton Smith of zo sluw als Jonas Oldacre. Ik schreef wat nu detectiveverhalen worden genoemd. Toevallig was mijn detective de beste van allemaal. Maar in zekere zin werd hij gedefinieerd door de mannen en ja, ook de vrouwen met wie hij in conflict kwam, en ik schoof ze te gemakkelijk terzijde. Toen ik de politierechtbank binnenging, keerden ze heel sterk terug in mijn gedachten, en was het bijna alsof ik ze mijn naam hoorde roepen. 'Welkom. Nu ben je een van ons.'

De rechtszaal was rechthoekig en raamloos met houten banken en hekken, en met het Koninklijke Wapen op de achterste muur geschilderd. Voor die muur zat de magistraat, een stugge, oudere man wiens verschijning iets houterigs had. Voor hem bevond zich een afgebakende verhoging, en daar werden de gevangenen heen gebracht, de een na de ander, aangezien het proces snel en eentonig was, voor de toeschouwer in elk geval. Lestrade en ik waren vroeg aangekomen en namen onze plaats in op de publieke tribune, met nog enkele toeschouwers, en we zagen hoe een valsemunter, een inbreker en een oplichter teruggezonden werden in voorlopige hechtenis, in afwachting van hun rechtszaak. En toch kon de magistraat ook medelevend zijn. Een leerjongen die beschuldigd werd van dronken en gewelddadig gedrag – hij had zijn achttiende verjaardag gevierd – mocht naar huis, en de bijzonderheden van zijn vergrijp werden genoteerd in het register met afgewezen aanklachten. En twee kinderen van hoogstens acht of negen jaar oud, die waren ingerekend voor bedelen, werden overgedragen aan het missiehuis van de politierechtbank, met het advies dat de Vereniging voor Daklozen en Zwervers zich over hen zou ontfermen, of anders het weeshuis van dokter Barnardo of de Stichting voor de Integratie van Jeugdige Delinquenten. Het was vreemd om de laatste van die drie namen te horen, want dat was de organisatie die verantwoordelijk was voor Chorley Grange, waaraan Holmes en ik een bezoek hadden gebracht.

Alles was redelijk snel gegaan, maar nu gaf Lestrade me een por, en ik werd me bewust van een nieuw gevoel van ernst in de rechtszaal. Er kwamen meer politiemannen in uniform en griffiers binnen die hun plek innamen. De gerechtsbode, een mollige, uilachtige man in zijn zwarte toga, benaderde de magistraat en mompelde zachtjes iets tegen hem. Er kwamen twee mannen binnen die ik herkende en ze gingen een eindje van elkaar op een van de banken zitten. Een van hen was dokter Ackland, de andere een man met een rood gezicht die tot de toeschouwers bij Creer's Place had kunnen behoren, maar die me tot dat moment niet was opgevallen. Achter hen zat Creer zelf (Lestrade wees hem aan), die zijn handen veegde alsof hij ze droog wilde maken. Ik zag meteen dat alle drie de mannen getuige waren.

En toen werd Holmes binnengebracht, in dezelfde kleren als waarin hij gearresteerd was. Hij was zo weinig zichzelf dat ik als ik niet beter wist zou hebben gedacht dat hij zich doelbewust vermomd had om me van mijn stuk te brengen, zoals hij zo vaak had gedaan. Hij had duidelijk niet geslapen. Hij was uitvoerig verhoord en ik probeerde me de verscheidene vernederingen in te denken die hij moest hebben ondergaan en waarmee gewone criminelen maar al te vertrouwd waren.

Hij was in de gunstigste omstandigheden al broodmager, maar nu leek hij ronduit uitgehongerd. Terwijl hij naar de beklaagdenbank werd gebracht draaide hij zich om en keek hij naar me, en ik zag een glinstering in zijn ogen die me duidelijk maakte dat het gevecht nog niet voorbij was en me eraan herinnerde dat Holmes op zijn ontzagwekkendst was als hij alles tegen zich had. Naast me ging Lestrade rechtop zitten en mompelde iets. Hij was boos en verontwaardigd om wat Holmes had moeten doorstaan, waarmee hij een kant van zijn karakter toonde die ik nooit eerder had gezien.

Een advocaat stelde zich voor, een volslank, nietig mannetje met dikke lippen en zwarte oogleden, en het werd al snel duidelijk dat hij de rol van aanklager op zich had genomen, hoewel spreekstalmeester een betere beschrijving leek, gezien de manier waarop hij de zaak overzag en de rechtszaal bijna behandelde als een circus van het recht.

'De verdachte is een bekende detective,' begon hij. 'De heer Sherlock Holmes heeft internationale bekendheid vergaard dankzij een reeks verhalen die, hoewel vulgair en sensationeel, in elk geval voor een deel op waarheid berusten.' Die woorden maakten me nijdig, en ik zou misschien wel bezwaar hebben aangetekend als Lestrade me niet zachtjes op de arm had getikt. 'Desondanks zal ik niet ontkennen dat er een aantal minder bekwame agenten in Scotland Yard zijn die hem dank verschuldigd zijn omdat hij ze zo nu en dan bij hun onderzoek geholpen heeft met aanwijzingen en inzichten die hun vruchten hebben afgeworpen.' Na die woorden was het Lestrades beurt om kwaad te kijken. 'Maar zelfs de beste mannen hebben hun demonen, en in het geval van de heer Holmes is het opium dat hem van een voorstander van de wet heeft veranderd in een verachtelijke boosdoener. Het staat buiten kijf dat hij na elf uur gisteravond een opiumhol in Limehouse is binnengegaan dat bekendstaat onder de naam Creer's Place. Mijn eerste getuige is de eigenaar van dat etablissement, Isaiah Creer.'

Creer liep naar de getuigenbank. Er werd geen eed afgenomen in deze zaak. Ik zag alleen de achterkant van zijn hoofd, die wit en kaal was en plooien had, waardoor het moeilijk te zien was waar zijn hoofd eindigde en zijn nek begon. Aangemoedigd door de aanklager vertelde hij het volgende verhaal.

Ja, de verdachte was vlak na elf uur zijn huis binnengekomen – een privéadres en een zakelijk adres, mijnheer, waar heren zich op hun gemak en veilig aan hun gewoonte konden overgeven. Hij had heel weinig gezegd. Hij had om een dosis van het bedwelmende middel gevraagd, ervoor betaald en onmiddellijk opgerookt. Een halfuur later had hij om een tweede dosis gevraagd. De heer Creer was bang geweest dat de heer Holmes – want hij hoorde pas later zijn naam, en hij verzekerde de gerechtszaal dat hij toen ze kennismaakten een volkomen vreemdeling was geweest – dat de heer Holmes geagiteerd en opgewonden zou worden. De heer Creer had gesuggereerd dat een tweede dosis wellicht niet verstandig was, maar de heer Holmes had hem in de krachtigste bewoordingen tegengesproken, en om een scène te voorkomen en de rust te bewaren waar zijn etablissement bekend om stond, had hij in ruil voor een nieuwe betaling de noodzakelijke benodigdheden geregeld. De heer Holmes had de tweede pijp gerookt en zijn gevoel van extase was dusdanig toegenomen dat Creer een jongen op weg had gestuurd om een politieagent te zoeken, uit angst dat de rust verstoord zou worden. Hij probeerde met de heer Holmes te praten, om hem te kalmeren, maar zonder succes. De heer Holmes had er onhandelbaar en met een wilde blik in de ogen op gestaan dat er zich vijanden in de kamer bevonden, dat hij achtervolgd werd, dat zijn leven in gevaar was. Hij had een revolver tevoorschijn gehaald, en op dat moment had de heer Creer erop aangedrongen dat hij vertrok.

'Ik vreesde voor mijn leven,' hield hij de rechtbank voor. 'Het enige wat ik dacht was dat ik hem naar buiten moest krijgen. Maar ik zie nu in dat ik het mis had en dat ik hem daar had moeten laten blijven tot er hulp kwam in de vorm van de politieagent, Perkins. Want toen ik hem de straat op stuurde was hij buiten zinnen. Hij wist niet wat hij deed. Dat heb ik eerder zien gebeuren, edelachtbare. Het is vreemd, bizar. Maar het is een neveneffect van het verdovende middel. Ik twijfel er niet aan dat toen de heer Holmes dat arme meisje neerknalde, hij geloofde dat hij een grotesk monster te lijf ging. Als ik geweten had dat hij gewapend was, had ik hem het middel nooit gegeven, zo waarlijk helpe mij God almachtig!'

Het verhaal werd in elk opzicht bevestigd door een tweede getuige, de man met het rode gezicht die ik al had gezien. Hij was loom en overdreven beschaafd, een uiterst aristocratisch type met een smalle neus die hij vol afkeer ophaalde om deze ordinaire omgeving. Hij kon niet ouder dan dertig zijn en was gekleed in de nieuwste mode. Hij kwam niet met nieuwe onthullingen en herhaalde bijna woordelijk wat Creer had gezegd. Hij had aan de andere kant van de kamer op een matras gelegen, zei hij, en hoewel hij uiterst ontspannen was geweest, was hij bereid te zweren dat hij zich volkomen bewust was geweest van wat er had plaatsgevonden. 'Opium is voor mij af en toe een verzetje,' sloot hij af. 'Het verschaft me een paar uur waarin ik kan ontsnappen aan de zorgen en verantwoordelijkheden van mijn leven. Ik schaam me er niet voor. Ik ken veel mensen die om precies dezelfde reden in de privacy van hun eigen huis laudanum gebruiken. Voor mij verschilt het in niets van tabak roken of alcohol nuttigen. Maar,' voegde hij er nadrukkelijk aan toe, 'ik kan er dan ook tegen.'

Pas toen de rechter de jongeman voor de goede orde vroeg hoe hij heette veroorzaakte hij opwinding in de rechtbank. 'Lord Horace Blackwater.'

De rechter staarde hem aan. 'Klopt het dat u deel uitmaakt van de familie Blackwater uit Hallamshire, meneer?'

'Ja,' antwoordde de jongeman. 'De graaf van Blackwater is mijn vader.'

Ik was net zo verbaasd als iedereen. Het leek me opvallend, schokkend zelfs, dat de telg van een van de oudste families in Engeland terecht zou komen in een smerig drugshol in Bluegate Fields. Tegelijkertijd kon ik me voorstellen dat de gewichtigheid van zijn getuigenis de zaak tegen mijn vriend zou verergeren. Dit was niet een of andere proleet van een matroos of een charlatan die zijn versie van de gebeurtenissen gaf. Het was een man die zichzelf heel goed te gronde zou kunnen richten door zelfs maar toe te geven dat hij in Creer's Place was geweest.

Hij had geluk dat dit de politierechter was en dat er dus geen journalisten aanwezig waren. Daar hoef ik nauwelijks aan toe te voegen dat hetzelfde voor Holmes gold. Toen Sir Horace naar beneden stapte, hoorde ik de mensen op de tribune tegen elkaar mompelen, en ik besefte dat ze hier alleen voor het spektakel waren gekomen en dat dit soort prikkelende details voor hen heel gewoon was. De rechter wisselde enkele woorden met zijn in het zwart gehulde gerechtsbode toen de plek van Sir Horace werd ingenomen door Stanley Perkins, de agent die ik op de avond in kwestie had leren kennen. Perkins kwam stram overeind, met zijn helm naast zich, die hij vasthield alsof hij een spook in de Tower of London was en de helm zijn hoofd. Hij had het minst te zeggen, maar een groot deel van het verhaal was al voor hem verteld. Hij was benaderd door de jongen die Creer naar buiten had gestuurd, die hem had gevraagd naar het huis op de hoek van Milward Street te komen. Hij was op weg gegaan toen hij twee schoten hoorde en naar Coppergate Square gerend, waar hij een bewusteloze man met een pistool aantrof en een meisje in een poel van bloed. Hij had de leiding genomen over de situatie toen er zich een menigte verzamelde. Hij had meteen gezien dat hij niets voor het meisje kon doen. Hij beschreef hoe ik was aangekomen en de bewusteloze man had geïdentificeerd als Sherlock Holmes.

'Ik kon mijn oren niet geloven,' zei hij. 'Ik had een paar verhalen over de wapenfeiten van meneer Sherlock Holmes gelezen en om te bedenken dat hij wellicht betrokken was bij zoiets als dit… Ik wist niet wat ik hoorde.'

Na Perkins volgde inspecteur Harriman, die meteen herkenbaar was aan zijn bos witte haar. Door de manier waarop hij sprak, met elk woord afgemeten en zorgvuldig gebracht, voor het maximale effect, kon je je voorstellen dat hij deze toespraak urenlang had geoefend, wat wellicht ook echt zo was. Hij deed geen enkele moeite zijn minachting te verbloemen. De gevangenneming en de daadwerkelijke executie van mijn vriend leken bijna wel de enige missie in zijn leven.

'Laat ik de rechtbank mijn gangen van afgelopen nacht vertellen.' Dat waren zijn eerste woorden. 'Ik was opgeroepen voor een inbraak bij een bank op White Horse Road, die een eindje verderop ligt. Toen ik daar wegging, hoorde ik het geluid van schoten en de fluit van de agent, en ik begaf me in zuidelijke richting om te kijken of ik kon helpen. Toen ik aankwam, had de heer Perkins de leiding en hij vervulde zijn taak bewonderenswaardig. Ik zal de heer Perkins voordragen voor promotie. Hij was degene die me vertelde wie de man was die nu voor u staat. Zoals u al gehoord hebt, heeft de heer Sherlock Holmes een zekere reputatie. Veel van zijn bewonderaars zullen ongetwijfeld teleurgesteld zijn dat de ware aard van de man, zijn verslaving aan drugs en de moorddadige gevolgen daarvan, zoveel verschillen van de fictie waarvan we allemaal genoten hebben.

Dat de heer Holmes Sally Dixon heeft vermoord staat buiten kijf. Sterker nog: zelfs de verbeeldingskracht van zijn biograaf zou niet in staat zijn bij zijn lezers ook maar enige twijfel te zaaien. Op de plaats van het misdrijf zag ik dat het pistool in zijn hand nog warm was, dat er op zijn mouw sporen van kruit zaten en op zijn jas verscheidene bloedvlekjes die daar alleen op konden zijn terechtgekomen als hij dicht bij het meisje had gestaan toen ze werd neergeschoten. De heer Holmes was half bij bewustzijn en kwam bij uit een opiumroes. Hij was zich nauwelijks bewust van zijn gruweldaad. Ik zeg "nauwelijks bewust", maar daar bedoel ik niet mee dat hij niets wist. Hij wist dat hij schuldig was, edelachtbare. Hij verweerde zich niet. Toen ik hem waarschuwde en hem in arrest nam, deed hij geen moeite me ervan te overtuigen dat de omstandigheden anders waren dan ik had beschreven.

Pas vanochtend, na acht uur slaap en een koude douche, bedacht hij een verhaal waarmee hij verklaarde dat hij onschuldig was. Hij zei dat hij een bezoek had gebracht aan Creer's Place, niet omdat hij zich daartoe aangetrokken voelde omdat hij zich wilde bezondigen aan zijn kwalijke gewoonte, maar omdat hij onderzoek deed in een zaak, waarvan hij de bijzonderheden niet met me wilde delen. Hij zei dat een man die hij alleen kende onder de naam Henderson hem naar Limehouse had gestuurd om een spoor te volgen, maar dat de informatie een val bleek te zijn en dat hij zodra hij het hol binnenkwam overweldigd was en werd gedwongen een bedwelmend middel te gebruiken. Het komt mij nogal merkwaardig over dat een man een opiumhol bezoekt en dan klaagt dat hij gedrogeerd is. En aangezien meneer Creer zijn hele leven al bedwelmende middelen verkoopt aan mannen die ze willen kopen, valt het niet te verklaren waarom hij in dit geval besloot ze gratis weg te geven. Maar we weten dat dit één grote leugen is. We hebben al van een gerenommeerde getuige gehoord dat de heer Holmes een pijp rookte en toen om een tweede vroeg. De heer Holmes stelt ook dat hij het vermoorde meisje kent en dat zij deel uitmaakte van zijn geheimzinnige onderzoek. Ik ben bereid dat toe te staan als onderdeel van zijn getuigenis. Het zou kunnen dat hij haar eerder heeft ontmoet en er in zijn delirium op de een of andere manier in geslaagd is haar te verwarren met een denkbeeldige topcrimineel. Hij had geen ander motief om haar te doden.

Het enige wat ik nog kan zeggen is dat de heer Holmes bij hoog en laag volhoudt dat hij slachtoffer is van een samenzwering waar ik, Perkins, Isaiah Creer, Lord Horace Blackwater en misschien u ook wel, edelachtbare, deel van uitmaken. Ik zou dit een waandenkbeeld willen noemen, maar in werkelijkheid is het nog erger. Het is een doelbewuste poging zichzelf te bevrijden van de gevolgen van de waandenkbeelden waaraan hij vannacht leed. Wat een pech voor de heer Holmes dat we een tweede getuige hebben die de moord zag plaatsvinden. Zijn getuigenis zal alle twijfel omtrent deze zaak wegnemen. Wat mij betreft kan ik alleen maar zeggen dat ik in mijn vijftien jaar bij de Londense politie nog nooit te maken heb gehad met een zaak waarvan het bewijs zo waterdicht was, noch met iemand die zo overduidelijk schuldig is.'

Ik verwachtte bijna dat hij een buiging zou maken. In plaats daarvan knikte hij eerbiedig naar de rechter en ging zitten.

De laatste getuige was dokter Thomas Ackland. Ik had nauwelijks naar hem gekeken in de duisternis en chaos van de nacht, maar nu hij voor me stond, kwam hij me voor als een onaantrekkelijke man met felrode krullen (hij zou verzekerd zijn van een plek in de brigade van roodharigen) die ongelijkmatig langs een langwerpig hoofd tuimelden, en sproeten zo donker dat zijn huid bijna ziekelijk leek. Hij had de aanzet van een snor, een ongewoon lange nek en waterige blauwe ogen. Het zou kunnen dat ik zijn uiterlijk overdreef, omdat ik een diepe en irrationele afkeer voelde toen de man het woord nam wiens woorden het lot van mijn vriend leken te bezegelen. Ik heb de hand weten te leggen op de officiële notulen en kan daarom precies laten zien wat hem werd gevraagd en wat hij daarop antwoordde, zodat niemand kan stellen dat mijn vooroordelen het verslag kleuren.

De aanklager: Vertelt u de rechtbank alstublieft uw naam.

Getuige: Thomas Ackland.

De aanklager: U komt uit Schotland.

Getuige: Ja. Maar ik woon momenteel in Londen.

De aanklager: Zou u ons iets over uw loopbaan kunnen vertellen, meneer Ackland?

Getuige: Ik ben geboren in Glasgow en heb daar aan de universiteit geneeskunde gestudeerd. In 1867 heb ik mijn medische graad gehaald. Ik werd docent aan de Royal Infirmary School of Medicine in Edinburgh en later professor in de klinische chirurgie in Edinburghs kinderziekenhuis. Ik ben vijf jaar geleden naar Londen verhuisd, na de dood van mijn vrouw, en werd gevraagd bestuurder te worden van het Westminster Hospital, waar ik nu werk.

De aanklager: Het Westminster Hospital is opgericht voor de armen en wordt bekostigd met gemeenschapsgeld. Klopt dat?

Getuige: Ja.

De aanklager: En u hebt zelf een ruimhartige bijdrage geleverd aan het onderhoud en de uitbreiding van het ziekenhuis, als ik het wel heb.

Rechter: Zou u ter zake willen komen, meneer Edwards?

De aanklager: Goed, edelachtbare. Dokter Ackland, kunt u de rechtbank alstublieft vertellen waarom u gisteravond in de buurt was van Milward Street en Coppergate Square?

Getuige: Ik was op bezoek geweest bij een van mijn patiënten. Dat is een goede, hardwerkende man, maar hij komt uit een arme familie, en nadat hij uit het ziekenhuis was ontslagen, maakte ik me zorgen om zijn welzijn. Ik kwam laat aan omdat ik eerder die avond een diner had gehad bij de Koninklijke Academie van Artsen. Ik verliet zijn huis om elf uur en was van plan om naar huis te lopen – ik woon op kamers in Holborn. Ik raakte echter verdwaald in de mist en het was puur toeval dat ik even voor middernacht op de binnenplaats kwam.

De aanklager: En wat trof u daar aan?

Getuige: Ik zag het hele voorval. Er was een meisje, slecht gekleed tegen dit ongunstige weer en hoogstens veertien of vijftien jaar oud. Ik huiver bij de gedachte wat ze op dat tijdstip buiten op straat deed, want die wijk staat bekend om zijn verdorvenheid. Toen ik haar zag, hield ze haar handen in de lucht en ze was duidelijk doodsbang. Ze zei één woord. "Alstublieft!" Toen klonken er twee schoten en ze viel op de grond. Ik wist meteen dat ze dood was. Het tweede schot was door haar schedel gegaan en moet haar meteen hebben gedood.

De aanklager: Zag u wie de schoten afvuurde?

Getuige: Aanvankelijk niet, nee. Het was donker en ik was danig geschrokken. Ik vreesde ook voor mijn leven, want ik bedacht dat er een gek moest rondlopen die dit kleine, weerloze meisje kwaad wilde doen. Toen zag ik even verderop een gedaante staan, met in zijn hand een pistool dat nog rookte. Ik zag hem kreunend op zijn knieën vallen. Toen viel hij buiten bewustzijn op de grond.

De aanklager: Ziet u diegene hier op dit moment?

Getuige: Ja, hij staat voor me achter het hekje.

Er klonk weer rumoer op de openbare tribune, want het was voor de andere toeschouwers nu net zo duidelijk als voor mij dat dit de meest belastende getuigenis was. Naast me was Lestrade heel stil geworden, met zijn lippen strak op elkaar, en ik bedacht dat het vertrouwen in Holmes, waar hij zo veel waarde aan had gehecht, ongetwijfeld ten diepste moest zijn aangetast. En ik? Ik moet toegeven dat ik hevig verontrust was. Op het eerste gezicht was het ondenkbaar dat mijn vriend het meisje kon hebben gedood dat hij het liefst wilde spreken, want er was nog altijd een kans dat Sally Dixon iets gehoord had over haar broer wat ons naar het Huis van Zijde zou kunnen leiden. En dan was er nog steeds de vraag wat ze in Coppergate Square deed. Was ze meegevoerd en gevangengenomen voordat Henderson bij ons langskwam, waarna hij ons in een val lokte, met deze uitkomst als uiteindelijk doel? Dat leek me de enige logische conclusie. Maar tegelijkertijd herinnerde ik me iets wat Holmes vele malen tegen me gezegd had, namelijk dat wanneer je het onmogelijke hebt uitgesloten, dat wat resteert wel de waarheid moet zijn, hoe onwaarschijnlijk die ook lijkt. Ik zou misschien in staat zijn de getuigenis van Isaiah Creer te weerleggen, aangezien een man als hij zeker openstond voor omkoperij en alles zou zeggen wat maar van hem vereist werd. Maar het was onmogelijk, of op zijn minst onzinnig om te suggereren dat een vooraanstaande arts uit Glasgow, een hooggeplaatste inspecteur van Scotland Yard en de zoon van de graaf van Blackwater, een lid van de Engelse aristocratie, bijeen zouden komen om zonder duidelijk motief een verhaal te bedenken en een man te beschuldigen die ze nog nooit hadden ontmoet. Dat was de keuze die ik had. Ze logen alle vier, of Holmes had onder invloed van opium inderdaad een vreselijk misdrijf begaan.

De rechter had zulke afwegingen niet nodig. Nadat hij het bewijs had gehoord, vroeg hij om het boek met aanklachten, en hij noteerde Holmes' naam en adres, zijn leeftijd en de aanklacht die tegen hem was ingediend. Daar werden de namen en adressen van de aanklager en zijn getuigen aan toegevoegd, alsmede een inventaris van alle voorwerpen die op de gevangene waren aangetroffen. (Daartoe behoorden een knijpbril, een stuk touw, een zegelring met het wapen van de hertog van

Cassel-Felstein, twee sigarettenpeuken gewikkeld in een pagina die uit het tijdschrift *London Corn Circular* was gescheurd, een pipet, een aantal Griekse munten en een kleine beril. Tot op de dag van vandaag vraag ik me af wat de autoriteiten van dat alles gedacht moeten hebben.) Holmes, die tijdens de hele procedure geen woord had gezegd, kreeg vervolgens te horen dat hij in voorlopige hechtenis bleef tot hij voor het gerechtshof moest verschijnen, dat na het weekeinde bijeen zou komen. Daarna zou de rechtszaak zelf plaatsvinden. En dat was het einde van de kwestie. De rechter had haast en wilde verder. Er waren nog verscheidene zaken te berechten en het begon al donker te worden. Ik keek toe terwijl Holmes werd weggevoerd.

'Kom met me mee, Watson!' zei Lestrade. 'En snel een beetje, we hebben niet veel tijd.'

Ik volgde hem de rechtszaal uit en een trap af naar een keldergedeelte dat van alle gemakken verstoken was, waar zelfs de verf op de muur armzalig en kaal was en die misschien expliciet was ontworpen voor gevangenen, voor mannen en vrouwen die afscheid hadden genomen van de gewone wereld boven. Lestrade was hier natuurlijk eerder geweest. Hij leidde me gezwind door een gang naar een imposante ruimte met witte tegels, een enkel raam en een bank die helemaal in de rondte liep. De bank werd verdeeld door een reeks houten afscheidingen, zodat wie erop zat geïsoleerd was en niet kon communiceren met degene naast zich. Ik wist meteen dat dit de wachtkamer voor gevangenen was. Misschien was Holmes hier wel vastgehouden voor de rechtszaak.

Zodra we binnenkwamen was er beweging bij de deur en daar verscheen Holmes, begeleid door een officier in uniform. Ik rende op hem af en zou hem misschien zelfs omhelsd hebben als ik niet beseft had dat dat wat hem betrof slechts de zoveelste vernedering zou zijn. Evengoed sloeg mijn stem over.

'Holmes! Ik weet niet wat ik moet zeggen. Het onrecht van je arrestatie, de manier waarop je behandeld bent… Het gaat het voorstellingsvermogen te boven.'

'Het is in elk geval erg interessant,' antwoordde hij. 'Hoe gaat het met je, Lestrade?' Een merkwaardige gang van zaken, vind je niet? Wat zeg je ervan?'

'Ik weet echt niet wat ik moet denken, meneer Holmes,' mompelde Lestrade.

'Nou, dat is niets nieuws. Het lijkt erop dat onze vriend, Henderson, een mooi kunstje heeft opgevoerd, hè Watson? Nou, laten we niet vergeten dat ik dat al min of meer verwachtte, en hij blijkt toch nuttig te zijn geweest voor ons. Ik vermoedde al dat we op een samenzwering waren gestuit die veel verderging dan een moord in een kamer van een pension. Nu weet ik het zeker.'

'Maar wat heeft het voor zin dergelijke dingen te weten als je op het punt staat gevangengenomen te worden en je reputatie door het slijk wordt gehaald?'

'Ik denk dat het met mijn reputatie wel los zal lopen,' zei Holmes. 'Als ze me ophangen, zal ik het aan jou overlaten je lezers ervan te overtuigen dat de hele zaak op een misverstand berustte.'

'U vat dit misschien luchtig op, meneer Holmes,' gromde Lestrade, 'maar ik moet u waarschuwen dat we heel weinig tijd hebben. En het bewijs tegen u lijkt in één woord onweerlegbaar.'

'Wat vond jij van het bewijs, Watson?'

'Ik weet niet wat ik moet zeggen, Holmes. Die mannen lijken elkaar niet te kennen. Ze komen uit verschillende delen van het land. En toch vertellen ze allebei hetzelfde verhaal.'

'Maar je gelooft mij toch wel eerder op mijn woord dan onze vriend Isaiah Creer?'

'Natuurlijk.'

'Laat me je dan meteen vertellen dat wat ik inspecteur Harriman heb verteld de werkelijke gang van zaken was. Nadat ik het opiumhol was binnengegaan, werd ik benaderd door Creer en begroet als een nieuwe klant – dat wil zeggen met een mengeling van hartelijkheid en bedachtzaamheid. Er lagen vier mannen half in katzwijm, of ze deden alsof, op de matrassen, en een van hen was inderdaad Lord Horace Blackwater, hoewel ik hem destijds natuurlijk nog niet kende. Ik deed alsof ik mijn vier stuivers kwam roken en Creer stond erop dat ik hem volgde naar zijn kantoor om hem daar te betalen. Ik wilde zijn achterdocht niet wekken en deed wat me gevraagd werd. Zodra ik de deur door was, werd ik besprongen door twee mannen die mijn nek beetgrepen en mijn armen vastklemden. Een van hen kennen we, Watson. Het was Henderson zelf! De ander had een kaalgeschoren hoofd en de bovenarmen en schouders van een worstelaar, met de kracht die daarbij hoorde. Ik kom me niet verroeren. "U bent heel onverstandig geweest, meneer Holmes, om u in zaken te mengen die u niet aangaan, en ook om te geloven dat u het kon opnemen tegen mensen die machtiger zijn dan uzelf," zei Henderson, of woorden van gelijke strekking. Tegelijkertijd kwam Creer op me af met een klein glas met een smerig ruikende vloeistof. Het was een of ander opiaat, en ik kon niets doen toen ik gedwongen werd het te drinken. Ze waren met zijn drieën en ik was alleen. Ik kon niet naar mijn pistool grijpen. Het middel werkte bijna meteen. De ruimte draaide rond en mijn benen werden slap. Ze lieten me los en ik viel op de grond.'

'De duivels!' riep ik uit.

'En toen?' vroeg Lestrade.

'Verder herinner ik me niets totdat ik bijkwam met Watson naast me. Het moet een heel sterk middel zijn geweest.'

'Allemaal goed en wel, meneer Holmes, maar hoe verklaart

u de getuigenissen die we gehoord hebben van dokter Ackland, van Lord Horace Blackwater en van mijn collega Harriman?'

'Ze hebben samengespannen.'

'Maar waarom? Dat zijn geen gewone mannen.'

'Inderdaad niet. Als ze gewoon waren, zou ik eerder geneigd zijn ze te geloven. Maar vind je het niet vreemd dat er uit het donker drie van zulke opmerkelijke types tevoorschijn komen?'

'Wat ze zeiden was logisch. Er is in deze rechtbank geen enkel aanvechtbaar woord gezegd.'

'Nee? Dat ben ik niet met je eens, Lestrade, want ik heb er meerdere gehoord. We kunnen beginnen met dokter Ackland. Vond je het niet vreemd dat hoewel hij zei dat het te donker was om te zien wie het schot had afgevuurd, hij in één adem verklaarde dat hij rook zag opstijgen van het pistool? Hij moet een uniek gezichtsvermogen hebben, die dokter Ackland. En dan heb je Harriman zelf. Het is misschien de moeite waard na te gaan of er echt is ingebroken bij de bank op White Horse Road. Dat lijkt me wel een heel gunstig toeval.'

'Hoezo?'

'Als ik een bank zou overvallen, zou ik wachten tot na middernacht, als het niet zo druk is op straat. Ik zou misschien ook naar Mayfair, Kensington of Belgravia gaan, wijken waar de plaatselijke bewoners wellicht genoeg geld hebben om de diefstal de moeite waard te maken.'

'En Perkins?'

'Perkins was de enige eerlijke getuige. Watson, mag ik je iets vragen?'

Maar voordat Holmes verder kon gaan, verscheen Harriman in de deuropening, met een gezicht als een donderwolk. 'Wat voor de duivel is hier aan de hand?' vroeg hij. 'Waarom is de gevangene niet op weg naar zijn cel? Wie bent u, meneer?'

'Ik ben inspecteur Lestrade.'

'Lestrade! Ik ken jou wel. Maar dit is mijn zaak. Waarom bemoei jij je ermee?'

'Meneer Sherlock Holmes is een goede bekende van me, en…'

'Heel veel mensen kennen meneer Sherlock Holmes. Gaan we die allemaal uitnodigen om kennis met hem te maken?' Harriman wendde zich tot de agent die Holmes had binnengebracht uit de rechtszaal, en die steeds ongemakkelijker bij ons had gestaan. 'Jij daar! Ik zal je naam en nummer noteren en je hoort hier nog over. Nu kun je de heer Holmes naar de achterplaats brengen waar een politiewagen klaarstaat om hem naar zijn volgende verblijfplaats te brengen.'

'En waar is dat?' vroeg Lestrade.

'Hij wordt overgebracht naar de gevangenis van Holloway.'

Ik kromp ineen, want iedereen in Londen kende de omstandigheden in dat grimmige, ontzagwekkende fort. 'Holmes!' zei ik. 'Ik zal je komen opzoeken…'

'Het spijt me u te moeten tegenspreken, maar de heer Holmes zal geen bezoekers ontvangen tot mijn onderzoek is afgerond.'

Lestrade en ik konden niets doen. Holmes verzette zich niet. Hij liet zich door de politieman overeind trekken en de ruimte uit leiden. Harriman volgde hem en we bleven alleen achter.

13

Gif

Alle kranten hadden over de dood van Sally Dixon en de daar-
opvolgende rechtszaak bericht. Eén verslag heb ik hier nog
voor me liggen, het papier nu zo fragiel als vloeipapier, door
de jaren versleten:

> Er is gisteren een misdaad van een serieuze en verachtelijke
> aard gepleegd in Coppergate Square, vlak bij de rivier en Lime-
> house Basin. Even na twaalf uur hoorde politieambtenaar Per-
> kins van de H-divisie, die de ronde deed, een pistoolschot, en
> hij snelde naar de bron van de opschudding. Hij arriveerde te
> laat om het slachtoffer te redden, een zestienjarig dienstmeisje
> in een Londens café dat in de buurt woonde. Verondersteld
> wordt dat ze op weg naar huis was en onverwacht haar aanval-
> ler tegen het lijf liep die zojuist uit een van de gelegenheden
> kwam waar opium wordt verkocht en waar de wijk berucht om
> is. Deze man is geïdentificeerd als de heer Sherlock Holmes,
> een adviserend detective, en hij werd onmiddellijk overgedra-
> gen aan de politie. Hoewel hij stelde niets met het misdrijf te
> maken te hebben, verscheen er een reeks uiterst respectabele
> getuigen die het tegendeel beweerden, onder wie dokter Tho-
> mas Ackland van het Westminster Hospital en Lord Horace
> Blackwater, die in Hallamshire vierhonderd hectare landbouw-

grond bezit. De heer Holmes is overgebracht naar de Holloway-gevangenis en deze hele treurige zaak benadrukt nogmaals het juk van verdovende middelen waaronder onze maatschappij gebukt gaat en zet vraagtekens bij de wettigheid van de verderfelijke plekken waar ze vrijelijk kunnen worden gebruikt.

Ik hoef nauwelijks te zeggen dat het hoogst onaangenaam was om dat op de maandagochtend na Holmes' arrestatie aan de ontbijttafel te moeten lezen. Bovendien waren enkele aspecten van het verslag betwistbaar. The Bag of Nails bevond zich in Lambeth, dus waarom ging de verslaggever ervan uit dat Sally Dixon op weg naar huis was? Het was ook merkwaardig dat er met geen woord werd gerept over Lord Horace' eigen uitspatting op die 'verderfelijke plek'.

Het weekeinde was voorbij, twee dagen waarop ik weinig meer had kunnen doen dan tobben en wachten op nieuws. Ik had schone kleren en eten naar Holloway gestuurd, maar wist niet of Holmes die had ontvangen. Van Mycroft had ik niets gehoord, hoewel hij onmogelijk de verhalen in de kranten gemist kon hebben, en daarnaast had ik verschillende berichten naar de Diogenes Club gestuurd. Ik wist niet of ik verontwaardigd of ongerust moest zijn. Aan de ene kant leek zijn gebrek aan een reactie onbeleefd en zelfs kinderachtig, want ook al had hij geprobeerd ons af te houden van precies datgene wat we gedaan hadden, hij zou toch zeker geen moment aarzelen om zijn invloed aan te wenden, gezien de ernst van de situatie waarin zijn broer verkeerde? Maar ik herinnerde me ook wat hij had gezegd – 'Ik zal niets voor jullie kunnen doen' – en ik was verbaasd over de macht van het Huis van Zijde, wat dat ook mocht zijn. Het kon kennelijk een man uitschakelen wiens invloed tot de hoogste kringen van de macht reikte.

Ik had besloten naar de club te lopen en mezelf in hoogsteigen persoon te melden toen de deurbel ging en mevrouw Hudson na een korte pauze een beeldschone vrouw binnenliet, met mooie handschoenen en eenvoudige maar elegante kleding. Ik ging zo op in mijn gedachten dat het even duurde voordat ik mevrouw Catherine Carstairs herkende, de vrouw van de kunsthandelaar uit Wimbledon wiens bezoek aan ons kantoor deze reeks ongelukkige gebeurtenissen in gang had gezet. Sterker nog: toen ik haar zag kostte het me moeite het verband te leggen, wat wil zeggen dat ik niet kon bedenken hoe een bende Ierse schurken in een Amerikaanse stad, de vernieling van vier landschappen van John Constable en een vuurgevecht met een groep agenten van Pinkerton had kunnen leiden tot onze huidige hachelijke situatie. Het was een heuse paradox. Aan de ene kant was de vondst van de dode man in het pension van mevrouw Oldmore de oorzaak geweest van alles wat er gebeurd was, maar aan de andere kant leek het er niets mee te maken te hebben. Misschien was het de schrijver in me die zich roerde, maar ik zou gezworen hebben dat het leek alsof twee van mijn verhalen op de een of andere manier door elkaar waren gelopen, zodat de personages van het ene onverwacht opdoken in het andere. En dus was ik heel verbaasd om mevrouw Carstairs te zien. Maar ze stond voor me en barstte in huilen uit terwijl ik haar als een dwaas aanstaarde.

'Mijn beste mevrouw Carstairs!' riep ik uit, en ik sprong op. 'Raakt u toch niet van streek. Gaat u zitten. Zal ik u een glas water brengen?'

Ze kon geen woord uitbrengen. Ik bracht haar naar een stoel en ze haalde een zakdoek tevoorschijn waarmee ze haar ogen droogde. Ik schonk wat water voor haar in en bracht het haar, maar ze wuifde het weg. 'Dokter Watson,' mompelde ze ten slotte. 'U moet me vergeven dat ik hierheen ben gekomen.'

'Niets ervan, ik ben heel blij u te zien. Toen u binnenkwam was ik in gedachten verzonken, maar ik kan u verzekeren dat u nu mijn volledige aandacht heeft. Heeft u nog nieuws uit Ridgeway Hall?'

'Ja. Vreselijk nieuws. Maar is meneer Holmes er niet?'

'Hebt u het niet gehoord? Hebt u geen krant gezien?'

Ze schudde haar hoofd. 'Het nieuws interesseert me niet. Mijn echtgenoot moedigt die belangstelling niet aan.' Ik overwoog haar het artikel te laten zien dat ik zojuist had gelezen, maar besloot ervan af te zien. 'Ik ben bang dat meneer Sherlock Holmes onwel is,' zei ik. 'En dat hij dat waarschijnlijk wel een tijdje zal blijven.'

'Dan heeft het geen enkele zin dat ik ben gekomen. Ik heb niemand anders tot wie ik me kan wenden.' Ze boog haar hoofd. 'Edmund weet niet dat ik hier vandaag heen ben gekomen. Hij raadde het me zelfs ten strengste af. Maar ik zweer het u, ik word gek, dokter Watson. Komt er dan nooit een einde aan deze nachtmerrie die opeens al onze levens kapotmaakt?'

Ze begon opnieuw te huilen en ik keek hulpeloos toe tot de tranen eindelijk afnamen. 'Misschien zou het helpen als u me vertelde wat u hier heeft gebracht,' zei ik.

'Dat zal ik u vertellen. Maar kunt u me helpen?' Ze fleurde opeens op. 'Natuurlijk! U bent dokter! We hebben al dokters gezien. Er komen af en aan dokters bij ons thuis. Maar misschien bent u anders en begrijpt u het.'

'Is uw echtgenoot ziek?'

'Niet mijn echtgenoot. Mijn schoonzus, Eliza. Herinnert u zich haar? Toen u aan haar werd voorgesteld, klaagde ze al over hoofdpijn en andere kwaaltjes, maar sindsdien is haar toestand verergerd. Nu denkt Edmund dat ze misschien doodgaat, en niemand kan iets doen.'

'Waarom denkt u dat wij kunnen helpen?'

Mevrouw Carstairs ging rechtop in haar stoel zitten. Ze streek met een hand langs haar ogen en opeens was ik me bewust van de kracht die ik had opgemerkt toen we elkaar leerden kennen. 'Mijn schoonzus en ik houden niet van elkaar,' zei ze. 'Ik zal niet doen alsof. Vanaf het allereerste begin vond ze me een avonturier die haar broer als een roofdier binnen-haalde toen hij er het slechtst aan toe was, een gelukzoeker die alleen maar wilde profiteren van zijn rijkdom. Vergeet niet dat ik met genoeg eigen geld naar dit land ben gekomen. Vergeet niet dat ik degene was die Edmund verzorgde aan boord van de Catalonia. Zij en haar moeder zouden een hekel aan me ge-had hebben ongeacht wie ik was, en ze hebben me nooit een kans gegeven. Edmund was namelijk altijd van hen geweest – de jongere broer, de toegewijde zoon – en de gedachte dat hij ooit geluk bij iemand anders zou vinden konden ze niet verdragen. Eliza geeft me zelfs de schuld van de dood van haar moeder. Kunt u dat geloven? Wat een tragisch ongeluk was – het vlammetje van haar gaskachel ging uit – werd volgens haar een bewuste zelfmoord, alsof de oude vrouw liever dood zou gaan dan mij als de nieuwe vrouw des huizes te zien. In ze-kere zin zijn ze allebei gek. Dat zou ik niet tegen Edmund dur-ven zeggen, maar het is waar. Waarom konden ze nooit aan-vaarden dat hij van me houdt en blij voor ons zijn?'

'En deze nieuwe ziekte?'

'Eliza denkt dat ze vergiftigd wordt. Erger nog: ze houdt vol dat ik er verantwoordelijk voor ben. Vraag me niet hoe ze tot die conclusie is gekomen. Het is dwaasheid!'

'Weet uw echtgenoot hiervan?'

'Natuurlijk. Ze beschuldigde me terwijl ik bij ze in de ka-mer was. Arme Edmund! Ik heb hem nog nooit zo van slag ge-zien. Hij wist niet hoe hij moest reageren, want wie weet wat het voor haar gemoedstoestand betekend zou hebben als hij mijn kant had gekozen. Hij was gekwetst, maar zodra we al-leen waren, kwam hij naar me toe gesneld en smeekte hij me om vergeving. Eliza is ziek, dat staat buiten kijf, en Edmund is van mening dat haar waanideeën deel uitmaken van de ziekte, en daar kan hij wel eens gelijk in hebben. Evengoed is de situ-atie bijna onhoudbaar voor me geworden. Al haar eten wordt nu apart bereid in de keuken en meteen door Kirby naar haar kamer gebracht, die ervoor zorgt dat hij het nooit uit het oog verliest. Edmund eet zelfs van hetzelfde bord. Hij doet alsof hij het voor de gezelligheid doet, maar hij gedraagt zich natuurlijk als een van die voorproevers uit het oude Rome. Misschien zou ik dankbaar moeten zijn. Een week lang heeft hij alles gegeten wat zij heeft gegeten en hij is zo gezond als een vis, terwijl zij steeds zieker wordt, dus als ik dodelijke nachtschade aan haar eten toevoeg, is het een volkomen mysterie waarom het alleen haar treft.'

'Wat denken de dokters dat de oorzaak van haar ziekte is?'

'Ze staan allemaal voor een raadsel. Eerst dachten ze dat het diabetes was, en toen bloedvergiftiging. Nu vrezen ze het ergste en behandelen ze haar voor cholera.' Ze boog haar hoofd, en toen ze het weer hief, stonden haar ogen vol tranen. 'Ik zal u iets vreselijks vertellen, dokter Watson. Ergens wil ik dat ze doodgaat. Zo heb ik nog nooit over een ander mens gedacht, zelfs niet over mijn eerste echtgenoot toen hij te diep in het glaasje gekeken had en gewelddadig was. Maar soms betrap ik me op de gedachte dat als Eliza zou sterven, Edmund en ik in elk geval rust zouden hebben. Ze lijkt erop gebrand ons te ruïneren.'

'Wilt u dat ik met u meega naar Wimbledon?' vroeg ik.

'Zou u dat willen doen?' Haar ogen lichtten op. 'Edmund wilde niet dat ik naar Sherlock Holmes ging. Er waren twee redenen. Wat hem betrof was de zaak met uw collega voorbij. De man uit Boston die hem schaduwde is dood en er lijkt niets meer te doen. En als we een detective naar ons huis laten komen, is hij bang dat Eliza alleen maar zal denken dat ze gelijk heeft.'

'Maar u dacht…'

'Ik hoopte dat meneer Holmes mijn onschuld zou kunnen bewijzen.'

'Als ik u ermee gerust kan stellen, kom ik graag met u mee,' zei ik. 'Ik moet u wel waarschuwen dat ik slechts een huisarts ben en weinig ervaring heb, maar door mijn lange samenwerking met Sherlock Holmes heb ik oog voor het ongebruikelijke en misschien zie ik iets wat uw andere adviseurs over het hoofd hebben gezien.'

'Weet u het zeker, dokter Watson? Ik zou u heel erg dankbaar zijn. Ik voel me soms nog zo'n vreemdeling in dit land dat het een zegen is iemand aan mijn zijde te hebben.'

We vertrokken samen. Ik wilde niet weg uit Baker Street, maar ik besefte dat ik er niets mee opschoot daar in mijn eentje te blijven zitten. Hoewel Lestrade namens mij aan het werk was, had ik nog steeds geen toestemming gekregen Holmes in Holloway op te zoeken. Mycroft zou die middag pas aankomen in de Diogenes Club. En in weerwil van wat mevrouw Carstairs had gezegd, was het mysterie van de man met de platte pet verre van opgelost. Het zou interessant zijn om Edmund Carstairs en zijn zus weer te zien, en hoewel ik wist dat ik een armzalige vervanger voor Holmes zelf was, was het misschien toch mogelijk dat ik iets zou zien of horen dat enig licht op de zaak kon werpen en de vrijlating van mijn vriend zou bespoedigen.

Carstairs was aanvankelijk niet blij toen ik mijn opwachting maakte in de hal van zijn huis, met de elegante kunstwerken en de klok die zachtjes tikte. Hij stond op het punt de deur uit te gaan voor het middagmaal, en ging zorgvuldig gekleed in een geklede jas, een stropdas van grijs satijn en keurig gepoetste schoenen. Zijn hoge hoed en wandelstok lagen op een tafeltje bij de deur. 'Dokter Watson!' riep hij uit. Hij wendde zich tot zijn vrouw. 'Ik dacht dat we hadden afgesproken dat we geen gebruik meer zouden maken van de diensten van Sherlock Holmes.'

'Ik ben Holmes niet,' zei ik.

'Inderdaad. Ik las zojuist in de krant dat meneer Holmes in de meest ongunstige omstandigheden terecht is gekomen.'

'Dat gebeurde in het onderzoek naar de zaak waarmee u hem in aanraking hebt gebracht.'

'Een zaak die nu is afgerond.'

'Volgens hem niet.'

'Dat ben ik niet met hem eens.'

'Toe, Edmund,' kwam mevrouw Carstairs tussenbeide. 'Dokter Watson is zo goed geweest helemaal uit Londen met me mee te komen. Hij heeft ermee ingestemd Eliza te zien en ons zijn mening te geven.'

'Verscheidene artsen hebben Eliza al onderzocht.'

'En nog een mening kan geen kwaad.' Ze nam hem bij de arm. 'Je hebt geen idee hoe het de laatste dagen voor me geweest is. Alsjeblieft, mijn liefste. Laat hem haar zien. Misschien helpt het haar ook, al is het maar omdat ze dan nog iemand heeft om zich bij te beklagen.'

Carstairs kwam tot bedaren. Hij klopte haar op de hand. 'Goed. Maar het zal even moeten wachten. Mijn zus stond vanochtend laat op en ik hoorde haar het bad vullen. Elsie is nu bij haar. Het zal nog minstens een halfuur duren voor ze toonbaar is.'

'Ik vind het niet erg om te wachten,' zei ik. 'Maar als ik mag zou ik de tijd graag gebruiken om de keuken te bekijken. Als uw zus volhoudt dat er met haar eten wordt geknoeid, is het misschien nuttig om te kijken waar het wordt bereid.'

'Natuurlijk, dokter Watson. En u moet me vergeven dat ik zo bot was. Ik wens meneer Holmes het beste en ik ben blij u te zien. Het lijkt alleen of er nooit een einde komt aan deze nachtmerrie. Eerst Boston, vervolgens mijn arme moeder, die zaak in het pension en nu Eliza. Gisteren nog heb ik een gouache uit de school van Rubens verworven, een mooie studie van Mozes bij de Rode Zee. Maar nu vraag ik me af of ik niet ben getroffen door een vloek die net zo afschrikwekkend is als die waar de farao's mee te maken hadden.'

We gingen naar beneden, een grote, luchtige keuken in die zo vol stond met potten en pannen, dampende ketels en snijplanken dat hij de indruk wekte heel druk te zijn, hoewel er maar weinig bedrijvigheid te zien was. Er waren drie mensen. Een van hen herkende ik: de knecht, Kirby, die ons destijds had binnengelaten in Ridgeway Hall, zat aan de tafel en smeerde boter op zijn brood voor het middageten. Een kleine, roodharige vrouw die wel iets weg had van een pudding stond bij het fornuis in soep te roeren, waarvan de geur – rundvlees en groenten – de lucht vulde. De derde persoon was een sluw ogende jongeman die in de hoek gedachteloos het bestek zat te poetsen. Hoewel Kirby was opgestaan toen we binnenkwamen, zag ik dat de jongen bleef zitten en een blik over zijn schouder wierp alsof we binnendringers waren die het recht niet hadden hem te storen. Hij had lang, gelig haar, een enigszins vrouwelijk gezicht en moet een jaar of achttien, negentien zijn geweest. Ik herinnerde me dat Carstairs tegen Holmes en mij had gezegd dat Kirby's vrouw een neef had, Patrick, die beneden werkte, en ik nam aan dat hij dit was.

Carstairs stelde me voor. 'Dit is dokter Watson, die de oorzaak van de ziekte van mijn zus probeert vast te stellen. Hij heeft misschien een paar vragen voor jullie en het zou hem deugd doen als jullie die zo eerlijk mogelijk kunnen beantwoorden.'

Hoewel ik de keuken in was gekomen, wist ik eigenlijk niet wat ik moest zeggen, maar ik begon met de kokkin, die van de drie het meest benaderbaar leek. 'Bent u mevrouw Kirby?' vroeg ik.

'Ja, meneer.'

'En bereidt u al het eten?'

'Alles wordt in deze keuken bereid, meneer, door mij en mijn echtgenoot. Patrick wast de aardappels en helpt met afwassen, als hij daar zin in heeft, maar al het eten gaat door mijn handen, en als er iets vergiftigd wordt in dit huis, dokter Watson, zult u dat hier niet vinden. Mijn keuken is brandschoon, meneer. We schrobben hem een keer per maand met limoencarbonaat. Als u wilt kunt u in de provisiekast kijken. Alles ligt op zijn plek en er is voldoende frisse lucht. We kopen het eten in de omgeving en er komt niets door de deur wat niet vers is.'

'Neem me niet kwalijk, maar het eten is niet de oorzaak van juffrouw Carstairs' ziekte, meneer,' mompelde Kirby met een vluchtige blik op de heer des huizes. 'U en mevrouw Carstairs hebben hetzelfde gegeten als zij en u mankeert niets.'

'Als u het mij vraagt, is er iets vreemds dit huis binnengekomen,' zei mevrouw Kirby.

'Wat bedoel je daarmee, Margaret?' vroeg mevrouw Carstairs.

'Dat weet ik niet, mevrouw. Ik bedoel er niets mee. Maar we zijn allemaal doodongerust over die arme juffrouw Carstairs, en het is net alsof er op de een of andere manier iets met deze plek aan de hand is. Maar wat het ook is, ik heb een zuiver geweten en als iemand iets anders zou suggereren zou ik morgen mijn koffers pakken en vertrekken.'

'Niemand geeft u de schuld, mevrouw Kirby.'

'Maar ze heeft wel gelijk. Er is iets niet pluis in dit huis.' Het was de keukenknecht die voor het eerst het woord nam, en door zijn accent herinnerde ik me dat Carstairs ons had verteld dat hij uit Ierland kwam.

'Je heet Patrick, toch?' vroeg ik.

'Inderdaad, meneer.'

'En waar kom je precies vandaan?'

'Uit Dublin, meneer.'

Het was ongetwijfeld puur toeval, en meer niet, maar Rourke en Keelan O'Donaghue kwamen ook uit Dublin. 'Hoe lang ben je hier al, Patrick?' vroeg ik.

'Twee jaar. Ik kwam hier vlak voor mevrouw Carstairs.' De jongen grijnsde.

Het was mijn zaak niet, maar alles aan zijn gedrag – de manier waarop hij op zijn kruk hing en zelfs de manier waarop hij praatte – kwam op me over als opzettelijk onbeleefd, en het verbaasde me dat Carstairs het door de vingers zag. Zijn vrouw was minder tolerant.

'Hoe durf je zo tegen ons te praten, Patrick?' zei ze. 'Als je iets wilt insinueren, moet je het zeggen. En als je hier niet tevreden bent, moet je weggaan.'

'Ik heb het hier best naar m'n zin, mevrouw Carstairs, en ik geloof niet dat ik ergens anders zou willen zijn.'

'Wat een brutaliteit! Edmund, zeg jij eens iets tegen hem!'

Carstairs aarzelde, en in die korte stilte klonk er gerinkel. Kirby keek om naar de rij bellen voor de bedienden aan de muur tegenover hem. 'Dat is juffrouw Carstairs, meneer,' zei hij.

'Ze zal wel klaar zijn met haar bad,' zei Carstairs. 'We kunnen naar boven gaan. Tenzij u nog meer vragen hebt, dokter Watson?'

'Nee,' antwoordde ik. De paar vragen die ik gesteld had waren zinloos geweest en ik was opeens ontmoedigd, want ik bedacht dat als Holmes er was geweest, hij het hele mysterie waarschijnlijk inmiddels wel opgelost zou hebben. Wat zou hij gedacht hebben over de Ierse dienstknecht en zijn relatie met de anderen? En wat zou hij gezien hebben als zijn blik door de ruimte ging? 'Je kijkt wel, Watson, maar je observéért niet.' Hij had het vaak genoeg gezegd, maar het had nooit zo wáár gevoeld als nu. Het keukenmes dat op de tafel lag, de soep die pruttelde in de haard, het koppel fazanten dat aan een haak in de provisiekast hing, Kirby die zijn blik neersloeg, zijn vrouw die met haar handen voor haar schort stond, Patrick die nog steeds glimlachte… zouden ze hem meer verteld hebben dan mij? Ongetwijfeld. Toon Holmes een druppel water en hij zou er het bestaan van de Atlantische Oceaan uit afleiden. Toon mij die druppel en ik zou op zoek gaan naar een kraan. Dat was het verschil tussen ons.

We gingen terug naar boven en vervolgens helemaal naar de bovenste verdieping. Onderweg passeerden we een jong meisje dat gehaast de andere kant op ging met een schaal en twee handdoeken. Dat was Elsie, het keukenhulpje. Ze hield haar hoofd gebogen en ik kon haar gezicht niet zien. Ze liep ons straal voorbij en was weg.

Carstairs klopte zachtjes op de deur en ging de slaapkamer van zijn zus in om te kijken of ze me wilde zien. Ik wachtte buiten met mevrouw Carstairs. 'Ik laat u hier achter, dokter Watson,' zei ze. 'Het maakt mijn schoonzus van streek als ik naar binnen ga. Maar laat het me alstublieft weten als u iets anders opmerkt dat verband houdt met haar ziekte.'

'Natuurlijk.'

'En bedankt voor uw komst. Ik ben heel opgelucht u als vriend te hebben.'

Ze stevende weg toen de deur openging en Carstairs zei dat ik binnen kon komen. Ik ging een benauwde, weelderig ingerichte slaapkamer onder het dak met kleine raampjes binnen. De gordijnen waren gedeeltelijk geopend en in de haard brandde een vuur. Ik zag een tweede deur die uitkwam op een belendende badkamer, en er hing een zware lavendelgeur van badzout. Eliza Carstairs lag in bed, ondersteund door kussens, en ze droeg een sjaal. Ik zag meteen dat haar gezondheid sinds mijn laatste bezoek snel achteruit was gegaan. Ze zag er verdord en uitgeput uit, wat ik al zo vaak had gezien bij patiënten die er ernstig aan toe waren, en haar ogen staarden beklagenswaardig voor zich uit boven de scherpe richels die haar jukbeenderen nu vormden. Ze had haar haar gekamd, maar het was nog steeds warrig en stak bij haar schouders alle kanten uit. Haar handen, die op het laken voor haar rustten, hadden die van een dode vrouw kunnen zijn.

'Dokter Watson!' Ze begroette me, en haar stem schuurde in haar keel. 'Waarom bent u me komen opzoeken?'

'Uw schoonzus heeft me gevraagd te komen, juffrouw Carstairs,' antwoordde ik.

'Mijn schoonzus wil me dood hebben.'

'Die indruk wekte ze niet. Mag ik u uw pols voelen?'

'Doet u maar wat u wilt, het is toch te laat. En als ik er niet meer ben, is Edmund de volgende, neemt u dat maar van me aan.'

'Stil, Eliza! Zeg niet zulke dingen,' berispte haar broer haar.

Ik pakte haar pols, die veel te snel klopte doordat haar lichaam weerstand probeerde te bieden tegen de ziekte. Haar huid had een blauwige gloed, en in combinatie met de andere symptomen die ik al had gehoord, vroeg ik me af of haar artsen wellicht gelijk hadden en ze aan cholera leed.

'Heeft u pijn in de onderbuik?' vroeg ik.

'Ja.'

'En pijnlijke gewrichten?'

'Ik voel mijn botten wegrotten.'

'Er zijn artsen bij u geweest. Welke medicijnen hebben zij voorgeschreven?'

'Mijn zus gebruikt laudanum,' zei Carstairs.

'Eet u?'

'Het is het eten dat me vermoordt!'

'U moet proberen te eten, juffrouw Carstairs. Uzelf uithongeren maakt u alleen maar zwakker.' Ik liet haar los. 'Veel meer kan ik niet voor u betekenen. U zou kunnen overwegen de ramen te openen om de lucht rond te laten stromen. En hygiëne is natuurlijk uiterst belangrijk.'

'Ik neem elke dag een bad.'

'Het zou helpen als u ook elke dag schone kleding aantrok

en het beddengoed verschoonde. Maar u moet vooral eten. Ik ben in de keuken geweest en heb gezien dat uw maaltijden met zorg worden bereid. U heeft niets te vrezen.'

'Ik word vergiftigd.'

'Als jij wordt vergiftigd, dan word ik het ook!' riep Carstairs uit. 'Alsjeblieft, Eliza. Waarom zie je dat niet in?'

'Ik ben moe.' De zieke vrouw zakte naar achteren en sloot haar ogen. 'Ik dank u voor uw bezoek, dokter Watson. Open de ramen en verschoon het bed! U behoort in uw vakgebied ongetwijfeld tot het neusje van de zalm!'

Carstairs nam me mee de kamer uit, en als ik eerlijk ben was ik blij om weg te kunnen. Eliza Carstairs was de eerste keer dat ik haar had gezien bot en denigrerend geweest, en haar ziekte had deze facetten van haar karakter alleen maar versterkt. Carstairs en ik namen bij de voordeur afscheid. 'Bedankt voor uw bezoek, dokter Watson,' zei hij. 'Ik begrijp wat mijn lieve Catherine naar uw deur dreef en ik hoop van harte dat meneer Holmes in staat zal zijn zich uit de nesten te werken waarin hij zich bevindt.'

We schudden elkaar de hand. Ik stond op het punt weg te lopen toen me iets te binnen schoot. 'Er is nog één ding, meneer Carstairs. Kan uw vrouw zwemmen?'

'Neem me niet kwalijk? Wat een merkwaardige vraag! Waarom wilt u dat weten?'

'Ik heb zo mijn methodes…'

'Nou, als u het wilt weten, Catherine kan niet zwemmen. Sterker nog: ze is bang voor de zee en heeft me verteld dat ze in geen geval het water in gaat.'

'Dank u wel, meneer Carstairs.'

'Een goede dag, dokter Watson.'

De deur ging dicht. Ik had antwoord gekregen op de vraag die Holmes me gesteld had. Nu moest ik er alleen nog achterkomen waaróm ik hem had gesteld.

14

De duisternis in

Toen ik terugkwam lag er een bericht van Mycroft voor me. Hij zou in de vooravond in de Diogenes Club zijn en het zou hem deugd doen me te zien als ik hem rond die tijd wilde komen opzoeken. Ik was uitgeput na mijn reis naar Wimbledon na alle activiteiten van de dag ervoor... Ik kon me nooit bovenmatig inspannen zonder herinnerd te worden aan de verwondingen die ik had opgelopen in Afghanistan. Evengoed besloot ik na even uitgerust te hebben meteen weer te gaan, aangezien ik me ten zeerste bewust was van de beproevingen die Sherlock Holmes moest doorstaan terwijl ik op vrije voeten was, en dat woog zwaarder dan overwegingen over mijn eigen welzijn. Mycroft zou me misschien geen tweede kans geven bij hem langs te gaan, want hij was even grillig als corpulent en hij fladderde als een bovenmaatse schaduw door de gangen van de macht. Mevrouw Hudson had een laat middagmaal voor me klaargezet dat ik nuttigde, waarna ik in mijn stoel in slaap viel. Het werd al donker toen ik op weg ging en een rijtuig naar Pall Mall nam.

Mycroft trof me opnieuw in de Kamer der Vreemden, maar deze keer was hij meer kortaf en vormelijker dan toen ik hier met Holmes was geweest. Vriendelijkheden liet hij achterwege. 'Dit is een slechte zaak. Een heel slechte zaak. Waarom vroeg mijn broer me om advies als hij niet bereid was dat op te volgen?'

'Ik geloof dat hij informatie van u wilde, geen advies,' pareerde ik.

'Daar zegt u iets. Maar aangezien ik alleen het ene kon bieden en niet het andere, zou hij er goed aan hebben gedaan te luisteren naar wat ik te zeggen had. Ik zei tegen hem dat er niets goed van zou komen, maar zo is hij nu eenmaal, al vanaf zijn jongensjaren. Hij was impulsief. Onze moeder zei dat ook en ze was altijd bang dat hij in de problemen zou komen. Had ze maar lang genoeg geleefd om te zien dat hij detective was geworden. Daar zou ze om hebben gelachen!'

'Kunt u hem helpen?'

'Daar weet u het antwoord al op, dokter Watson, aangezien ik dat de vorige keer al verteld heb. Ik kan niets doen.'

'Wilt u hem opgehangen zien worden wegens moord?'

'Daar komt het niet van. Daar kan het niet van komen. Ik ben achter de schermen al bezig, en hoewel ik met een verrassende hoeveelheid inmenging en vertroebeling te maken heb, is hij zo bekend bij heel veel belangrijke mensen dat die mogelijkheid zich niet voor zal doen.'

'Hij wordt vastgehouden in Holloway.'

'Dat heb ik begrepen, en er wordt goed voor hem gezegd, of in elk geval zo goed als die wrede plek toestaat.'

'Wat kunt u me vertellen over inspecteur Harriman?'

'Een goede politieagent, een integere man met een onberispelijke staat van dienst.'

'En de andere getuigen?'

Mycroft sloot zijn ogen en hief zijn hoofd alsof hij een goede wijn proefde. Op die manier gunde hij zich een pauze om na te denken. 'Ik weet wat u impliceert, dokter Watson,' zei hij uiteindelijk. 'En u moet me geloven als ik zeg dat ik ondanks zijn roekeloze gedrag nog steeds het beste voorheb met Sherlock en mijn best doe te begrijpen wat er gebeurd is. Ik heb al veel geld uitgegeven aan een onderzoek naar de achtergrond van zowel dokter Thomas Ackland als Lord Horace Blackwater, en moet u tot mijn spijt vertellen dat voor ze zover ik weet allebei onberispelijk zijn, beiden uit goede families komen, beiden vrijgezel en beiden rijke mannen zijn. Ze zijn niet lid van dezelfde club. Ze gingen niet naar dezelfde school. Het grootste deel van hun leven woonden ze honderden kilometers van elkaar vandaan. Op het toevallige gegeven na dat ze allebei op hetzelfde late tijdstip in Limehouse waren, is er niets wat hen met elkaar verbindt.'

'Of het moet het Huis van Zijde zijn.'

'Precies.'

'En u gaat me niet vertellen wat dat is.'

'Dat ga ik u niet vertellen omdat ik het niet weet. Dat is precies de reden waarom ik Sherlock waarschuwde zich er verre van te houden. Als er in het hart van de regering een broederschap of vereniging is die voor mij verborgen wordt gehouden, en als die zo geheim is dat ik als ik de naam noem meteen gesommeerd word naar een bepaald kantoor in Whitehall te komen, dan zegt mijn instinct me de andere kant op te kijken, niet om dwaze advertenties in de landelijke pers te plaatsen! Ik heb mijn broer verteld wat ik wist… Misschien wel meer nog dan ik had moeten vertellen.'

'Maar wat gebeurt er nu? Laat u hem terechtstaan?'

'Wat ik wel of niet laat gebeuren heeft er niets mee te maken. Ik vrees dat u te veel waarde hecht aan mijn invloed.' Mycroft haalde een schildpadden doosje uit zijn vestzak en nam een vleugje snuifpoeder. 'Ik kan zijn pleitbezorger zijn, niet meer en niet minder. Ik kan namens hem het woord doen. Als het echt nodig zal zijn, zal ik verschijnen als karaktergetuige.' Ik moet teleurgesteld hebben gekeken, want Mycroft stak de snuif weg, stond op en kwam naar me toe. 'Niet ontmoedigd zijn, dokter Watson,' adviseerde hij. 'Mijn broer is heel vindingrijk en zelfs nu de nood het hoogst is, zou hij u nog kunnen verrassen.'

'Gaat u bij hem op bezoek?' vroeg ik.

'Ik denk het niet. Dat zou hem alleen maar beschamen en mij niets noemenswaardigs opleveren. Maar u moet tegen hem zeggen dat u mij heeft geraadpleegd en dat ik doe wat ik kan.'

'Ik mag hem niet bezoeken.'

'Probeer het morgen nogmaals. Ik zal ervoor zorgen dat ze u binnenlaten.' Hij liep met me naar de deur. 'Mijn broer heeft heel veel geluk met zo'n trouwe bondgenoot en goede kroniekschrijver.'

'Ik hoop dat ik niet zijn laatste avontuur heb beschreven.'

'Tot ziens, dokter Watson. Het zou me van streek maken onbeleefd tegen u te moeten zijn, dus ik zou u dankbaar zijn als u geen contact meer met me wilt opnemen, tenzij natuurlijk in dringende omstandigheden. Ik wens u een goede avond.'

Met een zwaar gemoed keerde ik terug naar Baker Street, want Mycroft was nog minder behulpzaam geweest dan ik had gehoopt en ik vroeg me af over welke omstandigheden hij het had als zelfs dit nog niet dringend was. In elk geval zou hij er misschien voor zorgen dat ik Holloway in mocht, dus de reis was niet helemaal tevergeefs geweest, maar ik had hoofdpijn, mijn arm en schouder tintelden en ik wist dat ik op het punt stond mijn laatste energie te verbruiken. De dag was echter nog niet voorbij. Toen ik mijn rijtuig uitstapte en naar de voordeur liep die ik zo goed kende, werd mijn weg versperd door een kleine, stevige man met zwart haar en een zwarte jas die op het trottoir opeens voor me opdoemde.

'Dokter Watson?' vroeg hij.

'Ja?'

Ik wilde heel graag naar binnen, maar de kleine man had

zich bij me opgedrongen. 'Zou ik u mogen vragen met me mee te komen, dokter?'

'Waarom?'

'Het heeft iets met uw vriend te maken, de heer Sherlock Holmes. Waar anders om?'

Ik bekeek hem beter en wat ik zag wekte geen vertrouwen. Op het eerste gezicht zou ik gezegd hebben dat hij een ambachtsman was, misschien een kleermaker of zelfs een begrafenisondernemer, aangezien zijn gezicht iets bestudeerd sombers had. Hij had dikke wenkbrauwen en een snor die afhing van zijn bovenlip. Verder droeg hij zwarte handschoenen en een zwarte bolhoed. Door de manier waarop hij stond, op de bal van zijn voet, verwachtte ik dat hij elk moment een meetlint tevoorschijn kon trekken. Maar waar zou hij me voor opmeten? Een nieuw pak of een nieuwe doodskist?

'Wat weet u over Holmes?' vroeg ik. 'Wat voor informatie heeft u die u me hier niet kunt vertellen?'

'Ik heb helemaal geen informatie, dokter Watson. Ik ben slechts de tussenpersoon, de nederige dienaar van iemand die die informatie wel heeft, en die persoon heeft me hierheen gestuurd met het verzoek om naar hem toe te komen.'

'En waar is dat? Wie is hij?'

'Ik ben bang dat ik dat niet mag zeggen.'

'Dan ben ik bang dat u uw tijd verdoet. Ik ben niet in de stemming vanavond nogmaals op pad te gaan.'

'U begrijpt het niet, meneer. De heer voor wie ik werk nodigt u niet uit, hij gebiedt het u. En het spijt me u te moeten vertellen dat hij het niet gewend is om te worden tegengesproken. Sterker nog: dat zou een vreselijke vergissing zijn. Mag ik u vragen neer te kijken, meneer? Rustig maar! Niet schrikken. U bent in veilige handen, dat verzeker ik u. Als u zo goed wilt zijn deze kant op te komen…'

Ik was verbaasd achteruitgestapt, want toen ik deed wat hij

vroeg zag ik dat hij een revolver vasthield die op mijn buik was gericht. Of hij die tevoorschijn had gehaald terwijl we praatten of dat hij die al die tijd al beet had gehad zou ik niet kunnen zeggen, maar het was alsof hij een onaangenaam trucje had uitgevoerd waardoor het wapen zich opeens had gematerialiseerd. Hij ging er in elk geval ontspannen mee om. Iemand die nog nooit een revolver heeft afgevuurd houdt hem op een bepaalde manier vast, net zoals iemand dat doet die er vaak een heeft gebruikt. Ik kon gemakkelijk zien tot welke categorie mijn belager behoorde.

'U gaat me niet midden op straat neerschieten,' zei ik.

'Toch wel, dokter Watson, ik heb de opdracht dat juist wel te doen als u ervoor kiest het me moeilijk te maken. Maar laten we eerlijk zijn tegen elkaar. Ik wil u net zomin doden als dat u wilt sterven. Misschien helpt het om te weten – en ik beloof u dit plechtig – dat we u geen kwaad zullen doen, hoewel dat misschien op dit moment wel zo lijkt. Na een tijdje zal alles u uitgelegd worden en dan zult u begrijpen waarom deze voorzorgsmaatregelen nodig zijn.'

Hij had een bijzondere manier van praten, zowel overgedienstig als uiterst dreigend. Hij gebaarde met het pistool en ik zag een zwart rijtuig met twee paarden en een koetsier. Het was een vierwieler met ramen van matglas, en ik vroeg me af of de man die me ontboden had erin zat. Ik liep erheen en opende het portier. De koets was leeg, en de bekleding was elegant en van hoge kwaliteit. 'Hoe lang zijn we onderweg?' vroeg ik. 'Mijn hospita verwacht me voor het avondeten.'

'Waar we heen gaan krijgt u beter eten. En hoe sneller u instapt, hoe sneller we op weg kunnen gaan.'

Zou hij me echt voor mijn eigen huis neerschieten? Ik denk het wel. Hij had iets meedogenloos. Maar aan de andere kant: als ik in dit rijtuig stapte, zou ik misschien weggevoerd worden en nooit meer gezien worden. Stel dat hij door dezelfde mensen was gestuurd die zowel Ross als zijn zus hadden gedood en die Holmes zo listig onder handen hadden genomen? Ik zag dat de wanden van het rijtuig bekleed waren met zijde – niet wit maar parelgrijs. Tegelijkertijd herinnerde ik mezelf eraan dat de man had gezegd dat hij iemand vertegenwoordigde met informatie. Hoe ik er ook tegenaan keek, het leek erop dat ik geen keuze had. Ik stapte in. De man volgde me en sloot het portier, wat duidelijk maakte dat ik in één opzicht dwaas was geweest. Ik had aangenomen dat het ondoorzichtige glas was aangebracht om te voorkomen dat ik naar binnen kon kijken, terwijl het duidelijk was bedoeld om me niet naar buiten te laten kijken.

De man was tegenover me gaan zitten en de paarden kregen meteen de zweep en we gingen op weg. Het enige wat ik kon zien was de voorbijtrekkende gloed van de gaslantaarns en zelfs die viel weg toen we de stad verlieten en naar het noorden reisden – dat zou ik in elk geval hebben gezegd. Er lag een deken op de zitplaats voor me en ik trok hem over mijn knieën, want net als op elke andere decemberavond was het heel koud geworden. Mijn reisgenoot zei niets en leek in slaap te zijn gevallen. Zijn hoofd knikte naar voren en het pistool lag achteloos op zijn schoot. Maar toen ik na ongeveer een uur mijn hand uitstak om het raampje te openen terwijl ik me afvroeg of ik iets zou kunnen zien in het landschap waarmee ik kon bepalen waar ik was, schoot hij overeind, en hij schudde zijn hoofd alsof hij een ondeugende schooljongen berispte. 'Heus, dokter Watson, ik had beter van u verwacht. Mijn baas heeft zich veel moeite getroost ervoor te zorgen dat u niet achter zijn adres komt. Hij is zeer teruggetrokken. Ik zou u willen vragen uw handen thuis en de ramen dicht te houden.'

'Hoe lang moeten we nog reizen?'

'Zo lang als nodig is.'

'Heeft u ook een naam?'

'Ja, meneer. Maar ik ben bang dat ik u die niet mag vertellen.'

'En wat kunt u me vertellen over de man bij wie u in dienst bent?'

'Daar zou ik tot aan de Noordpool over kunnen vertellen, meneer. Hij is een opmerkelijke man. Maar hij zou het niet waarderen. Kortom: hoe minder ik over hem zeg, hoe beter.'

De reis was bijna onverdraaglijk voor me. Volgens mijn horloge duurde hij twee uur, maar niets maakte me duidelijk in welke richting we gingen of hoe ver, want ik bedacht dat we net zo goed in rondjes konden rijden en dat onze bestemming misschien wel heel dichtbij was. Een paar keer veranderde het rijtuig van richting en dan voelde ik me opzij zwaaien. Het grootste deel van de reis leken de wielen over glad asfalt te gaan, maar zo nu en dan klonk er geratel en voelde ik dat we op een geplaveide weg reden. Op zeker moment hoorde ik boven ons een trein langskomen. We moesten ons wel onder een viaduct bevinden. Verder voelde ik me opgeslokt door de duisternis die me omringde en uiteindelijk moet ik zijn ingedommeld, want voor ik het wist kwamen we met een schok tot stilstand, en mijn reisgenoot reikte langs me heen en opende het portier.

'We gaan direct naar binnen, dokter Watson,' zei hij. 'Dit zijn mijn instructies. Blijft u alstublieft niet buiten dralen. Het is een koude en onaangename avond. Als u niet meteen naar binnen gaat, ben ik bang dat dat uw dood zal betekenen.'

Ik ving slechts een glimp op van een groot, weinig uitnodigend huis waarvan de voorzijde bedekt was met klimop, en de tuin was overwoekerd met onkruid. We hadden in Hampstead of in Hampshire kunnen zijn, want het terrein werd omringd door hoge muren met een zwaar, gietijzeren hek dat achter ons al dicht was gegaan. Het gebouw zelf deed me denken aan een klooster, met diepliggende ramen, waterspuwers en boven het dak een toren die boven alles uitstak. Alle ramen boven waren donker, maar in enkele kamers beneden brandde licht. Onder het portaal stond een deur open, maar er was niemand om me gastvrij te onthalen, als een dergelijke plek ooit, zelfs op de meest zonovergoten zomeravond, beschreven kon worden als gastvrij. Aangespoord door mijn medereiziger snelde ik naar binnen. Hij trok de deur hard achter me dicht en de klap galmde na door de duistere gangen.

'Deze kant op, meneer.' Hij had een lamp opgepakt en ik volgde hem een gangetje door, langs glas-in-loodramen, eiken lambrisering en schilderijen die zo donker en vervaagd waren dat ik ze op de lijsten na amper zou hebben opgemerkt. We kwamen bij een deur. 'Hier. Ik zal hem laten weten dat u er bent. Hij komt zo. Raak niets aan. Ga nergens heen. Toon terughoudendheid!' En nadat hij deze merkwaardige instructies had gegeven, liep hij terug in de richting waaruit hij gekomen was.

Ik bevond me in een bibliotheek met houtvuur in een stenen haard en kaarsen op de schoorsteenmantel. Een ronde tafel van donker hout met een aantal stoelen besloeg het midden van de kamer en op dat meubel brandden nog meer kaarsen. Er waren twee ramen, beide met zware gordijnen ervoor, en een dik kleed op de houten vloer die verder kaal was. Er moeten duizenden boeken in de bibliotheek hebben gestaan. Kasten liepen van de grond tot aan het plafond – een aanzienlijke afstand – en er was een ladder, op wielen, die van het ene uiteinde van de kast naar het andere liep. Ik pakte een kandelaar en bekeek enkele van de boekruggen. Wie de eigenaar van dit huis ook was moest goed onderlegd zijn in het Frans, Duits en Italiaans, want alle drie de talen waren naast het Engels aanwezig. Zijn belangstelling omvatte natuurkunde, botanie, filosofie, geologie, geschiedenis en wiskunde. Voor zover ik kon zien waren er geen romans. De keuze aan boeken deed me heel erg aan Sherlock Holmes denken, want ze leken een accurate weergave van zijn smaak. Aan de architectuur van de kamer, de vorm van de haard en het barokke plafond kon ik zien dat het huis in de stijl van Jacobus de Eerste moest zijn gebouwd. Ik gehoorzaamde de instructies die me waren opgedragen en ging op een van de stoelen zitten en stak mijn handen uit naar het vuur. Ik was dankbaar voor de warmte, want ondanks de deken was de reis meedogenloos geweest.

Er was een tweede deur in de kamer, tegenover de deur waardoor ik was binnengekomen, en die ging plotseling open en toonde een man die zo lang en dun was dat hij niet in verhouding leek met de deurpost die hem omringde. Hij zou moeten bukken om binnen te komen. Hij droeg een donkere broek, Turkse slippers en een fluwelen huisjasje. Toen hij binnenkwam, zag ik dat hij bijna kaal was, met een hoog voorhoofd en diepliggende ogen. Hij bewoog langzaam, met zijn armen als twijgjes over elkaar geslagen en aan elkaar vastgeklampt alsof ze hem bijeenhielden. Ik zag dat de bibliotheek verbonden was met een chemisch laboratorium en daar was hij bezig geweest terwijl ik wachtte. Achter hem zag ik een lange tafel vol reageerbuisjes, distilleerkolven, potten, mandflessen en sissende bunsenbranders. De man zelf rook sterk naar chemicaliën en hoewel ik me afvroeg wat de aard van zijn experimenten was, leek het me beter dat niet te vragen.

'Dokter Watson,' zei hij. 'Neem me niet kwalijk dat ik u heb laten wachten. Er was een gevoelige kwestie die mijn aandacht vereiste, maar die ik nu bevredigend heb afgerond. Heeft u wijn aangeboden gekregen? Nee? Underwood kan niet de meest attente man worden genoemd, hoe vlijtig hij zich ook van zijn taak kwijt. Helaas kun je met het soort werk dat ik doe niet kieskeurig zijn. Ik neem aan dat hij op de lange reis hiernaartoe goed voor u heeft gezorgd?'

'Hij vertelde me niet eens zijn naam.'

'Dat is niet echt een verrassing. Ik ben niet van plan u de mijne te vertellen. Maar het is al laat en we hebben werk te bespreken. Ik hoop dat u met me wilt eten.'

'Het is geen gewoonte van me te eten met mannen die weigeren zich zelfs maar voor te stellen.'

'Misschien niet. Maar ik zou u willen vragen het volgende te overwegen: er kan u van alles overkomen in dit huis. Om te zeggen dat u volledig in mijn macht bent klinkt kinderlijk en melodramatisch, maar het is wél waar. U weet niet waar u bent. Niemand heeft u hierheen zien komen. Als u nooit meer zou vertrekken zou de wereld daar niets van te weten komen. Dus het lijkt me daarom dat een aangenaam diner met mij een goede keuze is. Het eten is eenvoudig maar de wijn is goed. De tafel is in de kamer hiernaast gedekt. Komt u alstublieft deze kant op.'

Hij ging me voor de gang door naar een eetkamer die bijna een hele vleugel van het huis beslagen moet hebben, met aan het ene uiteinde een galerij voor minstrelen en aan het andere een enorme open haard. Over de gehele lengte liep een lange eettafel, met genoeg plek voor vijftig mensen, en het kostte weinig moeite om je voor te stellen hoe er in vervlogen tijden familieleden en vrienden omheen zaten terwijl er muziek werd gespeeld, een vuur brandde en een eindeloze reeks schalen af en aan werd gevoerd. Deze avond was hij echter leeg. Een enkele staande lamp wierp een poel van licht over enkele vleeswaren, brood en een fles wijn. Het leek erop dat de heer des huizes en ik alleen zouden eten, omringd door de schaduwen, en ik ging enigszins bedrukt en met weinig honger op mijn plek zitten. Hij nam plaats aan het hoofd van de tafel, met afhangende schouders ineengedoken in een stoel die niet ontworpen leek voor een onhandige gestalte als de zijne.

'Ik heb u al vaak willen ontmoeten, dokter Watson,' begon

mijn gastheer terwijl hij eten voor zichzelf opschepte. 'Het verrast u misschien om te horen dat ik u zeer bewonder en elk van uw kronieken bezit.' Hij had een exemplaar bij zich van *Cornhill Magazine* en opende het op tafel. 'Ik heb net dit verhaal uit, het "Avontuur van de bruine beuken", en ik vind het heel knap geschreven.' Ondanks de bizarre omstandigheden van de avond voelde ik onwillekeurig een zekere voldoening, want ik was erg tevreden met hoe dat verhaal had uitgepakt. 'Het lot van juffrouw Violet Hunter interesseerde me niet,' ging hij verder. 'En Jephro Rucastle was duidelijk een bruut van de ergste soort. Ik vind het opmerkelijk dat het meisje zo goedgelovig was. Maar zoals altijd werd ik vooral gegrepen door uw beschrijving van meneer Holmes en zijn methodes. Jammer dat u de zeven afzonderlijke verklaringen voor de misdaad waarover hij u vertelde niet uiteen heeft gezet. Dat zou heel leerzaam zijn geweest. Maar evengoed heeft u voor het publiek de werking van de hersens van een groot denker ontsloten, en daar moeten we u allemaal dankbaar voor zijn.'

'Bedankt.'

Hij schonk twee glazen in en ging verder. 'Het is jammer dat Holmes zich niet uitsluitend wijdt aan dergelijke vergrijpen, dat wil zeggen misdrijven in de huiselijke sfeer waar de motieven te verwaarlozen zijn en de slachtoffers er niet toe doen. Werd Rucastle niet eens gearresteerd voor zijn aandeel in de kwestie, hoewel hij ernstig verminkt was?'

'Hij was er vreselijk aan toe.'

'Misschien is dat al straf genoeg. Pas als uw vriend zijn aandacht richt op grotere kwesties, op zakelijke ondernemingen die worden georganiseerd door mensen als ik, gaat hij een grens over en wordt hij vervelend. Ik vrees dat dat precies is wat hij onlangs heeft gedaan, en als dat zo doorgaat zou het heel goed kunnen dat we elkaar moeten ontmoeten, wat niet in zijn voordeel zou zijn, dat kan ik u verzekeren.'

Zijn stem had een scherpte die maakte dat ik rilde. 'U hebt me niet verteld wie u bent,' zei ik. 'Kunt u wel uitleggen wat u doet?'

'Ik ben wiskundige, dokter Watson. Ik sla mezelf niet te hoog aan als ik zeg dat mijn werk aan het binomium van Newton aan de meeste universiteiten van Europa wordt bestudeerd. Ik ben ook wat u ongetwijfeld een crimineel zou noemen, hoewel ik graag mag denken dat ik van de misdaad een wetenschap heb gemaakt. Ik probeer mijn eigen handen niet vuil te maken. Dat laat ik over aan types als Underwood. U zou kunnen zeggen dat ik een abstract denker ben. Misdaad in zijn puurste vorm is immers een abstractie, net als muziek. Ik componeer. Anderen voeren uit.'

'En wat wilt u van me? Waarom hebt u me hierheen gebracht?'

'Naast het genoegen u te ontmoeten? Ik wil u helpen. Om preciezer te zijn, en het verbaast mezelf dit te horen zeggen: ik wil Sherlock Holmes helpen. Het was heel jammer dat hij me twee maanden geleden negeerde toen ik hem een zeker aandenken opstuurde, en hem uitnodigde werk te maken van de kwestie die hem nu zo'n leed heeft berokkend. Misschien had ik iets directer moeten zijn.'

'Wat heeft u hem gestuurd?' vroeg ik, maar ik wist het al.

'Een stuk wit lint.'

'U maakt deel uit van het Huis van Zijde!'

'Ik heb er niets mee te maken!' Voor het eerst klonk hij boos. 'Stelt u me alstublieft niet teleur met uw dwaze deducties. Bewaar die maar voor uw boeken.'

'Maar u weet wat het is.'

'Ik weet alles. Elke verdorven daad die plaatsvindt in dit land, hoe groot of klein ook, wordt onder mijn aandacht gebracht. Ik heb zaakwaarnemers in elke stad, in elke straat. Zij zijn mijn ogen. Ze knipperen nooit.' Ik wachtte tot hij verder zou gaan, maar toen hij dat deed, sloeg hij een nieuwe weg in. 'U moet me iets beloven, dokter Watson. U moet zweren op alles wat u heilig is dat u Holmes, of wie dan ook, nooit over deze bijeenkomst zult vertellen. U mag er nooit over schrijven. U mag het er nooit over hebben. Als u ooit achter mijn naam komt, moet u doen alsof u die voor het eerst hoort en hij u niets zegt.'

'Hoe weet u dat ik een dergelijke belofte zal houden?'

'Ik weet dat u een man van uw woord bent.'

'En als ik weiger?'

Hij zuchtte. 'Laat me u vertellen dat het leven van Holmes in groot gevaar is. Het is zelfs nog erger: als u niet doet wat ik vraag, zal hij binnen achtenveertig uur dood zijn. Alleen ik kan u helpen, maar dat doe ik alleen op mijn voorwaarden.'

'Dan stem ik ermee in.'

'Zweert u het?'

'Ja.'

'Waarop?'

'Op mijn huwelijk.'

'Dat is niet goed genoeg.'

'Op mijn vriendschap met Holmes.'

Hij knikte. 'Nu begrijpen we elkaar.'

'Wat is het Huis van Zijde dan? Waar kan ik het vinden?'

'Dat kan ik u niet vertellen. Ik zou willen dat ik dat kon, maar ik ben bang dat Holmes daar zelf achter moet komen. Waarom? Welnu, ten eerste omdat ik denk dat hij daartoe in staat is en het me zal interesseren zijn methodes te bestuderen, om hem aan het werk te zien. Hoe meer ik over hem weet, hoe minder ontzagwekkend hij wordt. Maar er staat ook een breder principe op het spel. Ik heb al toegegeven dat ik een crimineel ben, maar wat houdt dat precies in? Eenvoudigweg dat er bepaalde regels zijn die de maatschappij ons oplegt maar die ik een belemmering vind en daarom verkies te negeren. Ik heb zeer respectabele bankiers en advocaten ontmoet die precies hetzelfde zouden zeggen. Het is allemaal een kwestie van niveau. Maar ik ben geen beest, dokter Watson. Ik vermoord geen kinderen. Ik beschouw mezelf als een beschaafd man en er zijn andere regels die naar mijn gevoel onschendbaar zijn.

Dus wat moet een man als ik doen als hij een groep mensen tegenkomt wier gedrag – wier criminaliteit – hij buiten de perken vindt gaan? Ik zou u kunnen zeggen wie ze zijn en waar u ze kunt vinden. Ik had het de politie al kunnen vertellen. Helaas, een dergelijke daad zou zeer schadelijk zijn voor mijn reputatie bij veel mensen die voor me werken en die minder hoogmoedig zijn dan ik. Er bestaat zoiets als een criminele gedragslijn en veel criminelen die ik ken nemen die zeer serieus. In feite ben ik het met hen eens. Wie ben ik om mijn medecriminelen te veroordelen? Ik zou zeker niet verwachten dat ik door hen veroordeeld zou worden.'

'U heeft Holmes een aanwijzing gestuurd.'

'Ik handelde impulsief, wat heel ongebruikelijk voor me is en aantoont hoezeer ik me ergerde. Toch was het een compromis, het minste wat ik in die omstandigheden kon doen. Als het hem zou aansporen om in actie te komen, kon ik mezelf troosten met de gedachte dat ik heel weinig gedaan had en niet echt de schuld kon krijgen. Als hij er daarentegen voor zou kiezen het te negeren, was er geen schade aangericht en had ik een zuiver geweten. Evengoed heeft u geen idee hoezeer het me speet dat hij voor de laatste koers koos – of voor geen énkele koers, moet ik eigenlijk zeggen. Ik geloof oprecht dat de wereld zonder het Huis van Zijde een veel betere plek zou zijn. Ik hoop nog steeds dat het ervan komt. Daarom heb ik u hier vanavond uitgenodigd.'

'Als u me geen informatie kunt geven, wat dan wel?'

'Ik kan u dit geven.' Hij schoof over de tafel iets naar me toe. Ik zag een kleine, metalen sleutel.

'Wat is dat?' vroeg ik.

'De sleutel van zijn cel.'

'Wat?' Ik lachte bijna hardop. 'Wilt u dat Holmes ontsnapt? Is dat uw meesterlijke plan? Wilt u me helpen hem te laten ontsnappen uit Holloway?'

'Ik weet niet waarom u dat idee zo amusant vindt, dokter Watson. Laat me u verzekeren dat er geen ander alternatief is.'

'Er vindt een gerechtelijk vooronderzoek plaats. De waarheid zal boven water komen.'

Zijn gezicht betrok. 'U hebt nog steeds geen idee van het soort mensen tegen wie u het opneemt, en ik begin me af te vragen of ik mijn tijd niet verdoe. Ik zal het duidelijk maken voor u: Sherlock Holmes zal de strafinrichting niet levend verlaten. De raad van lijkschouwers zal aanstaande donderdag bijeenkomen, maar Holmes zal daar niet bij zijn. Zijn vijanden zullen het niet toestaan. Ze zijn van plan hem te vermoorden terwijl hij in de gevangenis is.'

Ik was onthutst. 'Hoe?'

'Dat kan ik u niet vertellen. Vergiftiging of wurging zouden de eenvoudigste methodes zijn, maar ze kunnen tientallen ongelukken laten gebeuren. Ze zullen ongetwijfeld een manier vinden om het een natuurlijke dood te laten lijken. Maar geloof me, de opdracht is al gegeven. Hij heeft weinig tijd meer.'

Ik pakte de sleutel op. 'Hoe komt u hieraan?'

'Dat doet er niet toe.'

'Vertel me dan hoe ik hem bij hem moet krijgen. Ik mag hem niet bezoeken.'

'Dat moet u zelf regelen. Ik kan niets meer doen zonder mijn aandeel in dit alles te onthullen. U hebt inspecteur Lestrade aan uw zijde. Praat met hem.' Hij stond plotseling op en duwde zijn stoel van de tafel. 'Er is niets meer te zeggen, geloof ik. Hoe sneller u terugkeert naar Baker Street, hoe sneller u kunt bedenken wat er moet gebeuren.' Hij ontspande enigszins. 'Ik wil er alleen dit nog aan toevoegen: u hebt geen idee wat een genoegen het voor me was om kennis met u te maken. Ik ben erg jaloers dat Holmes zo'n betrouwbare biograaf aan zijn zijde heeft. Ik heb ook verhalen van groot belang te delen met het publiek en ik vraag me af of ik op een dag een beroep zou mogen doen op uw diensten. Nee? Nu ja, het was zomaar een gedachte. Maar los van deze bijeenkomst ga ik altijd uit van de mogelijkheid dat ik opgevoerd zou kunnen worden in een van uw verhalen. Ik hoop dat u me eerlijk behandelt.'

Dat waren de laatste woorden die hij tegen me sprak. Misschien had hij met een verborgen apparaatje een signaal gegeven, want op dat moment ging de deur open en verscheen Underwood. Ik dronk het laatste restje wijn, omdat ik die nodig had om me op te peppen voor de reis. Toen pakte ik de sleutel en stond ik op. 'Dank u wel,' zei ik.

Hij gaf geen antwoord. Bij de deur keek ik nog eenmaal om. Mijn gastheer zat in het kaarslicht alleen aan het hoofd van die enorme tafel en prikte in zijn eten. Toen ging de deur dicht. En afgezien van een glimp die ik een jaar later op Victoria Station van hem opving, heb ik hem nooit meer gezien.

15

De gevangenis van Holloway

Mijn terugkeer in Londen was in zekere zin een nog grotere beproeving dan het vertrek. Toen ik Londen verliet had ik me weinig meer dan een gevangene gevoeld, in handen van mensen die me wellicht kwaad wilden doen, en werd ik meegevoerd naar een onbekende bestemming op een reis die wel de halve nacht had kunnen duren. Nu wist ik dat ik terugging naar huis en maar een paar uur hoefde vol te houden, maar het was onmogelijk ook maar enige gemoedsrust te vinden. Holmes zou vermoord worden! De mysterieuze krachten die hadden samengespannen om hem gearresteerd te laten worden waren nog niet tevreden en alleen zijn dood zou genoeg zijn. De metalen sleutel die ik gekregen had zat zo stevig in mijn hand geklemd dat ik een kopie had kunnen maken van de indruk die hij in mijn hand maakte. Het enige wat ik wilde was Holloway bereiken, om Holmes te waarschuwen voor wat er op komst was en hem te helpen daar direct weg te komen. Maar hoe moest ik bij hem komen? Inspecteur Harriman had al duidelijk gemaakt dat hij alles zou doen wat in zijn vermogen lag om ons uit elkaar te houden. Aan de andere kant had Mycroft gezegd dat ik hem 'in dringende omstandigheden' mocht benaderen, en daar was nu ongetwijfeld sprake van. Maar hoe ver reikte zijn invloed precies, en zou het tegen de tijd dat hij me in de strafinrichting zou weten te krijgen misschien al te laat zijn?

Met die gedachten die door mijn hoofd raasden en met niets anders dan de zwijgende Underwood die schuinse blikken op me wierp vanaf zijn plek tegenover me en duisternis aan de andere kant van de berijpte ramen, leek de reis een eeuwigheid te duren. Erger nog, ergens wist ik dat ik misleid werd. De koets reed ongetwijfeld in kringetjes en maakte de afstand tussen Baker Street en het vreemde herenhuis waar ik gevraagd was te komen eten doelbewust langer. Het was vooral ergerlijk om te bedenken dat als Holmes op mijn plek had gezeten, hij notitie zou hebben genomen van alle verschillende componenten – het luiden van een kerkklok, de stoot van een stoomfluit, de geur van stilstaand water, de veranderende oppervlaktes onder de wielen, zelfs de richting van de wind die tegen de ramen sloeg – en dat hij na afloop een uiterst gedetailleerde kaart van de reis zou hebben getekend. Maar ik kon die uitdaging niet aan en er zat niets anders op dan te wachten op de gloed van de gaslantaarns die me geruststelde dat we weer in de stad waren, en misschien een halfuur later minderden de paarden vaart en wees de laatste schok erop dat we aan het einde van onze reis waren gekomen. En inderdaad, Underwood gooide de deur open en daar, aan de overkant van de weg, lag mijn vertrouwde pension.

'Veilig thuis, dokter Watson,' zei hij. 'Nogmaals mijn verontschuldigingen voor het ongemak.'

'Ik zal u niet licht vergeten, meneer Underwood,' antwoordde ik.

Hij trok zijn wenkbrauwen op. 'Heeft mijn baas u verteld hoe ik heet? Wat merkwaardig.'

'Misschien wilt u me vertellen hoe hij heet.'

'O nee, meneer. Ik geef toe dat ik slechts een vlekje op het canvas ben. Mijn leven stelt weinig voor vergeleken bij zijn grootsheid, maar desondanks ben ik eraan gehecht en hoop ik het nog een tijdje vol te houden. Ik wens u een goede nacht.'

Ik stapte uit. Hij gebaarde naar de koetsier en ik zag hoe het rijtuig ratelend wegreed, waarna ik naar binnen snelde.

Maar er was me die nacht geen rust gegund. Ik was al begonnen een plan te bedenken waarmee ik Holmes de sleutel veilig kon bezorgen, samen met een bericht waarin ik hem waarschuwde voor het gevaar waarin hij zich bevond, zelfs als ik hem niet zelf zou mogen bezoeken, waar ik bang voor was. Ik was al tot de conclusie gekomen dat een simpel briefje niets zou uithalen. Onze vijanden waren overal rondom ons en de kans was groot dat ze het zouden onderscheppen. Als ze erachter kwamen dat ik wist wat ze van plan waren, zou dat ze misschien aanmoedigen sneller toe te slaan. Maar ik kon hem natuurlijk wel een bericht sturen, en ik had een soort code nodig. De vraag was hoe ik kon aangeven dat die er was om ontcijferd te worden. En dan was er nog de sleutel. Hoe kon ik die bij hem bezorgen? Toen ik mijn blik door de kamer liet gaan, viel die op het antwoord: het boek dat Holmes en ik enkele dagen eerder nog hadden besproken, *Martelaarschap der mensch-heid* van Winwood Reade. Wat kon er gewoner zijn dan mijn vriend iets te lezen te sturen nu hij was opgesloten? Wat kon er onschuldiger lijken?

Het boek was in leer gebonden en vrij dik. Bij nadere bestudering zag ik dat het mogelijk zou zijn de sleutel in de ruimte tussen de rug en de gebonden rand van de pagina's te steken. Dat deed ik en ik pakte de kaars. Voorzichtig liet ik vloeibare was in de twee uiteinden lopen, waarmee ik hem als het ware op zijn plek lijmde. Het boek ging nog steeds normaal open en niets wees erop dat ermee gerommeld was. Vervolgens pakte ik mijn pen en schreef de naam 'Sherlock Holmes' op het titelblad, en eronder een adres: 122b Baker Street. Voor de gemiddelde toeschouwer zou er niets aan de hand zijn, maar

Holmes zou onmiddellijk mijn handschrift herkennen en zien dat het nummer van ons pension was omgedraaid. Ten slotte sloeg ik pagina 122 op en met een potlood noteerde ik een reeks kleine puntjes, met het blote oog bijna onzichtbaar, onder bepaalde letters in de tekst, zodat er een nieuw bericht werd gespeld: JE BENT IN GROOT GEVAAR. ZE WILLEN JE VERMOORDEN. GEBRUIK SLEUTEL VAN CEL. IK WACHT JE OP. JW.

Ik was tevreden met mijn werk en ging eindelijk naar bed, waar ik in een rusteloze slaap viel die onderbroken werd met beelden van het meisje, Sally, dat op straat lag met overal om haar heen bloed, van een wit lint dat om de pols van een dode jongen was gewikkeld en van de man met het hoge voorhoofd, als een koepel, die me aan de andere kant van de eettafel strak aankeek.

Ik werd de volgende dag vroeg wakker en stuurde meteen een bericht naar Lestrade, waarin ik hem opnieuw aanspoorde te helpen een bezoek aan Holloway te regelen, ongeacht wat inspecteur Harriman te zeggen had. Tot mijn verrassing ontving ik antwoord dat ik om drie uur die middag naar de gevangenis kon komen, dat Harriman zijn vooronderzoek had afgerond en dat de raad van lijkschouwers inderdaad donderdag bijeen zou komen, over twee dagen. Toen ik het las, leek dat me goed nieuws. Maar toen werd ik getroffen door een meer sinistere verklaring. Als Harriman deel uitmaakte van de samenzwering, zoals Holmes geloofde en waar alles aan zijn gedrag en zelfs zijn verschijning op wees, deed hij misschien wel om een heel andere reden een stap opzij. Mijn gastheer van de avond ervoor had stellig beweerd dat Holmes nooit terecht zou staan. Als de moordenaars nu eens van plan waren toe te slaan! Kon Harriman weten dat het al te laat was?

Ik kon mezelf die ochtend nauwelijks beheersen en verliet Baker Street ruim voor het afgesproken tijdstip. Ik bereikte

Camden Road nog voordat de klokken het halfuur hadden geslagen. De koetsier zette me voor de poort af en ondanks mijn tegenwerping snelde hij weg en liet me achter in de koude, mistige lucht. Welbeschouwd kon ik het hem niet kwalijk nemen. Dit was geen plek waar een christelijke ziel vrijwillig rondhing.

De gevangenis was gebouwd in gotische stijl: op het eerste gezicht was het een vormeloos, onheilspellend kasteel, misschien iets uit een sprookje voor een boosaardig kind. Het was opgetrokken uit Kents leisteen en omvatte een reeks torentjes en schoorstenen, vlaggenstokken en muren met kantelen, met een enkele toren die er hoog bovenuit rees en bijna in de wolken leek te verdwijnen. Een ruig, modderig pad leidde naar de hoofdingang, die bewust zo onaantrekkelijk mogelijk was gemaakt, met een grote houten poort en een stalen valhek en aan weerszijden kale, dorre bomen. Een stenen muur van minstens vierenhalve meter hoog liep om het hele complex heen, maar erboven kon ik een van de vleugels zien, met twee rijen kleine raampjes met tralies. Hun rigide eenvormigheid wees op de een of andere manier op de leegte en troosteloosheid van het leven in de gevangenis. Die was gebouwd op de voet van een heuvel en verderop waren nog net de aangename weilanden te zien die naar Highgate liepen. Maar dat was een andere wereld, alsof men per ongeluk het verkeerde achterdoek had neergelaten. De gevangenis van Holloway stond op een voormalige begraafplaats, en er hing nog steeds een vleugje dood en verderf om het gebouw, waardoor iedereen die binnen was verdoemd werd en iedereen erbuiten gewaarschuwd werd er weg te blijven.

Het kostte me de grootste moeite een halfuur te wachten in het troosteloze licht met mijn adem die werd omgezet in ijswolkjes en de kou die vanaf mijn voeten omhoogtrok. Ik liep naar voren, het boek met de verborgen sleutel tegen me aan gedrukt, en toen ik de gevangenis binnenging, bedacht ik dat als ik ontdekt zou worden, deze vreselijke plek wel eens mijn huis zou kunnen worden. Ik denk dat ik minstens drie keer de wet heb overtreden in gezelschap van Sherlock Holmes, altijd om de beste redenen, maar dit was het hoogtepunt van mijn criminele loopbaan. Vreemd genoeg was ik helemaal niet nerveus. Het kwam niet bij me op dat er iets mis zou kunnen gaan. Ik concentreerde me volledig op de benarde toestand van mijn vriend.

Ik klopte aan op een onopvallende deur naast de buitenpoort, die bijna meteen werd geopend door een opvallend praatlustige en bijna joviale diender die gekleed was in een donkerblauwe uniformjas en broek met een brede leren riem waaraan een set sleutels hing. 'Kom binnen, meneer. Kom binnen. Het is hier aangenamer dan buiten, en er zijn eerlijk gezegd niet veel dagen waarop je dat kunt zeggen.' Ik keek toe hoe hij de deur achter ons op slot deed en volgde hem over een binnenplaats naar een tweede poort, kleiner maar net zo stevig afgesloten als de eerste. Ik werd me al bewust van een onheilspellende stilte in de gevangenis. Een pluizige zwarte kraai zat op de tak van een boom, maar verder was er geen enkel teken van leven. Het licht nam snel af maar er waren nog geen lampen aangestoken en ik werd me gewaar van schaduwen in de schaduwen, van een wereld die bijna geheel verstoken was van kleur.

We waren een gang in gelopen met aan één kant een open deur, en daar gingen we nu door. We kwamen in een kleine kamer met een bureau, twee stoelen en een enkel raam dat uitkeek op een stenen muur. Aan één kant stond een kast waarin misschien wel vijftig sleutels aan haken hingen. Voor me bevond zich een grote klok en ik zag de kleine wijzer log vooruitgaan en na elke beweging stilvallen, alsof hij iedereen die hier kwam erop wees hoe traag de tijd verstreek. Eronder zat een

man. Hij was net zo gekleed als de diender die me had binnengelaten, maar zijn uniform had gouden oplegsels, op zijn pet
en zijn schouders, wat duidelijk maakte dat hij een hogere
functie had. Hij was ouder, met kortgeknipt grijs haar en een
ijzige blik. Toen hij me zag stond hij snel op en hij kwam van
achter het bureau vandaan.

'Dokter Watson?'

'Ja.'

'Mijn naam is Hawkins. Ik ben de hoofdbewaarder. U bent
gekomen om meneer Sherlock Holmes te bezoeken?'

'Ja.' Ik sprak het woord uit met een onverwacht gevoel van
angst.

'Het spijt me u te moeten vertellen dat hij vanochtend ziek
is geworden. Ik kan u verzekeren dat we alles hebben gedaan
om hem te helpen op een manier die past bij een man van zijn
standing, ondanks de ernstige misdaden die hem ten laste zijn
gelegd. Hij wordt weggehouden van de andere gevangenen. Ik
heb hem persoonlijk een paar keer bezocht en heb het genoegen gehad een gesprek met hem te voeren. Zijn ziekte diende
zich onverwacht aan en hij is onmiddellijk behandeld.'

'Wat is er mis met hem?'

'We hebben geen idee. Hij gebruikte om elf uur het middagmaal en luidde meteen daarna de bel voor hulp. Mijn bewakers troffen hem kromliggend van de pijn aan.'

Ik voelde een ijskoude rilling die tot diep in mijn hart trok.
Het was precies waar ik al bang voor was geweest. 'Waar is hij
nu?' vroeg ik.

'In de ziekenboeg. Onze arts, dokter Trevelyan, heeft enkele
privékamers die hij vrijhoudt voor ernstige gevallen. Nadat
hij de heer Holmes had onderzocht stond hij erop hem naar
een ervan te brengen.'

'Ik moet hem onmiddellijk zien,' zei ik. 'Ik ben zelf ook ge-
neesheer…'

'Natuurlijk, dokter Watson. Ik wachtte u al op om u mee te nemen.'

Maar voordat we weg konden gaan klonk er achter ons beweging en er verscheen een man die ik maar al te goed kende en die ons de weg versperde. Als inspecteur Harriman het nieuws had gehoord, leek hij er niet door verrast. Sterker nog: zijn houding was vrij loom. Hij leunde tegen de deurpost met zijn aandacht half op een gouden ring om zijn middenvinger gericht. Zoals altijd was hij gekleed in het zwart en hij had een zwarte wandelstok in zijn hand. 'Wat is hier allemaal aan de hand, Hawkins?' vroeg hij. 'Is Sherlock Holmes ziek?'

'Ernstig ziek,' zei Hawkins.

'Dat is verontrustend!' Harriman ging rechtop staan. 'Weet u zeker dat hij u niet om de tuin leidt? Toen ik hem vanochtend zag, blaakte hij van gezondheid.'

'Mijn arts en ikzelf hebben hem onderzocht en ik verzeker u dat hij er slecht aan toe is, meneer. We zijn net naar hem op weg.'

'Dan ga ik met jullie mee.'

'Daar moet ik bezwaar tegen...'

'De heer Holmes is mijn gevangene en het onderwerp van mijn onderzoek. U kunt bezwaar maken wat u wilt, maar ik doe wat ik wil.' Hij lachte boosaardig. Hawkins wierp me een blik toe en ik zag dat hij weliswaar een fatsoenlijke man was, maar dat hij niet tegen Harriman in durfde te gaan.

Gedrieën gingen we op weg, de krochten van de gevangenis in. Ik was zo van streek dat ik me weinig details herinner, hoewel mijn algemene indruk er een was van dikke tegels, van hekken die krakend opengingen en met een klap weer achter ons dichtvielen en op slot werden gedraaid, van raampjes met tralies, te klein en te hoog om uitzicht te bieden, en van deuren... heel veel deuren, de ene na de andere, stuk voor stuk identiek, waarachter een facet van menselijke misère zat opgesloten. Het was opvallend warm in de gevangenis en er hing een merkwaardige geur, een mengeling van havermout, oude kleren en zeep. Op verschillende plekken zagen we bewakers staan, maar op twee oude mannen na die zwoegend met een volle wasmand voorbijkwamen zagen we geen gevangenen. 'Sommigen bevinden zich op het plein voor lichaamsbeweging, of in de tredmolen of de barak waar touw wordt gepluisd,' antwoordde Hawkins op een vraag die ik niet had gesteld. 'De dag begint hier vroeg en eindigt laat.'

'Als Holmes vergiftigd is, moet hij meteen naar een ziekenhuis worden gestuurd,' zei ik.

'Vergiftigd?' Harriman had me gehoord. 'Wie had het over vergiftigen?'

'Dokter Trevelyan vermoedt inderdaad een ernstige voedselvergiftiging,' antwoordde Hawkins. 'Maar hij is een goede man. Hij zal alles hebben gedaan wat in zijn vermogen ligt…'

We hadden het einde van het centrale blok bereikt met de vier hoofdvleugels die zich als de wieken van een molen uitstrekten, en bevonden ons in wat een recreatieplek moest zijn, betegeld met Yorkshire-steen en met een heel hoog plafond en een stalen wenteltrap die uitkwam op een galerij die langs de hele lengte van de ruimte erboven liep. Boven ons hoofd was een net gespannen, zodat er niets naar beneden kon worden gegooid. Een paar mannen, die gekleed waren in grijze legerkleding, sorteerden een stapel kinderkleding op een tafel die voor hen stond. 'Voor de kinderen van het St. Emmanuel Hospital,' zei Hawkins. 'Die maken we hier.' We liepen door een overdekte doorgang en gingen een beklede trap op. Ik had inmiddels geen idee meer waar ik was en zou nooit meer de uitgang hebben weten te vinden. Ik dacht aan de sleutel die ik nog steeds bij me had, verborgen in het boek. Zelfs als ik die bij Holmes zou weten te krijgen, wat zou dat dan voor zin hebben? Hij zou tien sleutels en een gedetailleerde kaart nodig hebben om hier weg te komen.

Voor ons lag een dubbele deur met glazen panelen. Ook die moest open worden gemaakt, maar toen zwaaiden de deuren open naar een heel kale en schone kamer zonder ramen maar met in het plafond lichtkoepels en op twee tafels in het midden kaarsen die al waren aangestoken, want het was nog steeds vrijwel donker. Er waren acht bedden, tegenover elkaar opgesteld in twee rijen van vier. De spreien waren blauw en wit geblokt en de kussenslopen van gestreepte katoenstof. De kamer deed me meteen denken aan het oude militaire ziekenhuis waar ik veel mannen had zien sterven met dezelfde discipline die in het veld van hen werd verwacht, en zonder te klagen. Slechts twee van de bedden waren bezet. In één bed lag een verschrompelde, kale man wiens ogen zich zo te zien al op het hiernamaals hadden gevestigd. In het andere lag een ineengedoken gedaante te rillen. Maar hij was te klein om Holmes te zijn.

Een man in een aan elkaar gelapte en versleten overjas stond op van de plek waar hij had zitten werken om ons te begroeten. Ik dacht meteen dat ik hem herkende, en nu ik erover nadenk had zijn naam ook vertrouwd geklonken. Hij was bleek en uitgemergeld, met rossig baardhaar dat leek te besterven op zijn wangen en een plompe bril. Ik zou gezegd hebben dat hij begin veertig was, maar zijn levenservaringen drukten zwaar op hem, wat hem een spichtige, nerveuze uitstraling gaf en hem ouder maakte. Hij hield zijn magere, witte handen om zijn polsen. Zijn pen had gelekt tijdens het schrijven. Er zaten inktvlekken op zijn duim en wijsvinger.

'Meneer Hawkins,' zei hij tegen de hoofdbewaarder. 'Ik heb u niets nieuws te melden, alleen dat ik het ergste vrees.'

'Dit is dokter John Watson,' zei Hawkins.

'Dokter Trevelyan.' Hij schudde me de hand. 'Het is me een genoegen kennis met u te maken, hoewel ik u liever in betere omstandigheden had ontmoet.'

Ik wist zeker dat ik de man kende. Maar door de manier waarop hij had gesproken en zijn stevige handdruk maakte hij duidelijk dat we elkaar dan wel niet voor het eerst ontmoetten, maar dat hij wel die indruk wilde wekken.

'Is het voedselvergiftiging?' vroeg Harriman. Hij had niet de moeite genomen zichzelf voor te stellen.

'Ik ben er vrij zeker van dat een gif de oorzaak is,' antwoordde dokter Trevelyan. 'Over hoe het toegediend kan zijn kan ik geen uitspraken doen.'

'Toegediend?'

'Alle gevangenen in de vleugel krijgen hetzelfde eten. Alleen hij is ziek geworden.'

'Wilt u zeggen dat er kwade opzet in het spel is?'

'Ik heb gezegd wat ik gezegd heb, meneer.'

'Nou, ik geloof er geen woord van. Ik kan u wel vertelen dat ik al iets dergelijks verwachtte, dokter. Waar is meneer Holmes?'

Trevelyan aarzelde en de bewaker stapte naar voren. 'Dit is inspecteur Harriman, dokter Trevelyan. Hij is verantwoordelijk voor uw patiënt.'

'Ik ben verantwoordelijk voor mijn patiënt zolang hij in mijn ziekenzaal is,' kaatste de arts terug. 'Maar er is geen reden waarom u hem niet zou kunnen zien, hoewel ik moet vragen hem niet te storen. Ik heb hem een kalmeringsmiddel gegeven en waarschijnlijk slaapt hij. Hij ligt in een zijkamertje. Het leek me beter hem gescheiden te houden van de andere gevangenen.'

'Laten we dan geen tijd meer verspillen.'

'Rivers!' Trevelyan riep een slungelige knul met gebogen rug die bijna onzichtbaar in een hoek de vloer stond te vegen. In plaats van het uniform van een gevangene droeg hij dat van een verpleger. 'De sleutels…'

'Ja, dokter Trevelyan.' Rivers sjokte naar het bureau, pakte een bos sleutels en liep ermee naar een gewelfde deur in de hoek van de kamer. Hij leek kreupel te zijn en sleepte met één been. Hij was traag en zag er onbehouwen uit, met warrig rood haar tot over zijn schouders. Hij bleef voor de deur staan en stak op zijn gemak een sleutel in het slot.

'Rivers is mijn zaalhulp,' legde Trevelyan op gedempte toon uit. 'Hij is een goed mens, maar simpel. Hij is 's nachts verantwoordelijk voor de ziekenzaal.'

'Heeft hij contact gehad met Holmes?' vroeg Harriman.

'Rivers heeft nauwelijks contact met wie dan ook, meneer Harriman. Holmes zelf heeft sinds hij hierheen is gebracht nog geen woord gezegd.'

Eindelijk draaide Rivers de sleutel om. Ik hoorde de tuimelaars vallen toen het slot open ging. Er waren ook twee grendels aan de buitenkant die opengetrokken moesten worden voordat de deur geopend kon worden. Er bevond zich een kleine kamer achter, bijna kloosterachtig ingericht, met effen muren, een vierkant raampje, een bed en een latrine.

Het bed was leeg.

Harriman stoof naar binnen. Hij rukte de lakens van het bed. Hij knielde neer en keek onder het bed. Er was geen enkele plek waar iemand zich kon verstoppen. De spijlen voor het raam hingen nog op hun plek. 'Is dit een truc?' brulde hij. 'Waar is hij? Wat hebben jullie met hem gedaan?'

Ik stapte naar voren en keek naar binnen. Er was geen twijfel over mogelijk. De cel was leeg.

Sherlock Holmes was verdwenen.

16

De verdwijning

Harriman kwam overeind en stortte zich bijna op dokter Trevelyan. Voor één keer had zijn zorgvuldig gecultiveerde koelbloedigheid hem verlaten. 'Wat is dit voor spelletje?' riep hij. 'Waar denken jullie mee bezig te zijn?'

'Ik heb geen idee...' begon de onfortuinlijke arts.

'Ik smeek u zich een beetje in te houden, inspecteur Harriman.' De hoofdbewaarder drong zich tussen de twee mannen in en nam de leiding. 'Bevond de heer Holmes zich in deze kamer?'

'Ja, meneer,' antwoordde Trevelyan.

'En de deur was net als nu op slot en van buitenaf vergrendeld?'

'Inderdaad, meneer. Dat is een gevangenisvoorschrift.'

'Wie heeft hem het laatst gezien?'

'Dat moet Rivers zijn geweest. Hij heeft hem op mijn verzoek een beker water gebracht.'

'Die heb ik ook gebracht, maar hij heeft er niet van gedronken,' mompelde de zaalhulp. 'Hij zei ook niks. Hij lag daar maar.'

'Sliep hij?' Harriman liep naar dokter Trevelyan tot de twee maar een paar centimeter van elkaar verwijderd waren. 'Vertelt u me echt dat hij ziek was, dokter, of deed hij misschien

232

alsof, wat ik vanaf het begin al dacht? Ten eerste zodat hij hier-heen gebracht zou worden, ten tweede zodat hij zelf kon kie-zen wanneer hij zou ontsnappen.'

'Wat het eerste betreft: hij was wel degelijk ziek,' antwoord-de Trevelyan. 'Hij had in elk geval hoge koorts, zijn ogen wa-ren groot en het zweet gutste van zijn voorhoofd. Daar kan ik van getuigen, aangezien ik hem zelf heb onderzocht. Wat het tweede betreft kun je hier onmogelijk ontsnappen, zoals u suggereert. Kijkt u maar naar de deur! Die zat vanbuiten op slot. Er is maar één sleutel en die heeft altijd op mijn bureau gelegen. Dan zijn er nog de grendels, die gesloten waren tot Rivers ze zojuist opende. En zelfs als hij op een bizarre en on-verklaarbare manier in staat was om uit zijn cel te komen, waar denkt u dan dat hij heen zou kunnen? Om te beginnen had hij deze kamer uit moeten lopen en ik heb de hele middag aan mijn bureau gezeten. De deur waar jullie drieën door bin-nenkwamen zat op slot. En er moeten zich minstens nog tien sloten en grendels tussen hier en de laatste poort bevinden. Wilt u me vertellen dat hij zich daar op de een of andere ma-nier ook doorheen heeft getoverd?'

'Zomaar weglopen uit Holloway is inderdaad zo goed als onmogelijk,' beaamde Hawkins.

'Niemand komt hier weg,' mompelde Rivers, en hij leek bij zichzelf te gniffelen. 'Of hij moet Wood heten. Hij is hier van-middag weggegaan. Maar niet op zijn eigen twee benen, en ik denk niet dat iemand eraan gedacht zou hebben te vragen waar hij heen ging, of wanneer hij terugkwam.'

'Wood? Wie is Wood?' vroeg Harriman.

'Jonathon Wood was hier in de ziekenzaal,' antwoordde Trevelyan. 'En je moet er niet luchtig over doen, Rivers. Hij is gisteravond gestorven en nog geen uur geleden weggedragen in een doodskist.'

'Een doodskist? Wilt u me vertellen dat hier een dichte

doodskist naar buiten is gegaan?' Ik zag de detective alles in gedachten op een rijtje zetten en besefte net als hij dat het de meest voor de hand liggende of zelfs enige manier was waarop Holmes had kunnen ontsnappen. Hij wendde zich tot de zaalhulp. 'Stond de kist hier toen je het water naar binnen bracht?' vroeg hij.

'Dat zou kunnen.'

'Heb je Holmes alleen gelaten, al was het maar voor een paar seconden?'

'Nee, meneer. Nog geen seconde. Ik heb hem niet uit het oog verloren.' De zaalhulp schuifelde heen en weer. 'Nou ja, misschien ben ik naar Collins gegaan toen hij zijn toeval had.'

'Wat zeg je, Rivers?' riep Trevelyan.

'Ik heb de deur opengemaakt. Ik ging naar binnen. Hij lag diep in slaap op het bed. Toen begon Collins te hoesten. Ik zette de beker neer en rende naar hem toe.'

'En toen? Heb je Holmes nog gezien?'

'Nee, meneer. Ik heb Collins gekalmeerd. Toen liep ik terug en heb ik de deur op slot gedaan.'

Er viel een lange stilte. We stonden elkaar daar aan te staren alsof we wachtten wie er het eerst iets durfde te zeggen.

Dat was Harriman. 'Waar is die doodskist?' riep hij.

'Die zal naar buiten zijn gedragen,' antwoordde Trevelyan. 'Er wacht waarschijnlijk een wagen om hem naar de begrafenisondernemer in Muswell Hill te brengen.' Hij greep zijn jas. 'Misschien is het nog niet te laat. Als hij er nog is, kunnen we hem onderscheppen voordat hij vertrekt.'

Ik zal nooit vergeten hoe we door de gevangenis renden. Hawkins ging voorop met een woedende Harriman aan zijn zijde. Daarna kwamen Trevelyan en Rivers. Ik kwam als laatste, het boek en de sleutel nog in mijn hand. Die lijken nu bespottelijk, want zelfs als ik ze mijn vriend had kunnen bezorgen, samen met een ladder en een touw, zou hij nooit in staat

zijn geweest deze plek in zijn eentje te verlaten. Het was dankzij Hawkins, die naar de verschillende bewakers gebaarde, dat
wij wegkwamen. De deuren werden geopend en zwaaiden
open, de ene na de andere. Niemand versperde ons de weg. We
namen een andere route dan die ik oorspronkelijk had afge-
legd, want deze keer passeerden we een wasruimte met mannen die zweetten boven enorme kuipen en een andere ruimte
vol stoomketels en ingewikkelde stalen buizen die ervoor
zorgden dat de gevangenis verwarmd werd, en ten slotte staken we een kleinere binnenplaats met gras over en kwamen
we uit op wat duidelijk een zijingang was. Pas hier probeerde
een bewaker ons tegen te houden, en hij wilde een volmacht
zien.

'Doe niet zo dwaas,' snauwde Harriman. 'Herken je je eigen
hoofdbewaarder niet?'

'Open het hek!' voegde Hawkins er nog aan toe. 'Er is geen
moment te verliezen.'

De bewaker deed wat hem was opgedragen en alle vijf gingen we naar buiten.

En toch stond ik op dat moment stil bij de merkwaardige
omstandigheden die ervoor gezorgd hadden dat mijn vriend
kon ontsnappen. Hij had gedaan of hij ziek was en was erin
geslaagd een geschoolde arts te misleiden. Nu ja, dat was niet
zo moeilijk. Hij had bij mij min of meer hetzelfde gedaan.
Maar hij had zich precies op het moment dat er een doodskist
was binnengekomen op laten sluiten in een kamer van de ziekenzaal en had daarnaast het geluk gehad van een open deur,
een hoestaanval en de onhandigheid van een achterlijke zaalhulp. Het leek allemaal te mooi om waar te zijn. Niet dat het
me natuurlijk iets kon schelen. Als Holmes echt een miracu-
leuze manier had gevonden om hier weg te komen, zou ik in
de zevende hemel zijn. Evengoed wist ik zeker dat er iets mis
was en dat we een overhaaste conclusie hadden getrokken, en

dat was misschien precies zijn bedoeling.

We bevonden ons in een brede straat met diepe groeven die langs de zijkant van de gevangenis liep, met de hoge muur aan één kant en aan de andere een rij bomen. Harriman slaakte een kreet en wees. Er stond een wagen met twee mannen die er aan de achterkant een kist inschoven. Aan de afmetingen en de vorm te zien was het duidelijk een geïmproviseerde doodskist. Ik moet toegeven dat ik opgelucht was toen ik hem zag. Ik zou er op dat moment bijna alles voor over hebben gehad om Sherlock Holmes te zien en mezelf gerust te stellen dat hij zijn ziekte inderdaad had voorgewend en dat die niet het resultaat was van een bewuste vergiftiging. Maar terwijl we ernaartoe renden, maakte mijn kortstondige euforie plaats voor uiterste wanhoop. Als Holmes gevonden en weer aangehouden werd, zou hij weer de gevangenis in gesleurd worden, en Harriman zou ervoor zorgen dat hij nooit een tweede kans kreeg en ver buiten mijn bereik bleef.

'Stop!' riep Harriman. Hij beende naar de twee mannen die de kist in een diagonale positie hadden gemanoeuvreerd en op het punt stonden hem in de wagen te tillen. 'Zet die kist weer op de grond! Ik wil hem bekijken.' De mannen waren ruwe en groezelige arbeiders, zo te zien vader en zoon, en ze keken elkaar vragend aan voordat ze gehoorzaamden. De doodskist stond op het grind. 'Maak open!'

Deze keer aarzelden de mannen. Een dood lichaam dragen was één ding, maar het onder ogen krijgen iets heel anders.

'Het is al goed,' verzekerde Trevelyan hun, en het vreemde is dat ik op dat moment besefte hoe ik hem kende, waar we elkaar eerder hadden ontmoet.

Zijn volledige naam was Percy Trevelyan en hij was zes of zeven jaar daarvoor naar ons huis gekomen en had dringend behoefte aan de diensten van mijn vriend gehad. Ik herinnerde me weer dat er een patiënt was geweest, Blessingdon, die zich geheimzinnig had gedragen en uiteindelijk opgehangen in zijn kamer werd gevonden. De politie was ervan uitgegaan dat het zelfmoord was, een mening waarmee Holmes het direct oneens was. Het was vreemd dat ik hem niet onmiddellijk had herkend, want ik had Trevelyan bewonderd en had zijn werk op het gebied van zenuwziekten bestudeerd – hij had niets minder dan de Bruce Pinkerton-prijs gewonnen.

De omstandigheden waren hem echter niet gunstig gezind geweest, en waren sindsdien zelfs duidelijk verslechterd, want hij zag er een stuk ouder uit, met een blik van uitputting en frustratie die zijn hele voorkomen had veranderd. Ik wist nog dat hij geen bril had gedragen toen we elkaar leerden kennen. Zijn gezondheid was onmiskenbaar slechter geworden. Maar hij was het wel degelijk, gedegradeerd tot gevangenisarts, een positie ver beneden de waardigheid van een man met zijn capaciteiten, en met een gevoel van opwinding dat ik angstvallig probeerde te onderdrukken bedacht ik dat hij meegewerkt moest hebben aan deze ontsnappingspoging. Hij was Holmes inderdaad dank verschuldigd, en waarom zou hij anders net doen of hij me niet kende? Nu begreep ik hoe Holmes überhaupt in de doodskist terecht was gekomen. Trevelyan had zijn zaalhulp bewust de leiding gegeven. Waarom zou hij anders een man hebben vertrouwd die zo overduidelijk ongeschikt was voor zulke verantwoordelijkheid? De doodskist zou in de buurt zijn neergezet. Alles was ongetwijfeld van tevoren beraamd. Het treurige was dat de twee werkmannen zo langzaam waren. Ze hadden inmiddels halverwege Muswell Hill moeten zijn. Trevelyans hulp was vergeefs geweest.

Een van de werkmannen had een koevoet tevoorschijn gehaald en ik zag hoe die onder het deksel werd geplaatst. Hij duwde naar beneden en het deksel van de doodskist kwam scheurend los. Het hout versplinterde. De twee mannen haalden het eraf. Als één man stapten Harriman, Hawkins, Trevelyan en ik naar voren.

'Dat is hem,' bromde Rivers. 'Dat is Jonathon Wood.'

Het was waar. Het lijk dat omhoogstaarde was een afgeleef-
de gedaante met een grauw gezicht die absoluut niet Sherlock
Holmes was en zonder enige twijfel dood was.

Trevelyan was de eerste die zijn zelfbeheersing hervond.
'Natuurlijk is het Wood!' riep hij uit. 'Dat zei ik toch. Hij is
vannacht gestorven, als gevolg van een ontsteking van de
kransslagader.'
Hij knikte naar de lijkbezorgers. 'Jullie kunnen de kist dicht-
maken en meenemen.'

'Maar waar is Sherlock Holmes dan?' jammerde Hawkins.

'Hij kan niet weg zijn gekomen uit de gevangenis!' antwoordde Harriman. 'Hij heeft ons op de een of andere manier
om de tuin geleid, maar hij moet nog binnen zijn en zijn kans
afwachten. We moeten alarm slaan en het hele gebouw van
onder tot boven doorzoeken.'

'Maar dat duurt de hele nacht!'

Harrimans gezicht had net zo weinig kleur als zijn haar. Ra-
zendsnel draaide hij zich om en hij schopte bijna van irritatie.
'Dat kan me niks schelen, al duurt het de hele week! Die man
moet gevonden worden!'

Dat gebeurde niet. Twee dagen later was ik alleen in het huis
van Holmes en ik las een verslag van de gebeurtenissen waar
ik zelf getuige van was geweest.

De politie is nog steeds niet in staat de mysterieuze verdwijning van de bekende raadgevend detective Sherlock Holmes te
verklaren, die vastgehouden werd in de Holloway-gevangenis
in verband met de moord op een jonge vrouw in Coppergate
Square. Inspecteur J. Harriman, die de leiding heeft over het
onderzoek, heeft de gevangenisautoriteiten beschuldigd van
plichtsverzuim, een aanklacht die krachtig ontkend wordt.

Feit is wel dat de heer Holmes er op een of andere manier in geslaagd is zich weg te toveren uit een afgesloten cel en door een tiental afgesloten deuren, op een manier die de natuurwetten lijkt te tarten. De politie looft een beloning uit van vijftig pond aan eenieder die informatie verschaft die leidt tot zijn aanhouding.

Mevrouw Hudson reageerde opvallend onverschillig op deze merkwaardige toestand. Ze had natuurlijk de verhalen in de krant gelezen en had er slechts één korte zin aan gewijd toen ze me mijn ontbijt had geserveerd: 'Het is grote onzin, dokter Watson.' Ze leek persoonlijk gekrenkt en het troost me al die jaren later nog om te bedenken dat ze volledig vertrouwen had in haar beroemdste huurder. Ze kende hem misschien beter dan wie ook, en had allerlei eigenaardigheden te verduren gehad in de lange periode dat hij bij haar was, waaronder wanhopige en vaak ongewenste bezoekers, de viool die tot laat in de nacht bespeeld werd, de incidentele attaques die werden veroorzaakt door vloeibare cocaïne, de lange periodes van melancholie, de kogels die waren afgevuurd op het behang en zelfs de pijprook. Holmes betaalde haar weliswaar een riant bedrag, maar ze klaagde nauwelijks en bleef tot het einde trouw. Hoewel ze mijn pagina's in en weer uit dartelt, weet ik eigenlijk heel weinig over haar, niet eens hoe ze aan het huis op 221 Baker Street was gekomen (ik geloof dat ze het geërfd heeft van haar echtgenoot, hoewel ik niet zou kunnen zeggen wat er van hem geworden is). Nadat Holmes was weggegaan, woonde ze alleen. Ik wou dat ik meer met haar gepraat had en haar minder voor lief had genomen.

Hoe het ook zij: mijn oponthoud werd onderbroken door de komst van deze vrouw, en ze had een bezoeker bij zich. Ik had de bel en voetstappen op de trap wel gehoord, maar was zo in gedachten verzonken dat die geluiden nauwelijks tot me waren doorgedrongen. Ik was dan ook niet voorbereid op de eerwaarde Charles Fitzsimmons, de rector van de Chorley Grange Jongensschool, en ik ben bang dat ik hem begroette met een blik vol wezenloze verwarring, alsof we elkaar nooit eerder hadden gezien. Het feit dat hij in een dikke zwarte jas was gehuld en een sjaal over zijn kin had geslagen droeg ertoe bij dat hij als een vreemdeling voor me was. Door zijn kleding leek hij nog ronder dan eerst.

'U moet me vergeven dat ik u stoor, dokter Watson,' zei hij, terwijl hij die buitenste kledingstukken uittrok en het priesterboord onthulde dat mijn geheugen opfriste. 'Ik wist niet zeker of ik moest komen, maar ik vond dat het wel moest… het moet! Maar eerst wil ik u iets vragen, meneer. Is dat buitengewone verhaal over meneer Sherlock Holmes waar?'

'Het is waar dat Holmes verdacht wordt van een misdrijf waaraan hij volkomen onschuldig is,' antwoordde ik.

'Maar ik lees nu dat hij ontsnapt is, dat hij erin is geslaagd te ontkomen aan de arm van de wet.'

'Ja, meneer Fitzsimmons. Hij is erin geslaagd aan zijn achtervolgers te ontkomen op een manier die een groot mysterie is, zelfs voor mij.'

'Weet u waar hij is?'

'Ik heb geen idee.'

'En de jongen, Ross, heeft u enig nieuws over hem?'

'Hoe bedoelt u?'

'Heeft u hem al gevonden?'

Fitzsimmons had op de een of andere manier kennelijk de nieuwsberichten over de vreselijke dood van de jongen gemist, hoewel Ross niet bij naam was genoemd, hoe sensatiebelust de kranten verder ook waren. Het was dus aan mij om hem de waarheid te vertellen. 'Ik ben bang dat we te laat waren. We hebben Ross wel gevonden, maar hij was dood.'

'Dood? Hoe is dat gebeurd?'

'Iemand heeft hem zwaar mishandeld. Hij is voor dood achtergelaten bij de rivier, vlak bij Southwark Bridge.'

De rector knipperde met zijn ogen en liet zich moeizaam op een stoel vallen. 'Grote God in de hemel!' riep hij uit. 'Wie zou een kind zoiets aandoen? Wat is er toch veel slechtheid in de wereld. Dan is mijn bezoek aan u overbodig, dokter Watson. Ik dacht dat ik u kon helpen hem te vinden. Ik was op een aanwijzing gestuit, of liever gezegd: mijn lieve vrouw Joanna had iets gevonden. Ik kwam het brengen in de hoop dat u wist waar meneer Holmes was en het aan hem kon geven. Ik dacht dat hij zelfs ondanks zijn eigen situatie misschien…' Zijn stem stierf weg. 'Maar het is te laat. De jongen had nooit weg moeten gaan uit Chorley Grange. Ik wist dat er niets goeds van zou komen.'

'Wat is de aanwijzing?' vroeg ik.

'Ik heb het bij me. Zoals gezegd was het mijn vrouw die het vond in de slaapzaal. Ze was de matrassen aan het omdraaien – dat doen we eens per maand om ze te luchten en uit te roken. Sommige jongens hebben luis… daar voeren we voortdurend strijd tegen. Hoe dan ook: het bed waar Ross in sliep is nu van een andere jongen, maar er lag een schrijfboekje onder verstopt.' Fitzsimmons haalde een schrift met een ruwe kaft tevoorschijn, verschoten en verkreukt. Op de voorkant was met potlood in een kinderlijk handschrift een naam geschreven:

Ross Dixon

'Ross kon niet lezen of schrijven toen hij bij ons kwam, maar we zijn erin geslaagd hem de beginselen bij te brengen. Elke jongen krijgt een schrijfboekje en een potlood. U zult wel zien dat hij zijn oefeningen verzuimd heeft. Het is erg slordig allemaal. Hij lijkt een groot deel van de tijd maar wat gekrabbeld te hebben. Maar bij nadere bestudering vonden we dit, en het leek ons belangrijk.'

Hij had het boekje in het midden opengeslagen, en daar lag een keurig opgevouwen vel papier alsof het de bedoeling was geweest het te verbergen. Hij pakte het eruit, vouwde het open en legde het voor me op de tafel. Het was een advertentie, een goedkoop foldertje voor een attractie waarvan ik wist dat die vroeger regelmatig opdook in wijken als Islington en Cheapside, maar sindsdien zeldzamer was geworden. De tekst was versierd met afbeeldingen van een slang, een aap en een gordeldier. Hij luidde:

HET HUIS DER WONDEREN VAN DOKTER SILKIN
DWERGEN, JONGLEURS, DE DIKKE DAME
EN HET LEVENDE SKELET.
Een verzameling rariteiten uit de hele wereld
TOEGANG EEN PENNY
Jackdaw Lane, Whitechapel

'Ik zou mijn jongens natuurlijk ontmoedigen naar een dergelijke plek te gaan,' zei de eerwaarde Fitzsimmons. 'Rariteitenkabinetten, variététheaters, derderangs schouwburgen… Het verbaast me dat een stad als Londen dergelijk vermaak toestaat, waar alles wordt geprezen wat vulgair en onnatuurlijk is. De lessen van Sodom en Gomorra dringen zich op. Ik zeg het u, dokter Watson, misschien heeft Ross deze advertentie alleen maar verstopt omdat hij wist dat hij inging tegen het wezen van Chorley Grange. Het zou een ondeugendheid kunnen zijn. Zoals mijn vrouw u al vertelde was hij een heel eigenzinnige jongen…'

'Maar het zou ook een connectie voor hem kunnen zijn,' onderbrak ik hem. 'Toen u bij hem was weggegaan, zocht hij zijn toevlucht bij een familie in King's Cross en ook bij zijn zus. Maar we hebben geen idee waar hij daarvóór was. Misschien had hij zich bij dit gezelschap aangesloten.'

'Precies. Ik ben ervan overtuigd dat het de moeite loont dit uit te zoeken, en daarom ben ik het komen brengen.' Fitzsimmons verzamelde zijn spullen en stond op. 'Is er een kans dat u meneer Holmes te spreken krijgt?'

'Ik hoop nog steeds dat hij op de een of andere manier contact met me opneemt.'

'Dan hoort u misschien wat hij ervan denkt. Bedankt voor uw tijd, dokter Watson. Ik ben heel erg geschrokken van het nieuws over de jonge Ross. We zullen zondag in de schoolkapel voor hem bidden. Nee, u hoeft me niet uit te laten, ik red me wel.'

Hij pakte zijn jas op en verliet de kamer. Ik staarde naar het vel papier en liet mijn ogen over de opzichtige belettering en de ordinaire illustraties gaan. Ik denk dat ik het wel twee of drie keer gelezen moet hebben voor ik zag wat vanaf het begin duidelijk geweest had moeten zijn. Maar er was geen twijfel mogelijk. Het Huis der Wonderen van dokter Silkin. Jackdaw Lane. Whitechapel.

Silk, zijde. Ik had zojuist het Huis van Zijde gevonden.

17

Een bericht

Mijn vrouw keerde de dag erna terug naar Londen. Ze had me een telegram uit Camberwell gestuurd om me te vertellen wanneer ze zou aankomen en ik wachtte haar op bij Holborn Viaduct toen haar trein aan kwam rijden. Ik moet zeggen dat ik om geen enkele andere reden weggegaan zou zijn uit Baker Street. Ik wist nog steeds zeker dat Holmes zou proberen me te bereiken en vreesde de gedachte dat hij terug naar huis zou komen, met alle gevaren van dien, waar hij me vervolgens niet zou aantreffen. Ik kon Mary echter ook niet alleen door de stad laten gaan. Een van haar grootste deugden was haar tolerantie, de manier waarop ze verdroeg dat ik lange periodes afwezig was en met Sherlock Holmes doorbracht. Nooit klaagde ze, hoewel ik weet dat ze bang was dat ik mezelf in gevaar bracht, en ik was het haar nu verschuldigd uit te leggen wat er tijdens haar afwezigheid gebeurd was en haar mee te delen dat het helaas nog wel een tijdje zou duren voordat we voorgoed herenigd werden. En ik had haar gemist. Ik zag ernaar uit haar weer te zien.

Het was nu de tweede week van december, en na het slechte weer waarmee de maand was begonnen scheen de zon nu, en hoewel het heel koud was baadde alles in een licht van voorspoed en blijdschap. De trottoirs waren bijna onzichtbaar door de hordes gezinnen die arriveerden van het platteland en hun kinderen met grote ogen, in aantallen waarmee een kleine stad bevolkt had kunnen worden. De sneeuwscheppers en kruispuntvegers waren druk aan het werk. De snoepwinkels en kruideniers waren feestelijk versierd. In elk raam hingen advertenties voor ganzenclubs, roastbeefclubs en dessertclubs, en er hing een geur van gebrande suiker en pasteivulling in de lucht. Toen ik uit mijn coupé was gestapt, het station in was gegaan en me een weg door de menigte had gebaand, had ik nagedacht over de omstandigheden die me vervreemd hadden van al deze bedrijvigheid, van de alledaagse geneugten van Londen tijdens de feestdagen. Dat was misschien het nadeel van mijn omgang met Sherlock Holmes. Het bracht me naar duistere plekken waar eerlijk gezegd niemand vrijwillig heen zou gaan.

Het station was al net zo druk als de rest van de stad. De treinen waren op tijd, de perrons gevuld met jonge mannen die pakjes, dozen en manden droegen en net zo opgewonden heen en weer renden als het witte konijn van Alice. De trein van Mary was al aangekomen en ik zag haar even niet toen de deuren opengingen en nog meer zielen de metropool in stroomden. Maar toen zag ik haar wel, en terwijl ze uit de wagon stapte, gebeurde er iets wat me even verontrustte. Er verscheen een man die over het perron schuifelde alsof hij op het punt stond haar lastig te vallen. Ik kon hem alleen van achteren zien, en op een slecht passend jasje en rood haar na zou het onmogelijk zijn hem nogmaals te identificeren. Hij leek iets tegen haar te zeggen en stapte toen in de trein en verdween uit het zicht. Maar misschien had ik me vergist. Toen ik op haar af liep zag ze me en glimlachte. Ik omhelsde haar en samen liepen we naar de ingang, waar ik mijn koetsier had opgedragen te wachten.

Mary had me heel veel te vertellen over haar bezoek. Mevrouw Forrester was heel blij geweest haar weer te zien en ze waren de beste vrienden geworden en hadden hun relatie van gouvernante en werkgeefster achter zich gelaten. De jongen, Richard, was beleefd en welgemanierd, en toen hij eenmaal beter begon te worden, bleek hij charmant gezelschap. En hij was een enthousiast lezer van mijn verhalen! Het huishouden was precies zoals ze het zich had herinnerd, aangenaam en gastvrij. Het hele bezoek was een succes geweest, op een lichte hoofdpijn en een zere keel na die ze de laatste dagen had opgelopen en die door de reis verergerd waren. Ze zag er moe uit en toen ik doorvroeg, klaagde ze over een zwaar gevoel in de spieren van haar armen en benen. 'Maak je maar geen zorgen over me, John. Na een dutje en een kop thee ben ik weer helemaal de oude. Ik wil al je nieuws horen. Wat is dat allemaal met die bijzondere zaak met Sherlock Holmes waar ik over gelezen heb?'

Ik vraag me af in hoeverre ik het mezelf kwalijk moet nemen dat ik Mary niet lichamelijk heb onderzocht. Maar ik was afwezig en ze deed luchtig over haar ziekte. Ook dacht ik aan de vreemde man die haar benaderd had. Zelfs als ik had geweten wat er met haar aan de hand was, had ik er waarschijnlijk niets aan kunnen doen. Evengoed moet ik de rest van mijn leven met de wetenschap leven dat ik haar klachten te licht heb opgevat en de eerste tekenen van de tyfeuze koorts over het hoofd heb gezien die haar veel te vroeg van me weg zou nemen.

Ze begon zelf over de boodschap, vlak nadat we waren vertrokken. 'Zag je die man net?' vroeg ze.

'Bij de trein. Ja, ik heb hem gezien. Heeft hij iets tegen je gezegd?'

'Hij sprak me aan met mijn naam.'

Daar schrok ik van. 'Wat zei hij?'

'Alleen "Goedemorgen, mevrouw Watson", meer niet. Hij was heel lomp. Een arbeider, zou ik zeggen. En hij drukte dit in mijn hand.'

Ze liet me een klein stoffen zakje zien dat ze al die tijd in haar hand had gehad, maar dat ze in de opwinding van onze hereniging en ons vlugge vertrek uit het station was vergeten. Nu gaf ze het aan me. Er zat iets zwaars in, en ik dacht aanvankelijk dat het misschien munten waren, want ik hoorde getinkel van metaal, maar toen ik het opende en de inhoud op mijn handpalm liet glijden, zag ik dat het drie stevige spijkers waren.

'Wat heeft dit te betekenen?' zei ik. 'Heeft hij verder niets gezegd? Kun je hem beschrijven?'

'Niet echt, mijn liefste. Ik heb hem amper gezien omdat ik naar jou keek. Hij had kastanjebruin haar, geloof ik. En een vies, ongeschoren gezicht. Doet het ertoe?'

'Zei hij verder nog iets? Vroeg hij om geld?'

'Dat heb ik je al verteld. Hij groette me bij mijn naam, verder niets.'

'Maar waarom zou hij je in vredesnaam een zakje met spijkers geven?' Zodra ik die woorden had gezegd, viel het kwartje, en ik slaakte een kreet van verrukking.

'De zak met spijkers! Natuurlijk!'

'Wat bedoel je, mijn liefste?'

'Ik geloof dat je Holmes zelf net ontmoet hebt, Mary.'

'Hij leek er helemaal niet op.'

'Dat is precies de bedoeling!'

'Zegt dit zakje met spijkers je iets?'

Het zei me heel veel. Holmes wilde dat ik terugkeerde naar een van de twee cafés die we hadden bezocht toen we op zoek waren naar Ross. Ze heetten allebei The Bag of Nails, maar welke had hij in gedachten? Het was vast niet de tweede, die in Lambeth, want daar had Sally Dixon gewerkt, en dat café was bekend bij de politie. Al met al lag de eerste kroeg, in Edge Lane, meer voor de hand. Hij was natuurlijk bang dat hij gezien zou worden. Dat bleek wel uit de manier waarop hij besloten had met me te communiceren. Hij had zich vermomd, en als iemand hem had gezien en zou proberen Mary of mij aan te houden op het perron, zouden ze alleen een stoffen zakje met drie spijkers hebben aangetroffen, maar geen enkele aanwijzing dat er een boodschap was overgebracht.

'Ik ben bang dat ik je achter moet laten zodra we thuis zijn,' zei ik.

'Je bent toch niet in gevaar, John?'

'Ik hoop het niet.'

Ze zuchtte. 'Soms denk ik dat je meer gesteld bent op meneer Holmes dan op mij.' Ze zag mijn blik en klopte zachtjes op mijn hand. 'Ik plaag je maar. En je hoeft me niet helemaal naar Kensington te brengen, hoor. We kunnen op de volgende hoek stoppen. De koetsier kan mijn koffers naar binnen brengen.' Ik aarzelde en ze keek me ernstiger aan. 'Ga maar naar hem toe, John. Als hij zo veel moeite heeft gedaan om je een bericht te sturen, moet hij wel in de problemen zijn en je nodig hebben zoals hij jou altijd nodig heeft. Je kunt niet weigeren.'

En dus nam ik afscheid van haar, en ik zette niet alleen mijn leven op het spel, maar kwam bijna om toen ik tussen het verkeer door glipte en op de Strand bijna werd aangereden door een omnibus. Ik had namelijk bedacht dat als Holmes bang was dat hij gevolgd werd, ik dat ook zou moeten zijn, en het was dus van wezenlijk belang dat niemand me zag. Ik liep tussen een paar rijtuigen door en bereikte eindelijk veilig het trottoir, waar ik zorgvuldig om me heen keek en vervolgens terugliep in de richting waaruit ik was gekomen. Ongeveer een halfuur later kwam ik aan in dat troosteloze en treurige gedeelte van Shoreditch. Ik herinnerde me het café nog goed: een verwaarloosde plek die er in het zonlicht iets beter uitzag dan in de mist. Ik stak de straat over en ging naar binnen.

Er zat een man in de bar, en het was niet Sherlock Holmes. Tot mijn grote verbazing en enigszins opgelaten herkende ik de man die Rivers heette en dokter Trevelyan had bijgestaan in Holloway-gevangenis.

Hij droeg niet langer zijn uniform, maar zijn lege blik, diep-liggende ogen en warrige rode haar waren onmiskenbaar. Hij hing met een glas donker bier over een tafeltje.

'Meneer Rivers?' riep ik uit.

'Kom bij me zitten, Watson. Het is goed om je weer te zien.'

Het was Holmes die gesproken had, en op dat moment begreep ik hoe ik misleid was en dat hij pal voor mijn ogen ontsnapt was uit de gevangenis. Ik moet toegeven dat ik bijna in de stoel viel die hij aanbood, toen ik met een ongelukkig gevoel de glimlach zag die ik zo goed kende en waarmee hij me nu van onder de pruik en de make-up aankeek. Dat was het wonderlijke aan Holmes' vermommingen. Hij gebruikte niet veel theatrale handigheidjes en deed niet aan camouflage. Het was meer zo dat hij een gave had te veranderen in welk persoon hij ook maar wilde en dat als hij erin geloofde, jij er ook in zou geloven, tot het moment waarop hij zich bekendmaakte. Het was alsof je naar een onduidelijk punt in een ver landschap staarde, naar een rots of een boom die de vorm van bijvoorbeeld een dier had aangenomen. En toch, als je dichterbij kwam en gezien had wat het was, zou je er nooit meer in trappen. Ik was bij Rivers aan tafel gaan zitten, maar nu zag ik duidelijk dat ik bij Holmes was.

'Vertel…' begon ik.

Hij onderbrak me. 'Alles op zijn tijd, mijn beste vriend. Verzeker me er om te beginnen van dat je onderweg niet gevolgd bent.'

'Ik weet zeker dat ik alleen was.'

'En toch bevonden er zich bij Holborn Viaduct twee mannen achter je. Politiemannen, zo te zien, en ongetwijfeld in dienst van je vriend, inspecteur Harriman.'

'Ik heb ze niet gezien, maar ik heb ervoor gezorgd dat ik uit het rijtuig van mijn vrouw stapte toen dat halverwege de Strand was. Ik zorgde ervoor dat het niet helemaal tot stilstand kwam en glipte achter een barouchet. Ik kan je verzekeren dat als twee mannen me op het station hebben geschaduwd, die nu in Kensington zijn en zich afvragen waar ik ben gebleven.'

'Mijn trouwe Watson!'

'Maar hoe wist je dat mijn vrouw vandaag aankwam? Hoe ben je überhaupt op Holborn Viaduct gekomen?'

'Dat is heel eenvoudig. Ik ben je gevolgd vanaf Baker Street, bedacht voor welke trein je moest zijn gekomen en slaagde erin je in de menigte in te halen.'

'Dat is nog maar mijn eerste vraag, Holmes, en ik sta erop dat je ze allemaal beantwoordt, want mijn hoofd duizelt als ik je hier zie zitten. Laten we beginnen met dokter Trevelyan. Ik neem aan dat je hem herkende en hem hebt overgehaald je te helpen ontsnappen.'

'Dat is precies het geval. Het was een gelukkig toeval dat onze voormalige cliënt werk had gevonden in de gevangenis, hoewel ik denk dat ik elke arts wel voor mijn zaak had kunnen winnen, vooral toen duidelijk werd dat er een plan bestond om me te vermoorden.'

'Wist je daarvan?'

Holmes keek me scherp aan, en ik besefte dat als ik de belofte wilde houden die ik mijn sinistere gastheer twee avonden daarvoor had gedaan, ik moest doen alsof ik van niets wist.

'Ik verwachtte het al vanaf het moment dat ik gearresteerd werd. Het was duidelijk dat het bewijs tegen me in rook zou opgaan zodra ik in staat werd gesteld te spreken, en dus zouden mijn vijanden dat niet toestaan. Ik wachtte op een aanval, van welke aard dan ook, en was vooral voorzichtig met mijn eten. In tegenstelling tot wat men algemeen aanneemt, zijn er maar heel weinig gifsoorten die geen enkele smaak hebben, en dat gaat zeker niet op voor het arsenicum waarmee zij me om het leven wilden brengen. Ik bespeurde het in een kom vleesbouillon die ze me op mijn tweede avond bezorgden… een ronduit dwaze poging, Watson, en eentje waar ik dankbaar voor was, omdat het me het wapen verschafte dat ik nodig had.'

'Maakte Harriman deel uit van dit complot?' vroeg ik. Ik slaagde er niet in de woede uit mijn stem te houden.

'Of inspecteur Harriman heeft veel geld gekregen, of hij vormt de spil van de samenzwering die jij en ik aan het licht hebben gebracht. Ik vermoed het laatste. Ik overwoog naar Hawkins te gaan. De hoofdbewaarder kwam op me over als een beschaafde man en hij had zich moeite getroost mijn verblijf in de gevangenis niet onaangenamer te maken dan noodzakelijk was. Te vroeg alarm slaan had echter een tweede, dodelijker aanval kunnen bespoedigen, en dus vroeg ik of ik de arts van de geneeskundige dienst kon spreken, en toen ik naar de ziekenboeg was gebracht, deed het me deugd te ontdekken dat we elkaar al kenden, omdat dat mijn taak beduidend makkelijker maakte. Ik toonde hem het beetje soep dat ik had achtergehouden en legde hem uit wat er op komst was, dat ik onterecht was gearresteerd en dat mijn vijanden niet wilden dat ik Holloway ooit levend zou verlaten. Dokter Trevelyan was onthutst. Hij zou sowieso geneigd zijn me te geloven, aangezien hij nog steeds vond dat hij me iets verschuldigd was na die kwestie in Brook Street.'

'Hoe is hij in Holloway beland?'

'Hij had geen keus, Watson. Je weet nog wel dat hij zijn baan kwijtraakte na de dood van zijn inwonende patiënt. Trevelyan is een geniale man, maar het lot is hem nooit gunstig gezind geweest. Na een paar maanden rondgedoold te hebben was de baan in Holloway de enige die hij kon vinden en aarzelend accepteerde hij die. Op een dag moeten we hem proberen te helpen.'

'Inderdaad, Holmes. Maar ga verder…'

'Zijn eerste ingeving was de hoofdbewaarder in te lichten, maar ik overtuigde hem ervan dat de samenzwering tegen mij te diepgeworteld was en dat mijn vijanden te machtig waren. Het was weliswaar van essentieel belang dat ik weer op vrije voeten kwam, maar we konden niet het risico nemen iemand anders erbij te betrekken, en we zouden een andere manier moeten bedenken. We begonnen te bespreken wat die zou kunnen zijn. Het was net zo duidelijk voor Trevelyan als voor mij dat ik me niet fysiek een weg naar buiten zou kunnen banen. Dat wil zeggen dat het uitgesloten was dat ik een tunnel zou graven of over de muren zou klimmen. Er waren niet minder dan negen deuren en poorten tussen mijn cel en de buitenwereld, en zelfs met de beste vermomming zou ik er niet op kunnen rekenen dat ik er ongemoeid doorheen kon lopen. Het gebruik van geweld was duidelijk uitgesloten. We spraken een uur met elkaar en ik was bang dat inspecteur Harriman elk moment weer kon verschijnen, want hij bleef me maar ondervragen om zijn nietszeggende en bedrieglijke onderzoek geloofwaardigheid te verschaffen.

En toen noemde Trevelyan Jonathon Wood, een arme stakker die het grootste deel van zijn leven had doorgebracht in de gevangenis en op het punt stond daar te eindigen, want hij was ernstig ziek geworden en zou die nacht waarschijnlijk niet overleven. Trevelyan stelde voor dat ik opgenomen zou worden op de ziekenboeg als Wood overleed. Hij zou het lichaam verbergen en mij in de doodskist naar buiten smokkelen. Dat was zijn idee, maar ik wuifde het bijna meteen weg. Er zaten te veel haken en ogen aan, om te beginnen de groeiende achterdocht van mijn kwelgeesten, die zich ongetwijfeld al afvroegen waarom het gif in mijn avondeten me niet uitgeschakeld had en misschien al vermoedden dat ik ze doorhad. Een lijk dat de gevangenis op een dergelijke manier verliet zou te zeer voor de hand liggen. Het was precies het soort zet dat ze van me zouden verwachten.

Maar gedurende mijn tijd in het ziekenhuis had ik de zaal-hulp Rivers al opgemerkt, en vooral zijn gunstige uiterlijk: zijn slordige manier van doen en felrode haar. Ik zag meteen dat alle noodzakelijke elementen – Harriman, het gif, de stervende man – op hun plaats vielen en dat het mogelijk zou zijn een ander plan te bedenken waarbij het ene tegen het andere werd ingezet. Ik vertelde Trevelyan wat ik nodig zou hebben en het strekt hem tot blijvende eer dat hij mijn mening niet in twijfel trok, maar deed wat ik vroeg.

Wood stierf vlak voor middernacht. Trevelyan kwam persoonlijk naar mijn cel om me te vertellen wat er gebeurd was, waarna hij naar huis ging om de paar spullen te halen waarom ik gevraagd had en die ik nodig zou hebben. De volgende ochtend deelde ik mee dat ik zieker was geworden. Trevelyan constateerde dat ik een ernstige voedselvergiftiging had opgelopen, en liet me opnemen in de ziekenboeg, waar Wood al lag opgebaard. Ik was erbij toen zijn doodskist aankwam en hielp zelfs mee hem erin te tillen. Rivers was echter afwezig. Hij had een dag vrij gekregen en nu haalde Trevelyan de pruik en de kleren tevoorschijn waarmee ik mezelf als hem kon vermommen. De doodskist werd even voor drie uur weggehaald en eindelijk was alles in gereedheid. Je moet de gedachte erachter begrijpen, Watson. Harriman moest ons werk voor ons doen. Ten eerste zouden we mijn buitengewone en onverklaarbare verdwijning uit een zorgvuldig afgesloten cel onthullen. Bijna meteen daarna zouden we hem over een doodskist en een lijk vertellen die zojuist waren weggegaan. Gezien de omstandigheden twijfelde ik er niet aan dat hij de verkeerde conclusie zou trekken, wat precies het geval was. Hij was er zo van overtuigd dat ik me in de kist bevond, dat hij amper een blik op de trage zaalhulp wierp die klaarblijkelijk verantwoordelijk was voor wat er gebeurd was. Hij snelde weg, waardoor hij mijn uitbraak in feite makkelijker maakte. Het was Harriman die de opdracht gaf de deuren open te maken. Het was Harriman die de veiligheidsmaatregelen ondermijnde die me binnen moesten houden.'

'Het is waar, Holmes!' riep ik uit. 'Ik heb niet naar je gekeken. Al mijn aandacht was op de doodskist gericht.'

'Ik moet zeggen dat je plotselinge verschijning de enige mogelijke gebeurtenis was waar ik nooit aan gedacht had, en ik was bang dat je op zijn minst zou laten blijken dat je dokter Trevelyan kende. Maar je deed het voortreffelijk, Watson. Ik zou zeggen dat het feit dat zowel jij als de bewaker er was, het gevoel van urgentie versterkte en Harriman nog meer aanspoorde de doodskist te onderscheppen voordat die wegging.'

Zijn ogen twinkelden toen hij dat zei, en ik vatte het op als een compliment, hoewel ik de rol begreep die ik in werkelijkheid in het avontuur had gespeeld. Holmes had net zo graag publiek als een acteur op het podium en met hoe meer we waren, hoe makkelijker hij het vond om zijn rol te spelen. 'Maar wat moeten we nu?' vroeg ik. 'Je bent op de vlucht. Je naam is te schande gemaakt. Het feit alleen al dat je ervoor gekozen hebt te ontsnappen zal de wereld ervan overtuigen dat je schuldig bent.'

'Je schetst een somber beeld, Watson. Ik zou zeggen dat mijn omstandigheden sinds vorige week immens zijn verbeterd.'

'Waar slaap je?'

'Heb ik je dat niet verteld? Ik hou overal in Londen kamers aan voor gebeurtenissen als deze. Ik heb er een in de buurt, en ik kan je verzekeren dat die veel aangenamer is dan de verblijfplaats die ik onlangs heb verlaten.'

'Maar dan nog lijkt het erop dat je onbedoeld veel mensen tot vijand hebt gemaakt.'

'Dat lijkt inderdaad het geval. We moeten ons afvragen wat verschillende personen met elkaar verbindt: Lord Horace Blackwater, telg van een van de oudste families in Engeland, dokter Thomas Ackland, weldoener van het Westminster Hospital, en inspecteur Harriman, die een vlekkeloze staat van dienst van vijftien jaar bij de Londense politie heeft. Dit is de vraag die ik je al voorlegde in de minder aangename omgeving van de Old Bailey. Wat hebben die drie mannen gemeen? Welnu, om te beginnen het feit dat het drie mannen zijn. Ze zijn allemaal rijk en hebben goede relaties. Mijn broer Mycroft had het over een schandaal, en dit zijn precies de mensen die daardoor getroffen kunnen worden. Ik begrijp trouwens dat je terug bent gegaan naar Wimbledon.'

Ik kon met geen mogelijkheid bedenken hoe of van wie Holmes dit gehoord kon hebben, maar dit was niet het moment om in te gaan op zulke details. Ik legde me er eenvoudigweg bij neer en vertelde hem in het kort over de omstandigheden van mijn laatste bezoek. Hij leek vooral ontdaan bij het nieuws over Eliza Carstairs en de snelle achteruitgang van haar gezondheid. 'We hebben hier te maken met iemand die bijzonder sluw en wreed is, Watson. Deze kwestie heeft verstrekkende gevolgen en we moeten deze zaak afronden zodat we Edmund Carstairs weer kunnen opzoeken.'

'Denk je dat de twee verband houden met elkaar?' vroeg ik. 'Ik zie niet in hoe de gebeurtenissen in Boston en zelfs de moord op Keelan O'Donaghue in een pension hier in Londen geleid kunnen hebben tot de vreselijke zaak waar we ons nu bezig mee houden.'

'Maar dat komt alleen maar doordat je aanneemt dat Keelan O'Donaghue dood is,' antwoordde Holmes. 'Daar horen we snel genoeg meer nieuws over. In de gevangenis was ik in staat om een bericht naar Dublin te sturen…'

'Stonden ze je toe een telegram te sturen?'

'Ik had het postkantoor niet nodig. De criminele onderwereld is sneller en minder duur en staat ter beschikking van iedereen die zich toevallig aan de verkeerde kant van de wet bevindt. Er bevond zich een man in mijn vleugel, een oplichter die Jacks heette en die ik had leren kennen op het terrein voor lichaamsbeweging en die twee dagen geleden is vrijgelaten. Hij had mijn bericht bij zich en zodra ik een antwoord krijg, keren jij en ik samen terug naar Wimbledon. Maar intussen heb jij mijn vraag nog niet beantwoord.'

'Wat de vijf mannen met elkaar verbindt? Het antwoord ligt voor de hand: het Huis van Zijde.'

'En wat is het Huis van Zijde?'

'Geen idee. Maar ik denk dat ik je kan vertellen waar we het kunnen vinden.'

'Watson, je verbijstert me.'

'Weet jij het niet?'

'Ik weet het al een tijdje. Niettemin interesseert het me ten zeerste jouw conclusies te horen, en hoe je daartoe bent gekomen.'

Gelukkig had ik de advertentie bij me. Ik vouwde die open en liet hem aan mijn vriend zien, en ik vertelde over mijn recente gesprek met de eerwaarde Charles Fitzsimmons. 'Het Huis der Wonderen in Jackdaw Lane,' las hij. Even leek hij verbaasd, maar toen leefde hij op. 'Maar natuurlijk. Dit is precies waarnaar we zochten. Ik moet je nogmaals feliciteren, Watson. Terwijl ik wegkwijnde in de gevangenis, heb jij het maar druk gehad.'

'Was dit het adres dat je verwachtte?'

'Jackdaw Lane? Niet helemaal, maar toch vertrouw ik erop dat we er alle antwoorden zullen vinden waarnaar we gezocht hebben. Hoe laat is het? Bijna één uur. Ik denk dat het beter is een dergelijke plek te bezoeken onder dekking van de duisternis. Zou het jou schikken me hier over laten we zeggen vier uur opnieuw te treffen?'

'Met alle genoegen, Holmes.'

'Ik wist dat ik op je kon rekenen. En ik stel voor dat je je dienstrevolver meeneemt, Watson. Er zijn veel gevaren op til en ik vrees dat het een lange nacht wordt.'

18

De waarzegster

Ik denk dat er momenten zijn waarop je weet dat je aan het einde van een lange reis bent gekomen. Je bestemming is weliswaar nog niet in zicht, maar op de een of andere manier besef je dat je er bent als je de volgende bocht omgaat. Zo voelde ik me toen ik even voor vijven The Bag of Nails voor een tweede keer naderde. De zon was al onder en een kille, onverzoenlijke duisternis daalde neer over de stad. Mary lag te slapen toen ik thuis was gekomen en ik had haar niet gewekt, maar toen ik alleen in mijn spreekkamer stond met mijn revolver in mijn hand en controleerde of hij geladen was, vroeg ik me af wat een willekeurige toeschouwer van het tafereel zou denken: een respectabele arts in Kensington die zich bewapende en elk moment ten strijde kon trekken tegen een samenzwering die tot dusver moord, foltering, ontvoering en rechtsverdraaiing omvatte. Ik stak het wapen in mijn zak, greep mijn overjas en ging op pad.

Holmes was niet langer vermomd, op een hoed en sjaal na, die hij voor het onderste deel van zijn gezicht had getrokken. Hij had twee glazen cognac besteld om ons voor te bereiden op de bittere kou van de nacht. Het zou me niet verbaasd hebben als het zou gaan sneeuwen, want er hadden al wat vlokjes rondgewaaid toen ik aankwam. We zeiden niet veel, maar ik herinner me dat hij me een blik toewierp toen we onze glazen neerzetten en ik zag het vrolijke humeur en de vastberadenheid die ik zo goed kende dansen in zijn ogen en begreep dat hij er net zo op gebrand was als ik om dit af te ronden.

'En, Watson?' vroeg hij.

'Ja, Holmes,' zei ik. 'Ik ben er klaar voor.'

'En ik ben heel blij dat je weer bij me bent.'

Een koets bracht ons naar het oosten en we stapten uit op Whitechapel Road en liepen het laatste stuk naar Jackdaw Lane. De rondreizende kermissen waren in de zomermaanden overal op het platteland te vinden, maar zodra het weer omsloeg kwamen ze naar de stad, en ze waren berucht om de herrie die ze tot diep in de nacht maakten. Ik vroeg me af hoe de plaatselijke bewoners het Huis der Wonderen van dokter Silkin in vredesnaam konden verduren, want ik hoorde het ruim voordat ik het zag: het deuntje van een orgel, het slaan op een trommel en de stem van een man die midden in de nacht iets riep. Jackdaw Lane was een smalle steeg die tussen Whitechapel Road en Commercial Road liep, met aan weerszijden gebouwen, voornamelijk winkels en pakhuizen van drie verdiepingen met ramen die te klein leken voor de hoeveelheid bakstenen waardoor ze werden omringd. Ongeveer halverwege was er een doorgang en daar had zich een man geposteerd, gekleed in een militaire overjas en een ouderwetse stropdas, en met een hoge hoed op die zo gehavend was dat hij bijna aan de zijkant van zijn hoofd leek te hangen en zichzelf eraf probeerde te gooien. De man had de baard, de snor, de puntneus en de heldere ogen van een mimespeler die Mefisto nadeed.

'Toegang één penny!' riep hij. 'Kom binnen, u zult er geen spijt van krijgen. Hier krijgt u de wonderen van de wereld te zien, van negers tot Eskimo's en meer. Kom, heren! Betreed het Huis der Wonderen van dokter Silkin. Het zal u versteld doen staan. U zult nooit meer vergeten wat u hier vanavond te zien krijgt.'

'Bent u dokter Silkin?' vroeg Holmes.

'Die eer komt mij toe, meneer. Dokter Asmodeus Silkin, voorheen uit India, voorheen uit de Congo. Mijn reizen hebben me over de hele wereld gebracht en daardoor heb ik ervaringen opgedaan die ik hier voor de som van een enkele penny met u deel.'

Naast hem stond een zwarte dwerg in een jekker en een legerbroek. Hij sloeg ritmisch op een trommel en voegde er elke keer dat de penny werd genoemd een luide roffel aan toe. We overhandigden twee muntjes en werden prompt binnengelaten.

Het spektakel waarop we onthaald werden overrompelde me. Ik neem aan dat het in daglicht smakeloos en armoedig was, maar het donker van de avond, dat met brandende vuurpotten op afstand werd gehouden, verschafte het een zekere exotische sfeer, en als je niet al te goed keek kon je geloven dat je meegevoerd was naar een andere wereld… misschien eentje uit een sprookjesboek.

We bevonden ons op een binnenplaats met kasseien, omringd met gebouwen die zo vervallen waren dat ze deels overgeleverd waren aan de elementen, met verbrokkelende deuropeningen en gammele trappen die vervaarlijk aan de muren hingen. Voor sommige van die ingangen waren karmozijnrode gordijnen gehangen, alsmede bordjes waarop vermaak werd aangekondigd waarvoor je nog eens een kwart penny moest betalen. *De man zonder nek. 's Werelds lelijkste vrouw. Het varken met vijf poten.* Andere waren open, met erachter wassen beelden en kijkkasten waarin je een glimp kon opvangen van de verschrikkingen die ik maar al te goed kende uit mijn tijd met Holmes. Moord leek het overheersende thema. Maria Martin was er, en Mary Ann Nichols, met haar keel doorgesneden en haar onderbuik opengereten, precies zoals ze twee jaar eerder niet ver hiervandaan was gevonden. Ik hoorde het geknetter van geweren. In een van de gebouwen was een schietbaan ingericht. Ik zag de gasvlammen omhoogschieten en de groene flessen die aan het einde stonden.

Deze en andere attracties bevonden zich in de buitenrand, maar er stonden ook zigeunerwagens op de binnenplaats, met ertussen plateaus waarop de hele avond optredens plaatsvonden. Een identieke oosterse tweeling jongleerde met een tiental ballen en gooide ze zo vloeiend naar elkaar over dat het bijna werktuiglijk leek. Een zwarte man in een lendendoek hiel een pook omhoog die in een houtskoolbrander gloeiend heet was gemaakt, en likte eraan. Een vrouw met een omslachtige, gevederde tulband las bezoekers de hand. Een oudere tovenaar vertoonde kunstjes. En overal om ons heen lachte en klapte een menigte die veel groter was dan ik verwacht had, en iedereen kuierde van optreden naar optreden terwijl boven alles uit voortdurend een draaiorgel tingelde.

Ik zag een vrouw van monsterlijke omvang voor me uit waggelen en naast haar een vrouw die zo klein was dat ze een kind had kunnen zijn, ware het niet dat ze er ouder uitzag. Waren ze toeschouwers of maakten ze deel uit van het schouwspel? Het was moeilijk te zeggen.

'Goed, wat nu?' vroeg Holmes.

'Ik heb geen idee eigenlijk,' antwoordde ik.

'Geloof je nog steeds dat dit het Huis van Zijde is?'

'Het lijkt inderdaad onwaarschijnlijk.' Ik besefte opeens de portee van wat hij zojuist had gezegd. 'Wil je me vertellen dat je niet denkt dat het hier is?'

'Ik wist vanaf het begin dat dat met geen mogelijkheid het geval kon zijn.'

Voor één keer kon ik mijn irritatie niet onderdrukken. 'Ik moet zeggen dat je mijn geduld soms tot het uiterste op de proef stelt, Holmes. Als je vanaf het begin wist dat dit niet het Huis van Zijde was, kun je me dan misschien vertellen waarom we hier zijn?'

'Omdat dat de bedoeling is. We zijn uitgenodigd.'

'De advertentie?'

'Het was de bedoeling dat die gevonden werd, Watson. En het was de bedoeling dat je hem aan mij gaf.'

Ik kon slechts mijn hoofd schudden bij die raadselachtige antwoorden en kwam tot de conclusie dat Holmes na zijn beproeving in de gevangenis van Holloway weer helemaal de oude was: geheimzinnig, overmoedig en uiterst vervelend. En nog steeds was ik vastbesloten hem van zijn ongelijk te overtuigen. Het kon toch zeker geen toeval zijn, de naam van dokter Silkin in de advertentie en het feit dat die verborgen had gezeten onder het bed van Ross. Als het de bedoeling was dat die ontdekt werd, waarom zou je hem dan daar stoppen? Ik keek om me heen, op zoek naar iets wat wellicht relevant was, maar in de maalstroom van bedrijvigheid, met de vlammen van de toortsen die flakkerden en dansten, was het bijna onmogelijk je blik op iets gericht te houden. De jongleurs gooiden nu dolken naar elkaar. Er klonk opnieuw een geweerschot, en een van de flessen explodeerde, waardoor er glas over de plank regende. De tovenaar greep in de lucht en produceerde een boeket van zijden bloemen. De menigte om hem heen applaudisseerde.

'Nu we hier toch zijn…' begon ik.

Maar precies op dat moment zag ik iets wat mijn adem deed stokken. Het kon natuurlijk toeval zijn. Misschien betekende het helemaal niets. Misschien hechtte ik eenvoudigweg belang aan een klein detail om onze aanwezigheid te rechtvaardigen. Maar het was de waarzegster. Ze zat op een soort verhoogd plateau voor haar caravan achter een tafeltje waarop haar materiaal lag: een set tarotkaarten, een kristallen bol, een zilveren piramide en een paar vellen papier met merk-waardige runen en diagrammen. Ze had in mijn richting ge-staard en toen ik haar blik ving leek het alsof ze ter begroeting een hand opstak, en daar had je het, om haar pols gebonden: een lint van witte zijde.

Mijn eerste gedachte was dat ik Sherlock Holmes moest waarschuwen, maar ik besloot bijna meteen dat niet te doen. Ik vond dat ik wel genoeg voor joker was gezet voor één avond. En dus liep ik zonder uitleg bij hem vandaan, en alsof ik geprikkeld werd door terloopse nieuwsgierigheid beklom ik de treden naar het plateau. De zigeunerin nam me op alsof ze niet alleen verwacht had dat ik zou komen, maar het had voor-zien. Ze was een stevige, bijna mannelijke vrouw met een krachtige kaaklijn en treurige grijze ogen.

'Ik wil graag weten hoe mijn toekomst eruitziet,' zei ik.

'Ga zitten,' antwoordde ze. Ze had een buitenlands accent en een nukkige, weinig hartelijke manier van praten. Er stond een krukje tegenover haar in de krappe ruimte en ik liet me erop zakken. 'Kunt u de toekomst zien?' vroeg ik.

'Dat kost u een penny.'

Ik betaalde haar het geld en ze pakte mijn hand en legde die in de hare, zodat het witte lint pal voor me lag. Toen stak ze een verweerde vinger uit en volgde de lijnen van mijn hand alsof ze die glad kon strijken. 'Een dokter?' vroeg ze.

'Ja.'

'En getrouwd. Gelukkig getrouwd. Geen kinderen.'

'Dat klopt allemaal.'

'U heeft onlangs de pijn ervaren van iemand gescheiden te worden.' Had ze het over het verblijf van mijn vrouw in Cam-berwell of over de korte gevangenschap van Holmes? En hoe kon ze daar in beide gevallen over weten? Ik was op dat mo-ment een scepticus, en dat ben ik nog steeds. Hoe kon ik ook anders? In mijn tijd met Holmes heb ik een familievloek, een enorme rat en een vampier onderzocht, en er bleek voor alle drie een volkomen rationele verklaring te zijn. Ik wachtte dus tot de zigeunerin me de bron van haar bedrog zou onthullen.

'Bent u hier alleen?' vroeg ze.

'Nee, ik ben met een vriend.'

'Dan heb ik een bericht voor u. U zult gezien hebben dat er in het gebouw achter ons een schietbaan is.'

'Ja.'

'In de kamers erboven zult u alle antwoorden vinden waarnaar u op zoek bent. Maar wees voorzichtig, dokter. Het gebouw is onbewoonbaar en de vloer is er slecht aan toe. U hebt een lange levenslijn. Hier, ziet u wel? Maar hij heeft zwakke plekken. Deze plooien... Die zijn als pijlen die op u afgevuurd worden, en er komen er nog veel meer. U moet oppassen of er zal er eentje raak zijn...'

'Bedankt.' Ik trok mijn hand terug alsof die in vlammen had gehangen. Hoe zeker ik er ook van was dat de vrouw een oplichtster was, iets aan haar opvoering had me van mijn stuk gebracht. Misschien kwam het door het donker, de scharlaken schaduwen die overal om me heen kronkelen, of het kon de voortdurende kakofonie zijn, de muziek en de menigte, waardoor mijn zintuigen overweldigd raakten, maar ik wist plotseling zeker dat dit een kwaadaardige plek was en dat we nooit hadden moeten komen. Ik klom weer naar beneden en vertelde Holmes wat er zojuist gebeurd was.

'Dus nu moeten we ons laten leiden door waarzegsters?' was zijn bitse antwoord. 'Welnu, Watson, we hebben niet echt een alternatief. We moeten dit afronden.'

We begaven ons langs een man met een aapje dat op zijn schouder was geklommen, en een andere man met ontbloot bovenlijf waarop een groot aantal lugubere tatoeages waren aangebracht die hij tot leven bracht door met zijn spieren te rollen. De schietbaan lag voor ons, met erboven een scheef hangende wenteltrap. Er klonk een salvo van schoten. Een paar leerjongens beproefden hun geluk door op de flessen te schieten, maar ze hadden gedronken en hun kogels verdwenen ongevaarlijk in de duisternis. Holmes ging voorop en we liepen omhoog, voorzichtig omdat de houten treden de indruk wekten elk moment te kunnen breken. Voor ons doemde in de muur een grillig gat op – het zou ooit een deur geweest kunnen zijn – met erachter slechts duisternis. Ik keek achterom en zag de zigeunerin in haar caravan zitten en met een boze blik naar ons kijken. Het witte lint bungelde nog van haar pols. Nog voordat ik boven was wist ik dat ik bedrogen was, dat we hier niet hadden moeten komen.

We bevonden ons op de eerste verdieping, die ooit gebruikt moest zijn om koffie op te slaan, want de geur hing nog in de morsige lucht. Maar nu was de ruimte leeg. De muren waren vermolmd en op elk oppervlak lag een dikke laag stof. De vloerplanken kraakten onder onze voeten. Het geluid van het draaiorgel klonk nu ver weg en vervloog zo nu en dan, en het rumoer van de menigte was helemaal verdwenen. Er scheen nog genoeg licht van de toortsen die overal op de kermis brandden om de ruimte te verlichten, maar het was onregelmatig en bewoog voortdurend dusdanig dat we omringd werden door vervormde schaduwen, en hoe verder we gingen, hoe donkerder het werd.

'Watson…' mompelde Holmes, en de toon van zijn stem was genoeg om me duidelijk te maken wat hij wilde. Ik haalde mijn pistool tevoorschijn en vond troost in het gewicht ervan, het gevoel van koud metaal in mijn handpalm.

'Holmes,' zei ik. 'We verdoen onze tijd. Er is hier niets te vinden.'

'En toch is er vóór ons een kind geweest,' antwoordde hij.

Ik keek langs hem heen en zag in de verre hoek twee speeltjes liggen die daar waren achtergelaten. Het ene was een draaitol, het andere een loden soldaat die stram in de houding stond, de meeste verf afgesleten. Ze hadden iets vreselijk treurigs. Waren ze ooit van Ross geweest? Was dit een toevluchtsoord geweest voordat hij vermoord was en waren dit de enige herinneringen aan een jeugd die hij eigenlijk nooit had gehad? Ik merkte dat ik me tot ze aangetrokken voelde en liep weg van de ingang, precies wat de bedoeling was, want ik zag de man die achter me uit een alkoof stapte en kon de knuppel die op me af zwiepte niet ontwijken. Hij raakte me op de arm onder mijn elleboog en ik voelde mijn vingers in een vlaag van verblindende pijn open schieten. Het pistool kletterde op de grond. Ik dook eropaf, maar werd een tweede keer geraakt, en dit keer viel ik neer. Tegelijkertijd klonk er een tweede stem uit de duisternis.

'Verroer jullie niet of ik schiet jullie ter plekke neer.'

Holmes negeerde de instructie. Hij was al naast me en hielp me overeind. 'Gaat het, Watson? Ik zal mezelf nooit vergeven als ze je ernstig letsel hebben toegebracht.'

'Nee, nee.' Ik greep mijn arm beet, op zoek naar een breuk of kneuzing en wist meteen dat ik alleen een lelijke blauwe plek had opgelopen. 'Ik ben niet gewond.'

'Lafaards.'

Een man met haar dat begon te dunnen, een wipneus en stevige, ronde schouders stapte op ons af, waardoor het licht van buiten op zijn gezicht viel. Ik herkende Henderson, de havenarbeider (dat beweerde hij in elk geval) die Holmes in de val van Creer's Place had laten lopen. Hij had ons verteld dat hij verslaafd was, en dat moet een van de weinige elementen van zijn verhaal zijn geweest dat waar was, want hij had nog steeds de bloeddoorlopen ogen en de ziekelijk bleke kleur die ik me herinnerde. Hij had een revolver beet. Op dat moment pakte zijn handlanger mijn wapen op en kwam schuifelend naar voren terwijl hij het op ons gericht hield. Deze tweede man kende ik niet. Hij was potig en had wel iets van een pad, met zijn kortgeschoren haar en dikke oren en lippen, als die van een bokser na een zwaar gevecht. Zijn knuppel bleek een zware wandelstok te zijn, die nog in zijn linkerhand bungelde.

'Goedenavond, Henderson,' merkte Holmes op met een toon waarin slechts berusting klonk. Zoals hij sprak had hij net zo goed langs de neus weg een oude kennis kunnen begroeten.

'Bent u niet verbaasd me te zien, meneer Holmes?'

'Integendeel, ik rekende er al op.'

'En herinnert u zich mijn vriend, Bratby?'

Holmes knikte. Hij wendde zich tot mij. 'Dit was de man die me op de grond gedrukt hield in het kantoor van Creer's Place, toen het opiaat me met geweld werd opgedrongen,' legde hij uit. 'Ik hoopte al dat hij hier ook zou zijn.'

Henderson aarzelde en lachte toen. Weg was de schijn van zwakte en ondergeschiktheid die hij getoond had toen hij naar ons huis was gekomen. 'Ik geloof u niet, meneer Holmes. Ik ben bang dat u te goedgelovig bent. Heeft u in Creer's niet gevonden wat u zocht? U hebt het hier ook niet gevonden. U lijkt net een stuk vuurwerk... u gaat alle kanten op.'

'En wat bent u van plan?'

'Ik had gedacht dat u dat wel zou weten. We dachten dat we ons in de Holloway-gevangenis van u hadden ontdaan, en het zou al met al beter voor u zijn geweest als u daar was gebleven. Dus deze keer zijn onze methodes iets meer rechtdoorzee. Ik heb de opdracht u te vermoorden, u als een hond dood te schieten.'

'Wilt u in dat geval zo goed zijn mijn nieuwsgierigheid op een paar punten te bevredigen? Was u degene die het meisje bij Bluegate Fields heeft vermoord?'

'Om u de waarheid te zeggen: ja. Ze was zo dom om terug te keren naar het café waar ze werkte en ik kon haar zo oppikken.'

'En haar broer?'

'Kleine Ross? Ja, dat waren wij. Het was vreselijk om te moeten doen, meneer Holmes, maar hij heeft het er zelf naar gemaakt. Die jongen ging zijn boekje te buiten en we moesten een voorbeeld stellen.'

'Heel erg bedankt. Het is precies zoals ik al dacht.'

Henderson lachte nogmaals, maar ik had nog nooit een uitdrukking gezien die zo verstoken was van enige vrolijkheid. 'Nou, u bent een gehaaide figuur, hè, meneer Holmes? En ik neem aan dat u het allemaal uitgevogeld heeft?'

'Natuurlijk.'

'En wisten jullie dat die ouwe meid die jullie hierheen stuurde jullie al opwachtte?'

'De waarzegster heeft mijn collega gesproken, niet mij. Ik neem aan dat jullie haar betaald hebben om jullie bevelen uit te voeren?'

'Koop haar om met een kwartje en ze doet alles.'

'Ik verwachtte al een andere val, ja.'

'Waar wachten we nog op?' zei de man die Bratby heette op dringende toon.

'Even wachten nog, Jason. Even.'

Voor deze ene keer hoefde Holmes me niet uit te leggen waarom ze wachtten. Ik zag het maar al te goed. Toen we de trap op gingen, had zich rond de schietbaan een groepje verzameld toen de schoten buiten hadden weergalmd. Nu was het stil. De twee moordenaars wachtten tot de geweren weer zouden knallen. Door het geluid zou niemand de twee schoten hierboven horen. Moord is de vreselijkste misdaad waartoe een mens in staat is, maar deze koelbloedige, berekenende dubbele moord leek me wel heel erg verachtelijk. Ik hield nog steeds mijn arm vast. Op de plek waar ik geraakt was voelde ik niets meer, maar ik hees mezelf overeind, vastbesloten niet vermoord te worden door deze mannen terwijl ik op mijn knieën zat.

'Je kunt die wapens net zo goed neerleggen en jezelf nu overgeven,' merkte Holmes op. Hij was heel kalm en ik vroeg me af of hij al die tijd had geweten dat de twee mannen er zouden zijn.

'Wat?'

'Er wordt niemand gedood vanavond. De schietbaan is gesloten. De kermis is voorbij. Horen jullie dat niet?'

Voor het eerst besefte ik dat het draaiorgel was gestopt. De menigte leek vertrokken. Buiten deze lege, vervallen ruimte heerste stilte.

'Waar hebt u het over?'

'Ik geloofde u de eerste keer dat we elkaar ontmoetten al niet, meneer Henderson. Maar toen was het nuttig om in uw val te lopen, al was het maar om te zien wat u van plan was. Maar gelooft u echt dat ik dat een tweede keer zou doen?'

'Laat die wapens vallen!' riep een stem.

In de seconden die volgden was er zo veel verwarring dat ik op het moment zelf amper begreep wat er gebeurde. Henderson draaide zich om met zijn pistool, met de bedoeling op mij of langs me heen te schieten. Ik zal het nooit weten, want zijn vinger kreeg nooit de kans de trekker over te halen. Op hetzelfde moment was er een regen van schoten. Lopen van geweren lichtten wit op en hij werd letterlijk neergemaaid. Er barstte een fontein van bloed uit zijn hoofd. Hendersons partner, de man die zichzelf Bratby had genoemd, draaide zich om. Ik denk niet dat hij van plan was te schieten, maar het feit dat hij gewapend was volstond. Eén kogel raakte hem in de schouder en een andere in de borstkas. Ik hoorde hem een kreet slaken toen hij naar achteren werd gesmeten. Mijn pistool vloog uit zijn hand. Er klonk gekletter toen zijn wandelstok op de houten vloerplanken viel en wegrolde. Hij was niet dood. Hijgend en snikkend van pijn en schrik zakte hij op de grond. Even viel er een stilte, die net zo choquerend was als het geweld dat eraan vooraf was gegaan.

'Dat was op het nippertje, Lestrade,' merkte Holmes op.

'Ik wilde horen wat die schurk te zeggen had,' antwoordde hij. Ik keek om en zag dat Lestrade daar stond, met drie agenten die al naar binnen kwamen en op de mannen af liepen die waren neergeschoten.

'Heb je hem de moorden horen opbiechten?'

'Ja, meneer Holmes.' Een van zijn mannen had Henderson bereikt. Hij onderzocht hem vluchtig en schudde zijn hoofd. Ik had de wond gezien en was niet verbaasd. 'Ik ben bang dat hij niet terecht zal staan voor zijn misdaden.'

'Sommigen zouden zeggen dat hij dat al heeft gedaan.'

'Dan nog zou ik hem liever levend hebben gehad, al was het maar als getuige. Ik heb mijn leven voor u gewaagd, meneer Holmes, en het werk van deze avond kan me duur komen te staan.'

'Het levert je een aanbeveling op, Lestrade, en dat weet je best.' Holmes richtte zijn aandacht op mij. 'Hoe gaat het met je, Watson? Ben je gewond?'

'Niets wat een smeerseltje en een whisky-soda niet kunnen genezen,' antwoordde ik. 'Maar vertel, Holmes. Heb je al die tijd geweten dat dit een val was?'

'Ik had een sterk vermoeden. Het leek me ondenkbaar dat een ongeletterd kind een opgevouwen advertentie onder zijn bed verstopt. En zoals wijlen onze vriend Henderson al zei waren we al een keer bedrogen. Ik begin door te krijgen hoe onze vijanden te werk gaan.'

'Hoe bedoel je?'

'Ze hebben jou gebruikt om mij te vinden. De mannen die je volgden naar Holborn Viaduct waren geen politieagenten. Ze waren in dienst van onze vijanden, die jou een op het eerste gezicht onweerstaanbare aanwijzing hebben gegeven, in de hoop dat jij zou weten waar ik was en mij die zou bezorgen.'

'Maar de naam, het Huis der Wonderen van dokter Silkin?

Silk, zijde? Wil je me vertellen dat hij er niets mee te maken heeft?'

'Mijn beste Watson! Zo ongebruikelijk is die naam niet. Ze hadden ook Silkin de schoenmaker in Ludgate Circus kunnen gebruiken, of Silkin het stapelterrein in Battersea. Of Silkman of Silk Way of iets anders dat ons het idee gaf dat we het Huis van Zijde insloten. Het was alleen nodig me hier te krijgen zodat ze zich eindelijk van me konden ontdoen.'

'En u, meneer Lestrade? Hoe komt u hier?'

'Meneer Holmes heeft me benaderd en gevraagd te komen, dokter Watson.'

'U geloofde in zijn onschuld!'

'Ik heb er nooit aan getwijfeld. En toen ik me verdiepte in de kwestie bij Coppergate Square werd al snel duidelijk dat er iets niet klopte. Inspecteur Harriman zei dat hij op weg was van een bankoverval op White Horse Road, maar een dergelijke overval heeft nooit plaatsgevonden. Ik heb het overzicht van aangiften bekeken. En als Harriman bereid was daar in de rechtszaal over te liegen, leek het me dat hij ook in staat zou zijn over een paar andere dingen te liegen.'

'Lestrade waagde een gok,' onderbrak Holmes hem. 'Aanvankelijk was hij geneigd me terug te brengen naar de gevangenis. Maar hij en ik kennen elkaar goed, ongeacht onze verschillen, en we hebben te vaak samengewerkt om ruzie te maken over een valse beschuldiging. Is dat niet zo, Lestrade?'

'Wat u zegt, meneer Holmes.'

'En diep vanbinnen wil hij net zo graag een einde maken aan deze kwestie als ik en de ware daders voor het gerecht brengen.'

'Deze leeft nog!' riep een van de politieagenten. Terwijl Holmes stond te praten hadden zij zich over onze twee aanvallers gebogen.

Holmes liep naar de plek waar Bratby lag en knielde naast hem neer. 'Kun je me horen, Bratby?' vroeg hij. Er viel een stilte, gevolgd door een zacht gejammer, als van een kind dat pijn heeft. 'We kunnen niets voor je doen, maar je hebt nog tijd om een paar dingen goed te maken, om te boeten voor een paar van je misdaden voordat Onze-Lieve-Heer je tot zich roept.'

Bratby begon heel zacht te snikken.

'Ik weet alles over het Huis van Zijde. Ik weet wat het is. Ik weet waar we het kunnen vinden... Sterker nog: ik ben er gisteravond nog geweest, maar het was er leeg en stil. Dat is de enige informatie die ik niet zelf boven water kan krijgen, en toch is het heel belangrijk als we voorgoed een einde aan deze kwestie willen maken. Vertel het me, voor je eigen zaligheid. Wanneer komen ze weer bij elkaar?'

Er viel een lange stilte. Ik kon er niets aan doen, maar ik voelde een vlaag van medelijden voor deze man die elk moment zijn laatste adem kon uitblazen, ook al had hij me een paar minuten eerder nog willen vermoorden, en Holmes ook. Maar op het moment van de dood is iedereen gelijk en wie zijn wij om hen te veroordelen als een veel grotere Rechter hen opwacht?

'Vanavond,' zei hij. En toen stierf hij.

Holmes kwam overeind. 'Eindelijk is het geluk met ons, Lestrade,' zei hij. 'Wil je nog even met me meekomen? En heb je nog minstens tien mannen bij je? Ze zullen standvastig en kordaat moeten zijn, want ik beloof je dat ze niet snel zullen vergeten wat we aan het licht zullen brengen.'

'We gaan met u mee, meneer Holmes,' antwoordde Lestrade. 'Laten we dit afronden.'

Holmes had mijn pistool. Ik had niet gezien wanneer hij dat had teruggekregen, maar hij drukte het weer in mijn hand en keek me recht in de ogen. Ik wist wat hij vroeg. Ik knikte en samen gingen we op pad.

19

Het Huis van Zijde

We keerden terug naar het hoogste punt van Hamworth Hill, naar de Chorley Grange Jongensschool. Waar anders kon het onderzoek ons heen hebben gebracht? Hier was de advertentie vandaan gekomen en het was nu duidelijk dat iemand die onder het matras van Ross' bed had geplaatst zodat het schoolhoofd die zou vinden, in de wetenschap dat hij die aan ons zou geven en zo de val van dokter Silkins winterkermis in zou lokken. Natuurlijk was het mogelijk dat Charles Fitzsimmons al die tijd had gelogen en dat ook hij deel uitmaakte van de samenzwering. En toch kon ik dat nog steeds moeilijk geloven, want hij was op mij overgekomen als het toonbeeld van fatsoen, met zijn gevoel van plichtsbesef, zijn bezorgdheid voor het welzijn van zijn jongens, zijn respectabele vrouw en het verdriet dat hij had getoond over de dood van Ross. Het was moeilijk voor te stellen dat dat alles slechts een maskerade was geweest en ik was er zelfs op dat moment nog van overtuigd dat als hij betrokken was geraakt bij iets duisters en kwaadaardigs, dat zonder zijn medeweten en toedoen moest zijn gebeurd.

Lestrade had tien mannen met zich meegenomen in vier aparte rijtuigen die achter elkaar in stilte de heuvel op reden die aan de noordelijke rand van Londen eindeloos leek te verrijzen. Hij droeg nog steeds een revolver, en dat gold ook voor Holmes en mij, maar de rest van zijn manschappen was ongewapend, dus als zou blijken dat we ons schrap moesten zetten voor een fysieke confrontatie, moesten we onze tegenstanders zo snel mogelijk overrompelen. Na een teken van Holmes stopte het rijtuig een eindje van onze bestemming, die niet de school zelf was, zoals ik had gedacht, maar het rechthoekige gebouw aan de andere kant van de laan, dat ooit een werkplaats was geweest waar koetsen werden gemaakt. Fitzsimmons had ons verteld dat het gebruikt werd voor muziekuitvoeringen en wat dat betreft moest hij in elk geval de waarheid hebben verteld, want er stonden verscheidene koetsen geparkeerd en ik hoorde van binnen pianomuziek komen.

We namen onze positie in achter een groepje bomen waar we niet opgemerkt konden worden. Het was halfnegen en het begon te sneeuwen, dikke witte veren die uit de nachthemel vielen. De grond was al snel wit en het was hier aan de top van de heuvel beduidend kouder dan het in de stad was geweest. Ik had behoorlijk veel pijn van de klap die ik op de kermis had gekregen. Mijn arm tintelde en mijn oude wond trok samen, alsof hij solidariteit wilde tonen, en ik vreesde dat ik de eerste tekenen van koorts vertoonde. Ik was echter vastbesloten er niets van te tonen. Ik had het tot hier gebracht en ik zou het tot een goed einde brengen. Holmes wachtte ergens op en ik had grenzeloos vertrouwen in zijn oordeel, ook al moesten we daar de hele nacht staan.

Lestrade moet mijn ongemak opgemerkt hebben, want hij tikte me aan en overhandigde me een zilveren heupfles. Ik bracht die naar mijn lippen, nam een slok cognac en gaf hem terug aan de kleine rechercheur. Hij veegde hem af aan zijn mouw, dronk zelf wat en stopte hem weg.

'Wat is de bedoeling, meneer Holmes?' vroeg hij.

'Als je deze mensen op heterdaad wilt betrappen, Lestrade, moeten we erachter zien te komen hoe we binnen kunnen komen zonder de boel te verstoren.'

'Gaan we inbreken bij een concert?

'Het is geen concert.'

Ik hoorde het zachte ratelen van een naderende koets. Ik draaide me om en zag een coupé die voortgetrokken werd door twee mooie grijze merries. De koetsier dreef ze voort met zijn zweep, want de heuvel was steil en de grond al vervaarlijk glad door modder en sneeuw die maakten dat de wielen weggleden. Ik keek naar Holmes. Hij had een blik die ik nooit eerder had gezien. Ik zou die misschien kunnen beschrijven als kille voldoening, het gevoel dat hij gelijk had gekregen en nu eindelijk wraak kon nemen. Zijn blik was helder, maar zijn jukbeenderen vormden er donkere lijnen onder en ik bedacht dat zelfs de engel des doods er niet zo dreigend uit zou zien als we elkaar eindelijk zouden ontmoeten.

'Zie je dat, Watson?' fluisterde hij.

Verscholen achter de bomen konden we niet gezien worden, maar tegelijkertijd hadden we in beide richtingen onbelemmerd zicht op zowel het schoolgebouw als de weg. Holmes wees en in het maanlicht zag ik een goudkleurig symbool dat op de zijkant van de coupé was geverfd: een raaf en twee sleutels. Dat was het familiewapen van Lord Ravenshaw en ik herinnerde me de arrogante man met de opgezwollen ogen wiens horloge was gestolen en die we in Gloucestershire hadden ontmoet. Was het mogelijk hij hier ook bij betrokken was? De koets reed de oprit op en stopte. Lord Ravenshaw stapte uit en was zelfs van deze afstand duidelijk herkenbaar. Hij droeg een cape en een hoge hoed. Hij liep naar de voordeur en klopte aan. Die werd geopend door iemand die onzichtbaar bleef, maar toen het gele licht naar buiten stroomde, zag ik hem iets omhooghouden dat uit zijn hand bungelde. Het leek op een lange strook papier, maar dat was het natuurlijk niet. Het was een lint van witte zijde. De nieuwkomer werd binnengelaten. De deur ging dicht.

'Het is precies zoals ik al dacht,' zei Holmes. 'Watson, ben je bereid om met me mee te komen? Ik moet je waarschuwen dat wat je aan de andere kant van die deur zult zien je misschien zeer zal verontrusten. Dit is een interessante zaak geweest en ik vrees al geruime tijd dat hij maar tot één conclusie kan leiden. Welnu, er zit niets anders op. We moeten zien wat we onder ogen moeten komen. Is je pistool geladen? Een enkel schot, Lestrade. Dat is het signaal voor jou en je mannen om binnen te komen.'

'Wat u maar wilt, meneer Holmes.'

We lieten de beschutting van de bomen achter ons en staken de weg over. Onze voeten knerpten al over een laag verse sneeuw. Voor ons doemde het huis op. Er hingen dikke gordijnen voor de ramen, waardoor slechts een vage rechthoek van licht naar buiten scheen. Ik kon nog steeds de piano horen, maar het deed me niet langer denken aan een formeel optreden – iemand speelde een Ierse ballade, het soort muziek dat opgevoerd werd in een ordinaire kroeg. We passeerden de rij met koetsen die wachtten op hun eigenaren en bereikten de voordeur. Holmes klopte aan. De deur werd geopend door een jongeman die ik niet had gezien tijdens mijn laatste bezoek aan de school, met platgekamd zwart haar, gewelfde wenkbrauwen en een houding die zowel hautain als eerbiedig was. Hij ging gekleed in een enigszins militaire stijl, met een kort jasje, een heupbroek en laarzen met knopen. Verder droeg hij een lavendelblauw vest en bijpassende handschoenen.

'Ja?' De huismeester, als hij dat was, herkende ons niet en bekeek ons achterdochtig.

'Wij zijn vrienden van Lord Horace Blackwater,' zei

Holmes, en het verbaasde me ten zeerste hem een van zijn aanklagers bij de politierechter te horen noemen.

'Heeft hij u hierheen gestuurd?'

'Hij heeft me u van harte aanbevolen.'

'En uw naam?'

'Parson. Dit is een collega van me, meneer Smith.'

'En heeft Sir Horace u iets gegeven waarmee u zich kunt identificeren? Het is niet onze gewoonte laat op de avond vreemdelingen binnen te laten.'

'Zeker. Hij zei dat ik u dit moest geven.' Holmes stak zijn hand in zijn zak en haalde er een lint van witte zijde uit. Hij hield het even op en overhandigde het toen.

Het had onmiddellijk effect. De huismeester boog zijn hoofd en deed de deur iets verder open. Met één hand gebaarde hij. 'Kom binnen.'

We kwamen in een gang die me nogal verraste, want ik herinnerde me het sobere en sombere karakter van de school aan de andere kant van de weg en had min of meer hetzelfde verwacht. Niets had minder waar kunnen zijn, want ik werd omgeven door weelde, door warmte en helder licht. Een gang met zwart-witte tegels in de Nederlandse stijl liep de verte in, met tussen de verscheidene deuren elegante mahoniehouten tafeltjes met sierkrullen en gedraaide poten. De gaslampen waren aangebracht in uiterst sierlijke houders en waren opgedraaid om het licht over de vele schatten te laten stromen die het huis rijk was. Aan de muren hingen overdadige rococospiegels met glimmende zilveren lijsten. De muren zelf waren bekleed met scharlakenrood en goudkleurig behang met reliëf. Twee marmeren beelden uit het oude Rome stonden tegenover elkaar in nissen, en hoewel ze in een museum wellicht niet zouden opvallen, leken ze in een privéwoning vreselijk ongepast. Overal stonden bloemen en potplanten: op de tafels, op zuilen en op houten plinten, en ze verspreidden een zware geur in de te warme lucht. De pianomuziek kwam uit een kamer aan het einde van de gang. Er was verder niemand te zien.

'Als u hier zou willen wachten, heren, zal ik de meester des huizes meedelen dat u er bent.'

De bediende ging ons voor door een deur en naar een salon die net zo mooi was ingericht als de gang buiten. Er lag dik tapijt. Rond een haard waarin verscheidene houtblokken fel brandden waren een sofa en twee leunstoelen geplaatst. Voor de ramen hingen dikke fluwelen gordijnen met zware lambrekijnen, die we vanbuiten hadden gezien, maar er was een glazen deur waar het gordijn weggetrokken was en die uitkwam op een kas vol varens en sinaasappelbomen en in het midden een grote koperen kooi met een groene parkiet. Een kant van het vertrek werd in beslag genomen door boekenkasten, de andere door een lang dressoir waarop allerlei ornamenten stonden, van blauw en wit Delfts aardewerk en foto's in lijstjes tot een tafereel van twee opgezette poesjes op kleine stoeltjes, met hun pootjes tegen elkaar gedrukt alsof ze man en vrouw waren. Naast het vuur stond een bijzettafel met ingelegde tegeltjes en erop een aantal flessen en glazen.

'Maakt u het zich alstublieft gemakkelijk,' zei de huismeester. 'Mag ik u heren iets te drinken aanbieden?' We bedankten. 'Als u dan hier wilt blijven, kom ik zo terug.' Hij verliet de kamer, waarbij zijn voeten geen geluid maakten op het tapijt, en sloot de deur. We waren alleen.

'In vredesnaam, Holmes!' riep ik uit. 'Wat is dit voor plek?'

'Dit is het Huis van Zijde,' antwoordde hij grimmig.

'Ja, maar wat…'

Hij hield een hand op. Hij was naar de deur gelopen en luisterde of er iemand was. Toen hij tevreden was, deed hij hem voorzichtig open en wenkte me. 'Er ligt een zware beproeving in het verschiet,' fluisterde hij. 'Ik heb er bijna spijt van dat ik je hier mee naartoe heb genomen, vriend. Maar we moeten hier een eind aan maken.'

We glipten naar buiten. De huismeester was verdwenen, maar de muziek speelde nog, een wals nu, en het viel me op dat de noten een beetje vals klonken. We begaven ons door de gang en gingen verder het gebouw in, weg van de voordeur. Ergens, ver boven ons, hoorde ik heel even iemand een kreet slaken, en mijn bloed stolde in mijn aderen, want ik wist zeker dat het een kind was. Een klok die aan de muur hing en luidruchtig tikte deelde mee dat het tien voor negen was, maar we waren zo ingesloten, zo afgesneden van de buitenwereld dat het elk tijdstip van de nacht of de dag zou kunnen zijn. We kwamen bij een trap en gingen die op. Al na de eerste treden hoorde ik ergens in de gang een deur opengaan en een mannenstem die ik dacht te herkennen. Het was de heer des huizes. Hij kwam naar ons toe.

We snelden verder en gingen net de hoek om toen twee personen – de huismeester die ons had begroet en iemand anders – onder ons passeerden.

'Kom mee, Watson,' fluisterde Holmes.

We bereikten een tweede gang, en hier waren de gaslampen lager gedraaid. Er hing bloemetjesbehang en er waren nog veel meer deuren met aan weerszijden olieverfschilderijen in stevige lijsten die smakeloze imitaties van klassieke werken bleken te zijn. Er hing een geur die zoet en onaangenaam was. Hoewel de waarheid nog niet helemaal tot me doordrong, voelde ik intuïtief dat ik weg moest gaan, en ik wilde dat ik nooit was gekomen.

'We moeten een deur kiezen,' mompelde Holmes. 'Maar welke?' De deuren waren ongemarkeerd en identiek, van gelakt eikenhout met deurkrukken van wit porselein. Hij koos de deur het dichtst bij hem en deed die open. Samen keken we naar binnen. Naar de houten vloer, het kleed, de kaarsen, de spiegel, de kan en de wasbak, naar de man met de baard die we nooit eerder hadden gezien en die daar zat en slechts een wit overhemd droeg waarvan de kraag openstond, en naar de jongen op het bed achter hem.

Het kon niet waar zijn. Ik weigerde het te geloven. Maar tegelijkertijd kon ik het bewijs pal voor mijn ogen niet ontkennen. Want dat was het geheim van het Huis van Zijde. Het was een huis van ontucht, niets meer en niets minder, maar dan een voor mannen met een walgelijke perversie en met de rijkdom daaraan toe te kunnen geven. Deze mannen hadden een voorliefde voor jonge jongens, en hun beklagenswaardige slachtoffers waren geselecteerd uit dezelfde schoolkinderen die ik op Chorley Grange had gezien, van de Londense straten geplukt, zonder familie of vrienden om voor ze te zorgen, zonder geld en eten, voor het grootste deel genegeerd door een maatschappij voor wie ze nauwelijks meer waren dan een bron van overlast. Ze waren omgekocht of gedwongen tot een leven van ellende, bedreigd met mishandeling of als ze niet gehoorzaamden de dood. Ross was kortstondig een van hen geweest. Geen wonder dat hij was weggelopen. En geen wonder dat zijn zus had geprobeerd me neer te steken toen ze dacht dat ik hem weer kwam halen. In wat voor land leefde ik aan het einde van de vorige eeuw, vraag ik me af, dat het zijn jongeren volledig in de steek kan laten? Ze konden ziek worden. Ze konden verhongeren. En erger nog. Niemand deed het iets.

Al die gedachten raasden door mijn hoofd in de paar seconden dat we daar stonden. Toen merkte de man ons op. 'Wat doen jullie hier?' bulderde hij.

Holmes deed de deur dicht. Op dat moment klonk er beneden een kreet toen de heer des huizes de salon binnenging en zag dat we weg waren. De piano viel stil. Ik vroeg me af wat we nu moesten doen, maar een tel later werd de beslissing voor ons genomen. Er ging verderop in de gang een deur open en er kwam een man naar buiten, weliswaar volledig gekleed maar met zijn kleren slordig aan: zijn overhemd hing er aan de achterkant uit. Deze keer herkende ik hem meteen. Het was inspecteur Harriman.

Hij zag ons. 'Jullie!' riep hij uit.

Hij stond daar en keek naar ons. Zonder me te bedenken pakte ik mijn revolver en vuurde het enkele schot af waardoor Lestrade en zijn mannen ons te hulp zouden schieten. Maar ik vuurde niet in de lucht, wat ik wel had kunnen doen. Ik richtte op Harriman en haalde de trekker over met een moordzuchtig voornemen dat ik nog niet eerder en later ook nooit meer heb gevoeld. Voor het eerst in mijn leven wist ik precies wat het betekende om een man te willen doden.

Mijn kogel miste. Op het laatste moment moet Holmes gezien hebben wat ik van plan was, en hij schreeuwde het uit en stootte met zijn hand naar mijn pistool. Het was genoeg om mijn schot te verknoeien. De kogel verdwaalde en verbrijzelde een gaslamp. Harriman bukte en rende weg naar een tweede trap en verdween naar beneden. Tegelijkertijd had het schot een alarm laten afgaan dat door het hele gebouw klonk. Er vlogen nog meer deuren open en mannen van middelbare leeftijd stoven de gang op, om zich heen kijkend met blikken vol paniek en consternatie, alsof ze er heimelijk al jaren op rekenden dat hun zonden aan het licht zouden komen en meteen wisten dat het moment eindelijk was aangebroken. Beneden klonk gekraak van hout en het geluid van geschreeuw terwijl de voordeur werd ingetrapt. Ik hoorde Lestrade roepen. Er klonk een tweede schot. Iemand schreeuwde.

Holmes rende al achter Harriman aan en duwde iedereen opzij die in zijn weg stond. De man van Scotland Yard was duidelijk tot de conclusie gekomen dat het spel uit was, en het leek onvoorstelbaar dat hij zou kunnen ontsnappen. Lestrade was inmiddels aangekomen, zijn mannen zouden zich zo over het hele gebouw verspreiden. En toch was het duidelijk waar Holmes bang voor was, want hij was al bij de trap en snelde naar beneden. Ik volgde hem en samen bereikten we de benedenverdieping met zijn zwart-wit betegelde gang. Er heerste een grote chaos. De voordeur stond open, er waaide een ijzige wind door de gangen en de gaslampen flakkerden. Lestrades mannen waren al aan het werk gegaan. Lord Ravenshaw, die zijn mantel had uitgedaan en daaronder een fluwelen smokingjasje droeg, rende een van de kamers uit, met een sigaar nog in zijn hand. Hij werd vastgegrepen door een agent en tegen de muur gedrukt.

'Laat me los!' riep hij. 'Weet je wel wie ik ben?'

Hij besefte nog niet dat het hele land binnenkort zou weten wie hij was en zou walgen van hem en zijn naam. Andere bezoekers van het Huis van Zijde werden al gearresteerd of stommelden zonder enige moed of waardigheid rond, en velen van hen huilden van zelfmedelijden. De huismeester zat ineengezakt op de grond. Er druppelde bloed uit zijn neus. Ik zag hoe Robert Weeks, de leraar die afgestudeerd was aan Baliol College, met zijn armen achter zijn rug gedraaid een kamer uit werd gevoerd.

Helemaal achter in het huis was een deur. Die stond open en kwam uit in een tuin. Een van Lestrades mannen lag ervoor en er gulpte bloed uit een kogelwond in zijn borst. Lestrade boog zich al over hem heen, maar toen hij Holmes zag keek hij op, zijn gezicht rood van woede. 'Het was Harriman!' riep hij. 'Hij vuurde toen hij de trap af kwam.'

'Waar is hij?'

'Weg!' Lestrade wees naar de open deur.

Zonder een woord te zeggen stoof Holmes achter Harriman aan. Ik volgde hem, voor een deel omdat mijn plek aan zijn zijde was, maar ook omdat ik erbij wilde zijn wanneer de zaak eindelijk werd vereffend. Harriman was dan misschien slechts een bediende van het Huis van Zijde, hij had er een persoonlijke kwestie van gemaakt door Holmes onterecht gevangen te nemen en samen te spannen om hem te vermoorden. Ik zou hem met plezier hebben neergeschoten. Het speet me nog steeds dat ik net had gemist.

We begaven ons in de duisternis en de wervelende sneeuw. We volgden een pad langs de zijkant van het huis. De nacht was een maalstroom van zwart en wit geworden en zelfs de gebouwen aan de andere kant van de straat waren bijna niet meer te zien. Maar toen hoorden we het knallen van een zweep en het gehinnik van een paard, en een van de koetsen schoot naar voren in de richting van het hek. Er was geen twijfel mogelijk over wie de teugels in handen had. Met een zwaar gemoed en een bittere smaak in mijn mond besefte ik dat Harriman was ontkomen, dat we zouden moeten wachten in de hoop dat hij in de dagen erna gevonden en ingerekend zou worden.

Holmes liet het er echter niet bij zitten. Harriman had een karikel genomen, een vierwielig exemplaar dat voortgetrokken werd door twee paarden. Zonder een keuze te maken uit de rijtuigen die nog over waren, sprong mijn vriend in de dichtstbijzijnde, een gammele dogkar met maar één paard – en niet het stevigste exemplaar. Op de een of andere manier slaagde ik erin om achterin te klimmen en toen waren we op weg. We negeerden de kreten van de koetsier die in de buurt een sigaret had staan roken en ons pas opmerkte toen het te laat was. We scheurden de poort door en draaiden de weg op. Nu Holmes hem met de zweep opjaagde, bleek het paard meer pit te hebben dan we hadden verwacht, en het dogkarretje vloog over het besneeuwde oppervlak. We hadden dan misschien een paard minder dan Harriman, ons voertuig was wel lichter en wendbaarder. Hoog op mijn plek moest ik me uit alle macht vastklampen. Als ik eraf zou vallen zou ik ongetwijfeld mijn nek breken.

Dit was geen geschikte nacht voor een achtervolging. De

sneeuw vloog horizontaal op ons af en geselde ons in een aanhoudende reeks vlagen. Ik had geen idee hoe Holmes iets kon zien, want elke keer als ik in de duisternis probeerde te turen werd ik meteen verblind, en mijn wangen waren al gevoelloos van de kou. Maar daar was Harriman, nog geen vijftig meter van ons vandaan. Ik hoorde hem geërgerd schreeuwen en met de zweep knallen. Holmes zat voor me, voorovergebogen met de teugels in beide handen, en hij hield zich alleen met zijn voeten in evenwicht. Bij elke kuil in het wegdek dreigde hij te vallen. Bij de geringste bocht scheerden we over het ijzige oppervlak. Ik vroeg me af of de dunne assen het zouden houden, en ik zag de ramp al voor me als ons ros, opgewonden door de achtervolging, onze kar uiteindelijk aan stukken trok. De heuvel was steil en het was net alsof we een afgrond in reden, met de sneeuw die om ons heen joeg en de wind die ons omlaagzoog.

Veertig meter, dertig… Op de een of andere manier slaagden we erin de kloof te dichten. De hoeven van de andere paarden kwamen bulderend neer en de wielen van de sjees tolden als een razende. Het hele voertuig rammelde en schudde alsof het elk moment uit elkaar kon scheuren. Harriman had ons nu opgemerkt. Ik zag hem een blik achterom werpen, waarbij zijn witte haar als een krankzinnige halo om zijn hoofd wapperde. Hij stak zijn hand ergens naar uit. Te laat zag ik wat het was. Er was een korte rode flits, een pistoolschot dat in de kakofonie van de achtervolging bijna verloren ging. Ik hoorde de kogel het hout raken. Hij had Holmes op een paar centimeter na gemist en mij op nog minder. Hoe dichterbij we kwamen, hoe gemakkelijker hij raak zou kunnen schieten. En toch denderden we verder.

Nu waren er in de verte lichten te zien, een dorpje of een buitenwijk. Harriman vuurde een tweede schot. Ons paard gilde en struikelde. De hele dogkar vloog de lucht in en kwam toen met razend geweld neer, waardoor mijn rug een klap kreeg en er een steek door mijn schouder ging. Maar gelukkig was het beest slechts gewond geraakt en niet gedood, en het werd alleen maar aangespoord door de bijna fatale afloop. Holmes slaakte een woordeloze kreet. Dertig meter, twintig. Over een paar tellen zouden we hem inhalen.

Maar toen trok Holmes aan de teugels en ik zag voor ons een scherpe bocht – de weg ging naar links, en als we de bocht op deze snelheid probeerden om te gaan, zouden we zeker omkomen. De dogkar glipte over het oppervlak, en ijs en modder sproeide onder de wielen vandaan. Ik zou ongetwijfeld vallen. Ik verstevigde mijn greep. De wind beukte op me in en de hele wereld leek nauwelijks meer dan een waas. Voor me klonk een scherp gekraak – geen derde kogel, maar het geluid van versplinterend hout. Ik opende mijn ogen en zag dat de sjees te snel de bocht was omgegaan. Hij reed op twee wielen, wat voor een onvoorstelbare druk op het houten gestel zorgde, dat voor mijn ogen in stukken brak. Harriman vloog van zijn plek de lucht in, en de teugels trokken hem naar voren. Even hing hij daar. Toen tuimelde het hele gevaarte opzij, en Harriman verdween uit het zicht. De paarden bleven rennen, maar ze waren losgeraakt van het rijtuig en verdwenen in de duisternis. De sjees slipte en tolde en kwam uiteindelijk pal voor ons tot stilstand, en even dacht ik dat we erop zouden botsen, maar Holmes had de teugels nog vast. Hij leidde ons paard om het obstakel heen en bracht het tot stilstand.

Het paard bleef staan hijgen. Er liep een straaltje bloed over zijn flank en ik had het gevoel alsof al mijn botten ontwricht waren. Ik droeg geen jas en rilde van de kou.

'Zo, Watson,' zei Holmes hijgend en met schorre stem. 'Denk je dat ik een toekomst als koetsier heb?'

'Misschien wel,' antwoordde ik. 'Maar verwacht niet te veel fooien.'

'Laten we kijken wat we voor Harriman kunnen doen.'

We klommen naar beneden, maar één blik maakte ons al duidelijk dat de achtervolging op alle mogelijke manieren voorbij was. Harriman zat onder het bloed. Zijn nek was zo ernstig gebroken dat hij weliswaar met zijn handpalmen op het wegdek voorover lag, maar zijn blinde ogen omhoogstaarden naar de hemel, en zijn hele gezicht was vertrokken in een vreselijke grimas van pijn. Holmes wierp een blik op hem en knikte. 'Hij verdiende niet beter,' zei hij.

'Hij was verdorven, Holmes. Dit zijn stuk voor stuk slechte mensen.'

'Dat vat je goed samen, Watson. Kun je het aan om terug te keren naar Chorley Grange?'

'Die kinderen, Holmes. Die arme kinderen.'

'Ik weet het. Maar Lestrade moet inmiddels de leiding hebben genomen. Laten we kijken wat we kunnen doen.'

Ons paard was een en al pit en wrok, en zijn neusgaten stootten damp de avondhemel in. Met moeite slaagden we erin hem om te draaien en langzaam leidden we hem de heuvel weer op. Het verbaasde me om te zien hoe ver we waren gekomen. De tocht naar beneden had maar een paar minuten geduurd, maar het kostte ons meer dan een halfuur om terug te keren. Het leek nu echter minder hard te sneeuwen en de wind was afgenomen. Ik was blij dat er tijd was om weer tot mezelf te komen, om alleen te zijn met mijn vriend.

'Holmes,' zei ik, 'wanneer wist je het?'

'Van het Huis van Zijde? Ik vermoedde dat er iets niet in de haak was toen we de eerste keer in Chorley Grange waren. Fitzsimmons en zijn vrouw waren voortreffelijke acteurs, maar je herinnert je nog wel hoe boos hij werd toen de jongen die we ondervroegen – een blonde jongen die Daniel heette – zei dat Ross een zus had die in The Bag of Nails werkte. Hij loste het goed op. Hij wilde ons laten geloven dat hij het vervelend vond dat we die informatie niet eerder hadden gekregen, maar in werkelijkheid was hij woedend dat ons ook maar iets verteld werd. Ik brak me ook het hoofd over de aard van het gebouw tegenover de school. Ik zag meteen dat de wielsporen van een aantal verschillende rijtuigen waren, waaronder een coupé en een landauer. Waarom zouden de eigenaren van zulke dure voertuigen naar een muziekuitvoering van een groep anonieme, achtergestelde jongens komen? Het klopte niet.'

'Maar je besefte niet…'

'Toen nog niet. Dat is een les die ik geleerd heb, Watson, en eentje die ik in de toekomst zal onthouden. Bij het onderzoek naar een misdaad moet een detective zich soms laten leiden door zijn ergste voorgevoel, wat wil zeggen dat hij zich in de belevingswereld van de crimineel verplaatst. Maar er zijn grenzen die een beschaafd man weigert te overschrijden. Dat was hier het geval. Ik dacht niet dat de Fitzsimmons en hun trawanten betrokken waren bij iets dergelijks om de eenvoudige reden dat ik dat niet wilde. Maar of ik het nu wil of niet, in de toekomst moet ik leren minder kritisch te zijn. Pas toen we het lichaam van die arme Ross vonden begon ik in te zien dat we een terrein hadden betreden dat in niets leek op iets waar we ervaring mee hadden. Het ging niet alleen om de wreedheid van zijn verwondingen. Het was het witte lint dat om zijn pols was gebonden. Iemand die zoiets kan doen bij een dood kind moet een volkomen verdorven karakter hebben. Een dergelijke man is tot alles in staat.'

'Het witte lint.'

'Zoals je gezien hebt, was dat het teken waarmee deze mannen elkaar herkenden en waarmee ze zich toegang verschaften tot het Huis van Zijde. Maar het had nog een tweede doel. Door het om de pols van de jongen te wikkelen, stelden ze hem ten voorbeeld. Ze wisten dat erover geschreven zou worden in de kranten en zodoende kon fungeren als waarschuwing, dat dit zou gebeuren met iedereen die hun pad waagde te kruisen.'

'En de naam, Holmes. Noemden ze het daarom het Huis van Zijde?'

'Dat was niet de enige reden, Watson. Ik vrees dat we het antwoord al die tijd onder ogen hebben gehad, hoewel het misschien achteraf pas duidelijk werd. Je herinnert je de naam nog wel van de liefdadigheidsinstelling die volgens Fitzsimmons zijn werk steunde, de Stichting voor de Integratie van Jeugdige Delinquenten? Volgens mij waren we op zoek naar het Huis van SIJDE, en niet van Zijde. Daar komt het in elk geval vast vandaan. Die instelling zou wel eens voor deze mensen opgericht kunnen zijn. Het bood hun de werkwijze om de kinderen te vinden en onder het mom van de instelling konden ze hen uitbuiten.'

We hadden de school bereikt. Holmes gaf de dogkar terug aan zijn eigenaar en verontschuldigde zich. Lestrade wachtte ons op in de deuropening. 'Waar is Harriman?' vroeg hij.

'Hij is dood. Zijn wagen sloeg over de kop.'

'Ik kan niet zeggen dat het me spijt.'

'Hoe gaat het met je man die is neergeschoten?'

'Hij is er slecht aan toe, meneer Holmes, maar hij zal het wel overleven.'

Hoe onwillig ik ook was het gebouw een tweede keer te betreden, we volgden Lestrade weer naar binnen. De luifel was neergehaald en werd gebruikt om de agent mee te bedekken die door Harriman was neergeschoten, en de piano was natuurlijk niet meer te horen. Maar verder was het Huis van Zijde nog grotendeels hetzelfde als de eerste keer dat we er naar binnen waren gegaan. Het bezorgde me koude rillingen om er weer rond te lopen, maar ik besefte dat er nog kwesties waren die we moesten afronden.

'Ik laat meer mannen komen,' zei Lestrade tegen ons. 'Dit is een kwalijke zaak, meneer Holmes, en iemand die veel hoger in rang is dan ik mag het oplossen. Ik kan u vertellen dat de kinderen zijn teruggestuurd naar de school aan de andere kant van de weg en dat twee agenten een oogje op hen houden, aangezien alle leraren op deze vreselijke plek hierbij betrokken zijn. Ik heb ze allemaal laten arresteren. Twee van hen – Weeks en Vosper – heeft u geloof ik ontmoet.'

'En Fitzsimmons en zijn vrouw?' vroeg ik.

'Die zitten in de salon en we gaan zo naar ze toe, hoewel ik u eerst iets wil laten zien, als u het aankunt.' Ik kon nauwelijks geloven dat het Huis van Zijde nog meer geheimen kon herbergen, maar we volgden Lestrade weer naar boven, terwijl hij aan één stuk door praatte. 'Er waren nog negen mannen aanwezig. Hoe moeten we ze noemen. Cliënten? Klanten? Onder hen bevonden zich Lord Ravenshaw en een andere man die u goed kent, een zekere dokter Ackland. Nu begrijp ik waarom hij er zo op gebrand was meineed te plegen.'

'En hoe zit het met Lord Horace Blackwater?' vroeg Holmes.

'Hij was hier vanavond niet aanwezig, meneer Holmes, hoewel we er ongetwijfeld achter zullen komen dat hij hier regelmatig te gast was. Maar komt u deze kant op. Ik zal u laten zien wat we gevonden hebben en dan zullen we zien of u er iets van begrijpt.'

We liepen de gang door waar we Harriman hadden gezien. De deuren waren nu open en toonden slaapkamers die stuk voor stuk weelderig waren ingericht. Ik wilde bij geen ervan naar binnen – ik kreeg al kippenvel bij de gedachte – maar ik volgde Holmes en Lestrade en bevond me in een kamer die gedrapeerd was in blauwe zijde, met een gietijzeren bed, een lage sofa en een deur die naar een badkamer met waterleiding liep. De wand ertegenover werd in beslag genomen door een aquarium waarin rode en goudkleurige vissen boven een bed van gekleurde steentjes loom heen en weer zwommen.

'Deze kamer was niet in gebruik toen we naar binnen gingen,' legde Lestrade uit. 'Mijn mannen liepen verder naar de volgende deur, waarachter een gangkast is, en maakten die toevallig open. Kijkt u hier eens. Dit was wat we aantroffen.'

Hij liep met ons naar het aquarium en aanvankelijk begreep ik niet waarom we dat zo aandachtig bekeken. Maar toen besefte ik dat er in de muur erachter een klein gat was gemaakt, volledig aan het zicht onttrokken door het water, waardoor het nagenoeg onzichtbaar was.

'Een raampje!' riep ik uit, en op dat moment besefte ik wat dat inhield. 'Alles wat in deze kamer plaatsvond kon geobserveerd worden.'

'Niet alleen geobserveerd,' mompelde Lestrade grimmig.

Hij nam ons weer mee de gang in, en wierp de deur van de gangkast open. Die was leeg, op een tafeltje na waarop een mahoniehouten kist stond. Ik wist niet precies wat ik zag, maar toen haalde Lestrade de haak van de kist, die zich opende als een concertina, en ik besefte dat het een camera was, en dat de lens aan het uiteinde van een buis die naar buiten schoof tegen de andere kant van het raampje zat gedrukt dat we zojuist hadden gezien.

'Een kwart plaat, Le Merveilluex, vervaardigd door J. Lancaster and Son uit Birmingham, als ik me niet vergis,' merkte Holmes op.

'Maakt dit deel uit van hun verdorvenheid?' wilde Lestrade weten. 'Moesten ze vastleggen wat hier plaatsvond?'

'Dat denk ik niet,' antwoordde Holmes. 'Maar ik begrijp nu waarom mijn broer, Mycroft, zo vijandig werd bejegend toen hij vragen stelde en waarom hij me niet te hulp kon komen. Zei je dat je Fitzsimmons beneden hebt?'

'En zijn vrouw.'

'Dan denk ik dat het tijd is dat we met hem afrekenen.'

Het vuur brandde nog in de salon en de kamer was warm en benauwd. De eerwaarde Charles Fitzsimmons zat op de sofa met zijn vrouw en ik was blij om te zien dat hij zijn priesterboord had afgedaan en een smokingoverhemd en een zwart vlinderdasje droeg. Ik geloof niet dat ik het nog zou hebben kunnen verdragen als hij volhield deel uit te maken van de kerk. Mevrouw Fitzsimmons zat stug en teruggetrokken naast hem en weigerde ons aan te kijken. Ze zei geen woord tijdens het gesprek dat volgde. Holmes ging zitten. Ik ging met mijn rug naar het vuur staan. Lestrade bleef bij de deur.

'Meneer Holmes!' Fitzsimmons klonk aangenaam verrast hem te zien. 'Ik denk dat ik u moet feliciteren, meneer. U heeft in elk geval bewezen net zo ontzagwekkend te zijn als ik had gehoord. U bent erin geslaagd te ontsnappen uit de eerste val die we voor u hadden gezet. Uw verdwijning uit Holloway was buitengewoon. En aangezien Henderson noch Bratby is teruggekeerd naar dit etablissement neem ik aan dat u ze in Jackdaw Lane te slim af bent geweest en dat ze allebei gearresteerd zijn?'

'Ze zijn dood.'

'Ze zouden uiteindelijk toch wel zijn opgehangen, neem ik aan, dus ik ga ervan uit dat het niet veel uitmaakt.'

'Bent u bereid mijn vragen te beantwoorden?'

'Natuurlijk. Ik zie absoluut geen reden waarom niet. Ik schaam me niet voor wat we hier op Chorley Grange gedaan hebben. Sommige agenten hebben ons zeer ruw behandeld en…' Tijdens de rest van de zin wendde hij zich tot Lestrade bij de deur. 'Ik kan u verzekeren dat ik een officiële klacht zal indienen. Maar de waarheid is dat we voorzien hebben in een behoefte die bepaalde mannen al eeuwen hebben. Ik neem aan dat u de oude beschavingen van de Grieken, de Romeinen en de Perzen kent? De verering van Ganymedes was oprecht, meneer. Walgt u van het werk van Michelangelo of zelfs van de sonnetten van William Shakespeare? Nu ja, de semantiek van de kwestie wilt u ongetwijfeld niet bespreken. U voert de bovenhand, meneer Holmes. Wat wilt u weten?'

'Was het Huis van Zijde uw idee?'

'Het was geheel mijn idee. Ik kan u verzekeren dat de Stichting voor de Integratie van Jeugdige Delinquenten en de familie van onze weldoener, Sir Crispin Ogilvy, die zoals ik u al verteld heb betaald heeft voor de aanschaf van Chorley Grange, niet weten wat we doen en ongetwijfeld net zo onthutst zijn als u. Ik hoef niets voor u achter te houden. Ik vertel u slechts de waarheid.'

'Was u degene die de opdracht gaf om Ross te doden?'

'Dat moet ik inderdaad bekennen. Ik ben er niet trots op, meneer Holmes, maar het was nodig om mijn veiligheid en de voortgang van deze onderneming te verzekeren. Ik beken niet dat ik de moord zelf heb gepleegd, dat begrijpt u. Die is uitgevoerd door Henderson en Bratby. En daar kan ik nog aan toevoegen dat u zichzelf niet wijs moet maken dat Ross een onschuldig engeltje was dat een slecht leven was gaan leiden. Mevrouw Fitzsimmons had gelijk. Hij was een stuk ongeluk en heeft dit alleen maar aan zichzelf te wijten.'

'Ik geloof dat u een fotografisch verslag van enkele van uw cliënten bijhoudt.'

'Bent u in de blauwe kamer geweest?'

'Ja.'

'Dat was zo nu en dan nodig.'

'Ik neem aan dat het doel afpersing was.'

'Afpersing, zo af en toe, en alleen als het echt nodig was, want het zal u niet verbazen dat ik een aanzienlijk bedrag heb verdiend aan het Huis van Zijde en niet echt behoefte had aan een andere bron van inkomsten. Nee, nee, nee, het had meer te maken met zelfbescherming, meneer Holmes. Hoe denkt u dat ik in staat was dokter Ackland en Lord Horace Blackwater over te halen om in een openbare rechtszaal te verschijnen? In hun geval was het een daad van zelfbescherming. En om die reden kan ik u wel vertellen dat mijn vrouw en ik in dit land nooit terecht zullen staan. We kennen te veel geheimen over te veel mensen, van wie sommige in de allerhoogste functies, en we hebben het bewijs goed weggestopt. De heren die u hier vanavond aantrof vormden maar een kleine selectie van mijn dankbare cliënten. We hebben ministers en rechters, advocaten en lords te gast gehad. Bovendien zou ik de naam van één lid van de hoogste familie van het land kunnen noemen die hier regelmatig te gast is geweest, maar hij rekent natuurlijk op mijn discretie, zoals ik indien nodig op zijn bescherming kan rekenen. Begrijpt u wat ik bedoel, meneer Holmes? Ze zullen nooit toestaan dat u deze zaak aan het licht brengt. Over een halfjaar zijn mijn vrouw en ik vrij en beginnen we in stilte opnieuw. Misschien zal het nodig zijn onze blik op het continent te richten. Ik heb altijd een voorliefde voor het zuiden van Frankrijk gehad. Maar hoe dan ook en waar dan ook: het Huis van Zijde zal terugkomen. Dat kan ik u verzekeren.'

Holmes zei niets. Hij stond op en samen liepen hij en ik de kamer uit. Hij had het de rest van de avond niet meer over Fitzsimmons en ook de volgende ochtend had hij verder niets over het onderwerp te zeggen. Tegen die tijd hadden we het echter alweer druk, want het hele avontuur was natuurlijk begonnen in Wimbledon, en dat was de plek waarnaar we nu terugkeerden.

20

Keelan O'Donaghue

De sneeuw van de avond ervoor had Ridgeway Hall veranderd op een manier die ronduit verbijsterend was. Het accentueerde zijn symmetrie, waardoor het op de een of andere manier tijdloos werd. Ik had het beide keren dat ik het had bezocht al mooi gevonden, maar toen ik het de laatste keer naderde, in gezelschap van Sherlock Holmes, vond ik het net zo volmaakt als de miniatuurhuisjes die je achter het raam van een speelgoedwinkel ziet staan, en het voelde bijna als vandalisme om met de wielen van ons rijtuig de witte oprit te doorkruisen.

Het was vroeg in de middag van de volgende dag en ik moet toegeven dat ik, als ik de kans had gehad, dit bezoek minstens vierentwintig uur zou hebben uitgesteld, want ik was uitgeput van de avond ervoor en mijn arm was op de plek waar ik geraakt was zo pijnlijk dat ik de vingers van mijn linkerhand nauwelijks kon buigen. Ik had een ellendige nacht achter de rug. Ik had wanhopig graag willen slapen om alles te vergeten wat ik op Chorley Grange had gezien, maar dat lukte niet, juist omdat het nog zo vers in mijn geheugen lag. Ik was naar de ontbijttafel gelopen en had me geërgerd toen ik Holmes daar zag zitten, die weer helemaal de oude was en me fris als een hoentje begroette op die afgemeten, zorgvuldige manier van hem, alsof er niets onbetamelijks was gebeurd. Hij was degene die op dit bezoek had gestaan en al voordat ik wakker was geworden een telegram naar Edmund Carstairs had gestuurd. Ik herinnerde me ons treffen in The Bag of Nails, toen ik beschreven had wat de familie, en met name Elizabeth Carstairs, was overkomen. Hij was nu net zo bezorgd als destijds en hechtte duidelijk veel belang aan haar plotselinge ziekte. Hij stond erop haar zelf te zien, hoewel ik niet begreep hoe hij haar zou kunnen helpen waar ik en al die andere artsen gefaald hadden.

We klopten aan. De deur werd geopend door Patrick, het Ierse hulpje dat ik in de keuken had ontmoet. Hij keek met een lege blik naar Holmes en vervolgens naar mij. 'O, bent u het,' zei hij met een chagrijnige blik. 'Ik had u hier niet terug verwacht.'

Nog nooit was ik bij een deur zo aanmatigend begroet, maar Holmes leek geamuseerd. 'Is je baas thuis?'

'Wie mag ik zeggen dat er is?'

'Mijn naam is Sherlock Holmes. Hij verwacht ons. En wie ben jij?'

'Ik ben Patrick.'

'Dat is een accent uit Dublin, als ik me niet vergis.'

'En wat dan nog?'

'Patrick? Wie is daar? Waarom is Kirby niet hier?' Edmund Carstairs was in de gang verschenen en kwam zichtbaar geïrriteerd onze kant op. 'U moet me vergeven, meneer Holmes. Kirby moet nog boven bij mijn zus zijn. Ik wilde niet dat het keukenhulpje de deur zou openen. Je kunt gaan, Patrick. Ga terug naar je plek.'

Carstairs was net zo onberispelijk gekleed als alle andere keren dat ik hem had gezien, maar de rimpels die veroorzaakt waren door dagen van ongerustheid waren duidelijk zichtbaar op zijn gezicht en ik vermoedde dat hij net als ik slecht geslapen had.

'U heeft mijn telegram ontvangen,' zei Holmes.

'Ja, maar u heeft dat van mij kennelijk niet gekregen, want ik maakte erin duidelijk wat ik dokter Watson al had meegedeeld, dat ik geen behoefte meer heb aan uw diensten. Het spijt me het te moeten zeggen, maar u heeft mijn familie niet geholpen, meneer Holmes. En daar moet ik nog aan toevoegen dat ik begrepen heb dat u gearresteerd bent en ernstige problemen met het gezag heeft gehad.'

'Die kwesties zijn opgelost. Wat uw telegram betreft, meneer Carstairs, dat heb ik inderdaad ontvangen, en wat u te zeggen had heb ik met interesse gelezen.'

'En u bent toch gekomen?'

'U kwam destijds naar mij toe omdat u geterroriseerd werd door een man met een platte pet, een man van wie u dacht dat het Keelan O'Donaghue uit Boston was. Ik kan u vertellen dat ik nu de feiten ken, die ik graag met u zou willen delen. Ik kan u ook vertellen wie hem heeft gedood. U kunt zichzelf wijsmaken dat die dingen er niet meer toe doen, en als dat het geval is, kan ik het eenvoudig houden. Als u wilt dat uw zus sterft, stuurt u me weg. Zo niet, dan laat u me binnenkomen en luistert u naar wat ik te zeggen heb.'

Carstairs aarzelde en ik zag dat hij een innerlijke strijd voerde, dat hij op een merkwaardige manier bijna bang voor ons was, maar uiteindelijk won zijn gezond verstand. 'Laat me uw jas aannemen. Ik weet niet waar Kirby mee bezig is. Soms lijkt het wel alsof dit hele huishouden in chaos is vervallen.' We trokken onze jas uit en hij gebaarde naar de salon waar hij ons tijdens ons eerste bezoek had ontvangen.

'Als u het niet erg vindt, zou ik graag eerst uw zus willen zien,' merkte Holmes op.

'Mijn zus is niet langer in staat iemand te ontvangen. Ze is haar gezichtsvermogen kwijtgeraakt. Ze kan nauwelijks nog praten.'

'Praten zal niet nodig zijn. Ik wil alleen haar kamer zien. Weigert ze nog steeds te eten?'

'Het is niet langer een kwestie van weigeren. Ze kan geen vast voedsel verteren. Het beste wat ik kan doen is haar zo nu en dan een beetje warme soep voeren.'

'Ze gelooft nog steeds dat ze vergiftigd wordt.'

'Naar mijn mening is die irrationele overtuiging de belangrijkste bron van haar ziekte geworden, meneer Holmes. Zoals ik uw collega al vertelde, heb ik elk hapje dat in haar mond is gekomen geproefd, zonder enig negatief effect. Ik begrijp de vloek niet die over me is neergedaald. Voordat ik u leerde kennen, was ik gelukkig.'

'En dat hoopt u vast opnieuw te worden.'

We begaven ons weer naar de zolderkamer waar ik eerder was geweest. Toen we de deuropening bereikten verscheen de knecht, Kirby, met een dienblad waarop een onaangeroerd bord soep stond. Hij keek naar zijn baas en schudde zijn hoofd, waarmee hij duidelijk maakte dat de patiënt opnieuw geweigerd had te eten. We gingen naar binnen. Ik was verbijsterd bij de aanblik van Eliza Carstairs. Hoe lang was het geleden dat ik haar voor het laatst had gezien? Nauwelijks langer dan een week, en toch was ze in die tijd zichtbaar achteruitgegaan, zozeer dat ze me deed denken aan het levende skelet dat ik aangekondigd had gezien in het Huis der Wonderen van dokter Silkin. Haar huid was gespannen op die vreselijke manier waarop dat gebeurt bij patiënten als ze het einde nabij zijn, en haar lippen waren teruggetrokken, zodat haar tandvlees en tanden blootlagen. De vorm van het lichaam onder de deken was nietig en deerniswekkend. Haar ogen staarden ons aan maar zagen niets. Haar handen, die over haar borst lagen gevouwen, waren die van een vrouw die dertig jaar ouder was dan Eliza Carstairs.

Holmes onderzocht haar vluchtig. 'Is haar badkamer hiernaast?' vroeg hij.

'Ja, maar ze is te zwak om erheen te lopen. Mevrouw Kirby en mijn vrouw wassen haar waar ze ligt…'

Holmes was al weggelopen uit de kamer. Hij ging de badkamer binnen en liet Carstairs en mij achter met de starende vrouw, in een ongemakkelijke stilte. Na een tijdje verscheen hij weer. 'We kunnen weer naar beneden,' zei hij. Carstairs en ik volgden hem, allebei verbaasd, omdat het bezoek nog geen halve minuut had geduurd.

We gingen terug naar de salon, waar Catherine Carstairs voor een vrolijk vuur een boek zat te lezen. Ze sloot het zodra we binnenkwamen en kwam snel overeind. 'Meneer Holmes en dokter Watson! Jullie zijn wel de laatste twee die ik verwacht had.' Ze wierp een blik op haar echtgenoot. 'Ik dacht…'

'Ik deed precies wat we hadden afgesproken, liefste. Maar meneer Holmes besloot toch langs te komen.'

'Het verbaast me dat u me niet wilde zien, mevrouw Carstairs,' merkte Holmes op. 'Vooral omdat u me een tweede keer kwam raadplegen nadat uw schoonzus ziek was geworden.'

'Dat was een tijdje terug, meneer Holmes. Ik wil niet bot zijn, maar ik heb de hoop allang opgegeven dat u ons kunt helpen. De man die ongenodigd naar ons huis kwam en geld en sieraden van ons heeft gestolen, is dood. Willen we weten wie hem heeft vermoord? Nee! Het feit dat hij ons niet langer lastig kan vallen is genoeg. Als u niets kunt doen om die arme Eliza te helpen, is er geen enkele reden voor u om hier te blijven.'

'Ik geloof dat ik juffrouw Carstairs kan redden. Het is misschien nog niet te laat.'

'Redden waarvan?'

'Van vergiftiging.'

Catherine Carstairs sprong op. 'Ze wordt niet vergiftigd! Dat is uitgesloten. De artsen weten niet waar ze ziek van is, maar daar zijn ze het over eens.'

'Dan vergissen ze zich allemaal. Mag ik gaan zitten? Ik heb u heel veel te vertellen en ik denk dat we allemaal meer op ons gemak zijn als we zitten.'

De vrouw keek hem kwaad aan, maar deze keer koos de echtgenoot de kant van Holmes. 'Goed, meneer Holmes, ik zal aanhoren wat u te vertellen heeft. Maar vergist u zich niet, als ik denk dat u me om de tuin probeert te leiden, zal ik niet schromen u te vragen weer te vertrekken.'

'Ik ben niet van plan u om de tuin te leiden,' antwoordde Holmes. 'Integendeel zelfs.' Hij ging in de leunstoel zitten die het verst van het vuur stond. Meneer en mevrouw Carstairs gingen op de sofa tegenover hem zitten. Eindelijk begon hij.

'U kwam op advies van uw boekhouder naar mijn huis, meneer Carstairs, omdat u bang was dat uw leven gevaar liep door een man die u nog nooit had ontmoet. U was die avond op weg naar een opera, van Wagner, als ik het me goed herinner. Maar het was al laat toen u weer bij me wegging. Ik stel me zo voor dat u het begin heeft gemist.'

'Nee, ik arriveerde op tijd.'

'Het doet er niet toe. Ik vond veel aspecten van uw verhaal opmerkelijk, met name het vreemde gedrag van die burgerwacht, Keelan O'Donaghue, als hij het inderdaad was. Ik kon best geloven dat hij u helemaal naar Londen was gevolgd en uw adres hier in Wimbledon had achterhaald met het uitdrukkelijke doel u te doden. U was immers verantwoordelijk – in elk geval deels – voor de dood van zijn tweelingbroer, Rourke O'Donaghue, en tweelingen zijn onlosmakelijk met elkaar verbonden. En hij had al wraak genomen op Cornelius Stillman, de man die uw olieverfschilderijen had gekocht en daarna de agenten van Pinkerton had betaald. Die hadden in Boston de Plattepettenbende opgespoord en in een regen van kogels een eind gemaakt aan hun carrière. Hoe heette de agent die u in de arm nam?'

'Dat was Bill McParland.'

'Natuurlijk. Zoals ik al zei zijn tweelingen vaak heel hecht en het is geen verrassing dat Keelan u dood wilde hebben. Waarom doodde hij u dan niet? Waarom sprong hij niet tevoorschijn om u neer te steken toen hij eenmaal wist waar u woonde? Dat zou ik gedaan hebben. Niemand wist dat hij in het land was. Hij had op een schip terug naar Amerika kunnen zijn voordat u in het lijkenhuis was. In werkelijkheid deed hij precies het tegenovergestelde. Hij ging voor uw huis staan met de platte pet op waarvan hij wist dat u hem eraan zou herkennen. Sterker nog: hij verscheen opnieuw, deze keer toen u en mevrouw Carstairs weggingen uit het Savoy. Wat denkt u dat er door hem heen ging? Het was bijna alsof hij u uitdaagde naar de politie te gaan, om hem te laten arresteren.'

'Hij wilde ons bang maken,' zei mevrouw Carstairs.

'Maar dat was niet de reden voor zijn derde bezoek. Deze keer kwam hij terug naar het huis met een briefje dat hij in de hand van uw echtgenoot drukte. Hij vroeg om een ontmoeting om twaalf uur in uw plaatselijke kerk.'

'Hij kwam niet opdagen.'

'Misschien was hij dat wel nooit van plan. Zijn laatste inmenging in uw leven kwam toen hij inbrak in het huis en vijftig pond en sieraden uit uw kluis stal. Ik vind zijn gedrag inmiddels meer dan opvallend. Niet alleen weet hij precies welk raam hij moet uitkiezen, hij heeft op de een of andere manier de hand gelegd op een sleutel die uw vrouw maanden voordat hij in het land kwam is kwijtgeraakt. En vindt u het niet interessant dat hij nu meer geïnteresseerd is in geld dan in moord, want hij staat midden in de nacht hier in huis. Hij kon naar boven gaan en u allebei in uw bed doden...'

'Ik werd wakker en hoorde hem.'

'Inderdaad, mevrouw Carstairs. Tegen die tijd had hij de kluis al geopend. Ik neem trouwens aan dat u en meneer Carstairs in aparte kamers slapen?'

Carstairs liep rood aan. 'Ik zie niet in hoe onze huiselijke omstandigheden verband houden met de zaak.'

'Maar u ontkent het niet. Heel goed, laten we het bij uw vreemde en enigszins besluiteloze indringer houden. Hij vlucht naar een pension in Bermondsey. Maar nu nemen de gebeurtenissen een verrassende wending als een tweede aanvaller, een man over wie we niets weten, Keelan O'Donaghue te grazen neemt – opnieuw moeten we aannemen dat hij het is – en hem doodsteekt, waarna hij niet alleen zijn geld meeneemt, maar alles waarmee hij geïdentificeerd zou kunnen worden, op een sigarettenetui na, dat op zich nutteloos is, aangezien de initialen WM erop staan.'

'Wat wilt u met dit alles zeggen, meneer Holmes?' vroeg Catherine Carstairs.

'Ik wil u alleen maar duidelijk maken wat voor mij al vanaf het begin duidelijk was: dat dit verhaal niet klopt, mevrouw Carstairs, tenzij je ervan uitgaat dat het niet Keelan O'Donaghue was die naar dit huis kwam, en het niet uw echtgenoot was die hij wilde spreken.'

'Maar dat is bespottelijk. Hij gaf mijn echtgenoot dat briefje.'

'En kwam niet opdagen in de kerk. Het helpt misschien als we ons in de schoenen van deze geheimzinnige bezoeker verplaatsen. Hij wil een gesprek onder vier ogen met een lid van dit huishouden, maar dat is niet eenvoudig. Naast u en uw echtgenoot zijn er uw zus en verscheidene personeelsleden… Meneer en mevrouw Kirby, Elsie en Patrick, het keukenhulpje. Aanvankelijk kijkt hij van een afstandje toe, maar ten slotte komt hij dichterbij met een briefje geschreven in hoofdletters en niet opgevouwen of in een envelop gestoken. Hij is duidelijk niet van plan het in de brievenbus te stoppen. Maar het zou kunnen dat hij hoopt degene te zien voor wie de brief bedoeld is, om hem eenvoudigweg omhoog te houden zodat het door het raam van de ontbijtkamer gelezen kan worden. Dan is het niet nodig om aan te bellen. Niet nodig om het risico te lopen dat het bericht in de verkeerde handen valt. Alleen zij tweeën zullen ervan weten en ze kunnen hun zaken later bespreken. Helaas keert meneer Carstairs onverwacht vroeg terug naar huis, vlak voordat onze man de kans heeft zijn doel te bereiken. Dus wat doet hij? Hij houdt het briefje hoog boven zijn hoofd en overhandigt het aan de heer Carstairs. Hij weet dat er vanuit de ontbijtkamer naar hem gekeken wordt en hij wil nu iets anders bereiken. "Kom naar me toe," zegt hij, "of ik vertel meneer Carstairs alles wat ik weet. Ik tref hem in de kerk. Ik tref hem waar ik maar wil. Je kunt me niet tegenhouden." Hij komt natuurlijk niet opdagen op de afspraak. Dat is niet nodig. De waarschuwing is genoeg.'

'Maar wie wilde hij spreken als het niet om mij ging?' vroeg Carstairs.

'Wie was er op dat moment in de ontbijtkamer?'

'Mijn vrouw.' Hij fronste zijn wenkbrauwen alsof hij het liefst van onderwerp wilde veranderen. 'Wie was die man als het niet Keelan O'Donaghue was?' vroeg hij.

'Het antwoord is heel eenvoudig, meneer Carstairs. Het was Bill McParland, de detective van Pinkerton. Ga maar na. We weten dat meneer McParland gewond is geraakt tijdens de beschieting in Boston en de man die we in de kamer van het pension aantroffen had een recent litteken op zijn rechterwang. We weten ook dat McParland ruzie had met zijn werkgever, Cornelius Stillman, die geweigerd had hem het bedrag te betalen dat hem verschuldigd was. Hij had dus een reden om ontevreden te zijn. En dan is er nog zijn naam. Ik neem aan dat Bill een afkorting is van William, en de initialen op het sigarettenetui waren…'

'wm,' onderbrak ik hem.

'Precies, Watson. En nu begint alles op zijn plek te vallen.

Laten we beginnen door stil te staan bij het lot van Keelan O'Donaghue zelf. Ten eerste: wat weten we over deze jongeman? Uw verhaal was opvallend gedetailleerd, meneer Carstairs, en daar ben ik u dankbaar voor. U vertelde ons dat Rourke en Keelan O'Donaghue een tweeling waren, maar dat Keelan kleiner was. Ze hadden elkaars initialen op hun armen getatoeëerd, een bewijs, als dat nog nodig was, van hun ongelooflijk hechte band. Keelan was gladgeschoren en zwijgzaam. Hij droeg een platte pet, wat het vast moeilijk maakte veel van zijn gezicht te zien. We weten dat hij een slanke bouw had. Alleen hij was in staat zich door de buis te wurmen die naar de rivier leidde en op die manier te ontvluchten. Maar één detail dat u noemde bleef me bij. De bende woonde bij elkaar in de smerige huurkazerne in South End, dat wil zeggen behalve Keelan, die de luxe van een eigen kamer had. Ik vroeg me vanaf het begin al af waarom dat zou kunnen zijn.

Het antwoord ligt natuurlijk voor de hand, gezien al het bewijs dat ik zojuist uiteen heb gezet, en het doet me deugd te kunnen zeggen dat het bevestigd is door niemand minder dan mevrouw Caitlin O'Donaghue, die nog steeds in Sackville Street in Dublin woont, waar ze een wasserette heeft. Het antwoord is als volgt. In het voorjaar van 1865 schonk ze niet het leven aan tweelingbroers, maar aan een broertje en een zusje. Keelan O'Donaghue was een meisje.'

De stilte die volgde op deze onthulling was in één woord een diepe. De onbeweeglijkheid van de winterdag drukte op de kamer en zelfs de vlammen in de open haard, die vrolijk hadden geflakkerd, leken hun adem in te houden.

'Een meisje?' Carstairs keek Holmes verbaasd aan, en er speelde een flauw glimlachje om zijn lippen. 'Dat leiding geeft aan een bende?'

'Een meisje dat haar identiteit geheim moest houden als ze in een dergelijke omgeving wilde overleven,' antwoordde

Holmes. En hoe dan ook: het was haar broer Rourke die de leiding had over de bende. Al het bewijs wijst op één enkele conclusie. Iets anders is niet mogelijk.'

'En waar is dat meisje?'

'Dat is heel eenvoudig, meneer Carstairs. U bent met haar getrouwd.'

Ik zag Catherine Carstairs bleek worden, maar ze zei niets. Carstairs, die naast haar zat, verstrakte opeens. Ze deden me denken aan de wassenbeelden waarvan ik op de kermis in Jackdaw Lane een glimp had opgevangen.

'U ontkent het niet, mevrouw Carstairs?' vroeg Holmes.

'Natuurlijk ontken ik het! Ik heb nog nooit zoiets idioots gehoord.' Ze wendde zich tot haar echtgenoot en er verschenen plotseling tranen in haar ogen. 'Je laat hem zo toch niet tegen me praten, Edmund? Om te suggereren dat ik iets te maken heb met een verachtelijke groep criminelen en boosdoeners!'

'Ik geloof dat uw woorden aan dovemansoren zijn gericht,' merkte Holmes op.

En het was waar. Vanaf het moment dat Holmes zijn verbijsterende mededeling had gedaan, staarde Carstairs voor zich uit met een uitdrukking van afgrijzen die op mij de indruk wekte dat een deel van hem de waarheid altijd gekend moest hebben, of op zijn minst vermoed, maar nu werd hij eindelijk gedwongen die onder ogen te komen.

'Alsjeblieft, Edmund…' Ze stak een hand naar hem uit, maar Carstairs deinsde achteruit.

'Mag ik verdergaan?' vroeg Holmes.

Catherine Carstairs wilde iets zeggen, maar ontspande toen. Haar schouders zakten neer en het was alsof er een zijden sluier van haar gezicht was getrokken. Opeens keek ze ons aan met een hardheid en een blik vol haat die onbetamelijk zouden zijn voor een Engelse dame, maar die haar in haar leven ongetwijfeld op de been had gehouden. 'O ja, o ja,' snoof ze. 'We kunnen net zo goed de rest horen.'

'Dank u.' Holmes knikte naar haar en ging verder. 'Na de dood van haar broer en de ondergang van de Plattepettenbende bevond Catherine O'Donaghue – want dat was haar geboortenaam – zich in een situatie die redelijk uitzichtloos moet hebben geleken. Ze was alleen in Amerika en werd gezocht door de politie. Daarnaast was ze de broer kwijtgeraakt die haar beter kende dan wie ook ter wereld, en van wie ze zielsveel moet hebben gehouden. Ze zon meteen op wraak. Cornelius Stillman was zo dwaas geweest om op te scheppen over zijn wapenfeiten in de pers van Boston. Nog steeds vermomd spoorde ze hem op en trof hem aan in de tuin van zijn huis in Providence, waar ze hem doodschoot. Maar hij was niet de enige die in de advertentie werd genoemd. Terugvallend op haar vrouwelijke personage volgde Catherine Stillmans zakenpartner toen die inscheepte op het cruiseschip van Cunard, de Catalonia. Het is duidelijk wat ze van plan was. Ze had niet langer een toekomst in Amerika. Het was tijd om terug te keren naar haar familie in Dublin. Niemand zou haar wantrouwen, reizend als een vrouw alleen, in gezelschap van een meid. Ze had het geld bij zich dat ze had weten te redden van haar eerdere misdaden. En ergens midden op de Atlantische Oceaan zou ze Edmund Carstairs tegen het lijf lopen. Het is niet zo moeilijk om op volle zee een moord te plegen. Carstairs zou verdwijnen en haar wraak zou voltrokken zijn.'

Holmes richtte zich nu rechtstreeks tot mevrouw Carstairs. 'Maar u veranderde van gedachten. Ik vraag me af waarom.'

De vrouw haalde haar schouders op. 'Ik zag Edmund voor wat hij was.'

'Het is precies zoals ik dacht. Hier was een man zonder ervaring met het andere geslacht, op een moeder en zus na die hem altijd overheerst hadden. Hij was ziek. Hij was bang. Wat moet het amusant voor u zijn geweest om hem te hulp te komen, om vriendschap met hem te sluiten en hem eindelijk in uw web te lokken. Op de een of andere manier moet u hem hebben overgehaald met u te trouwen en zich niets aan te trekken van zijn familie. En deze wraak moet veel zoeter zijn geweest dan de wraak die u oorspronkelijk in gedachten had. U was innig verbonden met een man die u verachtte. Maar u zou de rol van de toegewijde echtgenote spelen, en de schertsvertoning werd makkelijker gemaakt door het feit dat u ervoor koos in aparte kamers te slapen, en ik vermoed dat u hem nooit hebt toegestaan u ontkleed te zien. Er was het ongerief van die tatoeage, of niet soms? Dus als u ooit naar een badstrand ging, kon u natuurlijk niet zwemmen.

Er zou niets aan de hand zijn geweest als Bill McParland uit Boston niet was aangekomen. Hoe was hij u op het spoor gekomen en hoe was hij op de hoogte geraakt van uw nieuwe identiteit? Dat zullen we nooit te weten komen, maar hij was een detective, en een uitstekende, en hij had ongetwijfeld zo zijn methodes. Het was niet uw echtgenoot naar wie hij gebaarde voor dit huis en bij het Savoy. U was het. Op dat moment ging het hem er niet langer om u te arresteren. Hij was hier gekomen voor het geld dat hem verschuldigd was en waarnaar hij verlangde, zijn gevoel van onrecht, zijn recente verwonding – dat alles dreef hem tot wanhoop. Hij heeft u ontmoet, is het niet?'

'Ja.'

'En hij eiste geld van u. Als u hem genoeg betaalde, zou hij uw geheim bewaren. Toen hij uw echtgenoot dat briefje overhandigde, waarschuwde hij u eigenlijk. Hij kon elk moment alles onthullen wat hij wist.'

'U hebt het helemaal bij het juiste eind, meneer Holmes.'

'Bijna, nog niet helemaal. U moest McParland iets geven om hem zijn mond te laten houden, maar daar had u zelf geen middelen voor. Het was dus nodig de illusie van een inbraak te wekken. U kwam 's nachts naar beneden en leidde hem met een lamp naar het juiste raam. U opende dat raam van binnenuit en liet hem naar binnen klimmen. U opende de kluis met een sleutel die u in werkelijkheid nooit was kwijtgeraakt. En zelfs hier kon u een vleugje venijn niet onderdrukken. Naast het geld gaf u hem een ketting die van wijlen mevrouw Carstairs was geweest en waarvan u wist dat die voor uw echtgenoot een hoge gevoelswaarde had. Het lijkt me dat u geen kans voorbij kon laten gaan om hem te kwetsen, en dat u die enthousiast greep.

McParland beging één fout. Het geld dat u hem gaf – vijftig pond – was slechts een eerste betaling. Hij had meer gevraagd en was zo onverstandig u de naam van het pension te geven waar hij verbleef. Het is mogelijk dat de aanblik van u in alle opsmuk van een Engelse dame hem op het verkeerde been zette en dat hij het schepsel vergat dat u ooit geweest was. Uw echtgenoot bevond zich in de galerie in Albemarle Street. U koos het juiste moment, glipte het huis uit en klom door een achterraam de kamer van het pension in. U wachtte McParland op in zijn kamer en sloeg toen hij terugkwam van achteren toe, waarbij u hem in de nek stak. Ik vraag me trouwens af hoe u gekleed was.'

'Ik ging gekleed in mijn oude stijl. Een petticoat en crinoline zou een beetje omslachtig zijn geweest.'

'U legde McParland het zwijgen op en verwijderde alles wat op zijn identiteit wees. Alleen het sigarettenetui zag u over het hoofd. En nu hij uit de weg was geruimd, stond niets de rest van uw plan nog in de weg.'

'Is er nog meer?' zei Carstairs met krakende stem. Al het bloed was uit zijn gezicht getrokken en ik dacht dat hij elk moment flauw kon vallen.

'Inderdaad, meneer Carstairs.' Holmes wendde zich weer

tot de vrouw. 'Het kille huwelijk dat u voor uzelf had georganiseerd was slechts een middel om een doel te bereiken. Het
was uw bedoeling Edmunds familieleden één voor één te doden: zijn moeder, zijn zus en dan hij. Uiteindelijk zou u alles
erven wat van hem was geweest. Dit huis, het geld, de kunst...
het zou allemaal van u zijn. Het is moeilijk de haat voor te stellen die u gedreven moet hebben, het plezier waarmee u zich
van uw taak kweet.'

'Het was een genoegen, meneer Holmes. Ik heb er met volle
teugen van genoten.'

'Mijn moeder?' Carstairs stootte de twee woorden uit.

'De meest voor de hand liggende verklaring is de suggestie
die u eerder heeft gedaan, dat de gaskachel in haar kamer is
uitgegaan. Maar die verklaring bleek bij nader inzien niet te
kloppen. Uw bediende, Kirby, vertelde ons dat hij zichzelf de
schuld gaf voor de dood, aangezien hij elke scheur en spleet in
de kamer had gedicht. Uw moeder had een hekel aan tocht,
dus het was onmogelijk dat het vuur door tocht was uitgeblazen. Uw zus was echter tot een andere conclusie gekomen. Zij
geloofde dat mevrouw Carstairs zichzelf van het leven had beroofd, zo radeloos was ze over uw huwelijk. Maar hoezeer Eliza uw nieuwe vrouw ook verachtte en instinctief wist dat ze
een huichelaarster was, ook zij kwam niet achter de waarheid,
namelijk dat Catherine Carstairs de kamer binnen was gegaan
en de vlam bewust had uitgeblazen, waardoor de oude vrouw
om het leven was gekomen. Niemand mocht het namelijk
overleven. Als ze alle bezittingen wilde krijgen, moest iedereen sterven.'

'En Eliza?'

'Uw zus wordt langzaam vergiftigd.'

'Maar dat is onmogelijk, meneer Holmes. Ik heb u al verteld dat...'

'U vertelde me dat u alles wat ze at nauwkeurig heeft bekeken, en dat houdt wat mij betreft in dat ze op een andere manier wordt vergiftigd. Het antwoord, meneer Carstairs, is het bad. Uw zus staat erop regelmatig in bad te gaan en gebruikt badzout dat sterk naar lavendel geurt. Ik moet bekennen dat dit een ongewone manier is om gif toe te dienen, en het verbaast me eerlijk gezegd dat het zo effectief is, maar ik zou zeggen dat er regelmatig een kleine hoeveelheid akoniet aan het badzout is toegevoegd. Dat is door de huid bij juffrouw Carstairs binnengekomen, en ik stel me zo voor dat ze het vocht en de dampen ook heeft ingeademd. Akoniet is een uiterst giftige alkaloïde die oplosbaar is in water en uw zus meteen zou hebben gedood als er een hoge dosis was gebruikt. In plaats daarvan heeft u een langzame maar genadeloze achteruitgang waargenomen. Het is een opvallende en innovatieve manier om iemand te vermoorden, mevrouw Carstairs, en eentje die ongetwijfeld toegevoegd zal worden aan de annalen van de misdaad. Het was trouwens ook heel gewaagd van u om bij mijn collega langs te gaan terwijl ik gevangenzat, hoewel u natuurlijk deed alsof u daar niets van wist. Het overtuigde uw echtgenoot ongetwijfeld ook van uw toewijding aan uw schoonzus, terwijl u hen in werkelijkheid allebei uitlachte.'

'Ellendeling!' Carstairs draaide zich vol afschuw van haar weg. 'Hoe kon je? Hou zou íemand dit kunnen?'

'Meneer Holmes heeft gelijk, Edmund,' antwoordde zijn vrouw, en ik merkte dat haar stem was veranderd. Hij was scherper, het Ierse accent nu prominent. 'Ik zou jullie allemaal hebben omgebracht. Eerst je moeder, en daarna Eliza. En je hebt geen idee wat ik met jou van plan was!' Ze wendde zich tot Holmes. 'En nu, slimme meneer Holmes? Heeft u buiten een politieagent op wacht staan? Moet ik naar boven gaan en een paar spullen inpakken?'

'Er wacht inderdaad een politieagent, mevrouw Carstairs. Maar ik ben nog niet klaar.' Holmes hees zich overeind en ik zag een kilheid en een wraakzucht in zijn ogen die heviger waren dan ik ooit eerder had gezien. Hij was een rechter die op het punt stond een vonnis te vellen, een beul die het valluik opende. Er was een koele lucht de kamer binnengekomen. Een maand later zou Ridgeway Hall leegstaan, en heb ik te veel fantasie als ik opper dat iets van dat lot al werd rondgefluisterd, dat het huis dat op de een of andere manier al wist? 'De dood van de jongen, Ross, moet nog verklaard worden.'

Mevrouw Carstairs barstte in lachen uit. 'Ik weet niets over Ross,' zei ze. 'U bent heel pienter geweest, meneer Holmes, maar hier bent u niet tegen opgewassen.'

'Ik heb het niet langer tegen u, mevrouw Carstairs,' antwoordde Holmes, en hij richtte zich tot haar echtgenoot. 'Mijn onderzoek naar uw kwestie nam een onverwachte wending op de avond dat Ross werd vermoord, meneer Carstairs, en dat is geen begrip dat ik vaak gebruik, aangezien het mijn gewoonte is overal rekening mee te houden. Elke misdaad die ik ooit heb onderzocht heeft wat je een verhalende lijn zou kunnen noemen – het is de onzichtbare draad die mijn vriend, dokter Watson, altijd onfeilbaar heeft geïdentificeerd. Dat maakt hem zo'n uitstekend kroniekschrijver van mijn werk. Maar ik ben me ervan bewust dat ik deze keer ben afgeleid. Ik volgde één onderzoekslijn en die bracht me onverwacht en geheel toevallig bij een andere. Vanaf het moment dat ik bij Mrs Oldmore's Pension kwam, liet ik Boston en de Plattepettenbende achter me. In plaats daarvan ging ik een heel nieuwe richting in, eentje die uiteindelijk zou leiden tot de ontmaskering van het onaangenaamste misdrijf dat ik ooit heb meegemaakt.'

Carstairs deinsde achteruit toen hij dat hoorde. Zijn vrouw keek hem nieuwsgierig aan.

'Laten we teruggaan naar die avond, want u was natuurlijk bij me. Ik wist heel weinig over Ross, behalve dan dat hij tot de groep straatjongens behoort die ik liefkozend de hulptroepen van Baker Street noem en die me zo nu en dan helpen. Ze zijn me tot nut en ik beloon hen. Het leek een onschuldige regeling, tot nu toe tenminste. Ross bleef achter bij het pension terwijl zijn metgezel, Wiggins, mij kwam halen. We reden met zijn vieren – u, ik, Watson en Wiggins – naar Blackfriars. Ross zag ons. En ik merkte meteen dat de jongen doodsbang was. Hij vroeg wie we waren, wie u was. Watson probeerde hem gerust te stellen, en door dat te doen noemde hij uw naam en hij gaf de jongen uw adres. Ik vrees dat dat zijn doodvonnis was, maar geef jezelf daar niet de schuld van, Watson, het was net zozeer mijn vergissing.

Ik nam aan dat Ross bang was door wat hij bij het pension had gezien. Dat was een vanzelfsprekende aanname, want er bleek een moord te zijn gepleegd. Ik was ervan overtuigd dat hij de moordenaar moest hebben gezien, en om persoonlijke redenen had besloten zijn mond te houden. Maar ik vergiste me. Waar de jongen van schrok en wat hem bang maakte had daar niets mee te maken. Het was de aanblik van u, meneer Carstairs. Ross was vastbesloten erachter te komen wie u was en waar hij u kon vinden omdat hij u herkende. God mag weten wat u die jongen had aangedaan, en zelfs nu weiger ik daarover na te denken. Maar jullie hadden elkaar ontmoet in het Huis van Zijde.'

Opnieuw een vreselijke stilte.

'Wat is het Huis van Zijde?' vroeg Catherine Carstairs.

'Ik zal uw vraag niet beantwoorden, mevrouw Carstairs. Ik hoef me niet meer met u bezig te houden. Ik wil u alleen nog dit zeggen: uw hele plan, dit huwelijk van u, zou alleen gewerkt hebben met een bepaald soort man, een man die een vrouw wilde om zijn familie te vernederen, om zichzelf een zeker aanzien in de maatschappij te geven, niet om redenen als liefde of genegenheid. Zoals u het zelf zo tactvol uitdrukt:

310

u zag hem voor wat hij was. Ik vroeg me al af met wat voor soort man ik te maken had op de dag dat we elkaar leerden kennen, want ik vind het altijd interessant om een man te ontmoeten die me vertelt dat hij laat komt voor een opera van Wagner op een avond dat er in de hele stad geen Wagner wordt gespeeld.

Ross herkende u, meneer Carstairs. Het was het ergste wat er had kunnen gebeuren, want ik kan me voorstellen dat anonimiteit het devies was in het Huis van Zijde. U kwam 's avonds, u deed wat u moest doen en u vertrok weer. Ross was in dit alles het slachtoffer. Maar hij was ook oud voor zijn leeftijd en armoede en wanhoop hadden hem onherroepelijk tot misdaad gebracht. Hij had al een gouden zakhorloge van een van de mannen gestolen die het op hem voorzien hadden. Zodra hij van de schrik bekomen was u te zien, moet hij bedacht hebben dat hij nog veel meer kon krijgen. Dat was in elk geval wat hij zijn vriend, Wiggins, vertelde. Is hij de volgende dag bij u langsgekomen? Dreigde hij u te verraden als u hem geen fortuin betaalde? Of was u al naar Charles Fitzsimmons en zijn troep boeven gesneld en had u erop aangedrongen dat zij de situatie zouden afhandelen?'

'Ik heb helemaal niets van ze gevraagd,' mompelde Carstairs met een stem die moeite leek te hebben de woorden naar zijn lippen te brengen.

'U ging naar Fitzsimmons en vertelde hem dat u bedreigd werd. Op zijn instructies liet u Ross naar een bijeenkomst komen waar hij dacht betaald te worden om te zwijgen. Hij was vlak voordat Watson en ik in The Bag of Nails aankwamen naar die afspraak gegaan en tegen die tijd waren we te laat. Het was niet Fitzsimmons of uzelf die Ross aantrof. Het waren de twee schurken die zichzelf Henderson en Bratby noemden. En ze zorgden ervoor dat hij u niet meer lastig zou vallen.' Holmes zweeg even. 'Ross werd doodgemarteld voor zijn brutaliteit en

er werd een wit lint om zijn pols aangebracht als waarschuwing voor andere beklagenswaardige kinderen die misschien
dezelfde ideeën hadden. U mag er dan niet de opdracht voor
hebben gegeven, meneer Carstairs, maar ik wil dat u weet dat
ik u er persoonlijk verantwoordelijk voor houd. U hebt hem
misbruikt. U hebt hem gedood. U bent de laagste en meest
verachtelijke man die ik ooit heb ontmoet.'

Hij stond op.

'En nu ga ik weg uit dit huis, want ik wil hier geen moment
langer verblijven. Het lijkt me dat uw huwelijk in zekere zin
wellicht toch niet zo onbezonnen was als je zou denken. Jullie
zijn voor elkaar gemaakt. Welnu, er wachten buiten politie-
koetsen op u, hoewel ze u naar verschillende plekken zullen
brengen. Ben je klaar, Watson? We vinden de weg wel.'

Edmund en Catherine Carstairs zaten samen roerloos op
de sofa. Geen van beiden zei een woord, maar ik voelde hoe ze
ons met strakke blik nakeken toen we weggingen.

Nawoord

Het is met een bezwaard gemoed dat ik mijn taak afrond. Toen ik dit schreef, was het alsof ik het opnieuw meemaakte, en hoewel er enkele details zijn die ik zou willen vergeten, is het goed om mezelf terug te vinden aan de zijde van Holmes, en hem te volgen van Wimbledon naar Blackfriars, naar Hamworth Hill en Holloway, altijd één stap achter hem (in elk opzicht) en toch genietend van het zeldzame privilege de werking van die unieke hersens van dichtbij te observeren. Nu de laatste pagina dichterbij komt, ben ik me weer bewust van de kamer waarin ik me bevind, de aspidistra op de vensterbank, de kachel die altijd een beetje te warm is. Mijn hand doet pijn en alle herinneringen zitten aan de pagina's geprikt. Ik zou willen dat er meer te vertellen was, want als ik eenmaal klaar ben, ben ik weer alleen.

Ik mag niet klagen. Ik heb het gerieflijk hier. Zo nu en dan komen mijn dochters op bezoek en nemen dan mijn kleinkinderen mee. Een van hen is zelfs naar Sherlock vernoemd. Zijn moeder dacht dat ze een eer bewees aan mijn lange vriendschap, maar de jongen gebruikt de naam nooit. Nu ja, aan het einde van de week komen ze weer, en ik zal hun dit manuscript geven, met aanwijzingen om het veilig op te bergen, en dan zit mijn werk erop. Ik moet het alleen nog één laatste keer doorlezen en misschien de raad opvolgen van de verpleegster die me vanochtend verzorgd heeft.

'Bijna klaar, dokter Watson? Er moeten vast nog een paar losse eindjes opgelost worden. Zet de puntjes op de i en dan moet u het ons allemaal laten lezen. Ik heb het er met de andere meisjes over gehad en ze kunnen amper wachten!'

Er zijn nog een paar dingen aan toe te voegen.

Charles Fitzsimmons – ik zie af van het woord eerwaarde – had gelijk met wat hij op de laatste avond over het Huis van Zijde zei. Hij is nooit voor de rechtbank verschenen. Aan de andere kant werd hij ook niet vrijgelaten, zoals hij al te optimistisch had verwacht. Er vond kennelijk een ongeluk plaats in de gevangenis waar hij werd vastgehouden. Hij viel van een trap en werd aangetroffen met een schedelbreuk. Was hij geduwd? Dat klinkt heel aannemelijk, aangezien hij gepocht had dat hij een aantal belangrijke mensen kende, en tenzij ik hem verkeerd heb begrepen had waagde hij zelfs te suggereren dat hij connecties met de koninklijke familie had. Absurd, ik weet het, en toch herinner ik me Mycroft Holmes en zijn bijzondere bezoek aan ons huis. Door wat hij tegen ons zei en de manier waarop hij zich gedroeg was het duidelijk dat hij onder aanzienlijke druk was gezet… Maar nee, ik weiger de mogelijkheid zelfs maar te overwegen. Fitzsimmons loog. Hij probeerde zich belangrijker voor te doen dan hij was voordat hij gearresteerd en afgevoerd werd. Dat was het.

Laten we maar zeggen dat er in de regering mensen waren die wisten wat hij deed, maar die te bang waren om hem te ontmaskeren uit angst voor een schandaal, wat natuurlijk nog verergerd werd door fotografisch bewijsmateriaal – en in de weken erna volgde er inderdaad een reeks ontslagen op het hoogste niveau die het land zowel verbijsterden als verontrustten. Ik hoop echter ten zeerste dat Fitzsimmons niet vermoord is. Hij was zonder enige twijfel een monster, maar geen land kan het zich veroorloven de regel van de wet uit eigenbelang terzijde te schuiven. Dit lijkt me nog evidenter nu we in een oorlog verwikkeld zijn. Misschien was zijn dood slechts een ongeluk, hoewel het voor alle betrokkenen een gunstig ongeluk was.

Mevrouw Fitzsimmons verdween. Lestrade vertelde me dat ze na de dood van haar echtgenoot gek was geworden en overgeplaatst was naar een gesticht in het verre noorden. Dat was opnieuw een gunstig resultaat, want daar kon ze zeggen wat ze wilde en niemand zou haar geloven. Voor zover ik weet, is ze daar tot op de dag van vandaag.

Edmund Carstairs werd niet vervolgd. Hij verliet het land met zijn zus, die weliswaar herstelde, maar de rest van haar leven invalide bleef. De firma van Carstairs en Finch werd opgedoekt. Catherine Carstairs werd vervolgd onder haar geboortenaam, schuldig bevonden en veroordeeld tot levenslange gevangenisstraf. Ze had het geluk aan de galg te ontsnappen. Lord Ravenshaw ging met een revolver naar zijn studeerkamer en joeg zich een kogel door het hoofd. Er vonden misschien nog enkele zelfmoorden plaats, maar Lord Horace Blackwater en dokter Thomas Ackland wisten aan vervolging te ontkomen. Ik neem aan dat ik pragmatisch over dergelijke dingen moet zijn, maar het zit me nog steeds dwars, vooral na wat ze Sherlock Holmes probeerden aan te doen.

En dan was er natuurlijk nog de merkwaardige heer die me die avond had laten komen en me een eigenaardig avondmaal had geserveerd. Ik heb Holmes nooit over hem verteld en heb tot dit moment met geen woord over hem gerept. Sommigen vinden dat misschien vreemd, maar ik had mijn woord gegeven en ook al noemde hij zich een crimineel, als heer vond ik dat ik geen keuze had en me eraan moest houden. Ik ben er natuurlijk vrijwel zeker van dat mijn gastheer niemand minder dan professor James Moriarty was, die niet lang daarna zo'n belangrijke rol in ons leven zou gaan spelen, en het was een helse inspanning om te doen alsof ik hem nog nooit had ontmoet. Holmes sprak uitgebreid over hem voordat we op weg gingen naar de watervallen van Reichenbach, en toen al was ik er vrij zeker van dat het dezelfde man was. Ik heb vaak nagedacht over dit opmerkelijke aspect van Moriarty's karakter. Holmes sprak met afschuw over zijn boosaardigheid en het grote aantal misdaden waarbij hij betrokken was geweest, maar hij bewonderde hem ook om zijn intelligentie en ja, om zijn gevoel voor fair play. Tot op de dag van vandaag geloof ik dat Moriarty Holmes oprecht wilde helpen en hoopte dat het Huis van Zijde gesloten zou worden. Als crimineel had hij over het bestaan ervan gehoord, maar hij vond het ongepast om tegen de draad in te gaan en zelf maatregelen te nemen. Het Huis van Zijde stuitte hem echter tegen de borst en dus stuurde hij Holmes het witte lint en gaf hij mij de sleutel van zijn cel, in de hoop dat zijn vijand zijn werk voor hem zou doen. En dat is natuurlijk wat er gebeurde, hoewel Moriarty bij mijn beste weten nooit een bedankbriefje heeft gestuurd.

Ik zag Holmes niet tijdens de kerstdagen, want ik was thuis bij mijn vrouw, Mary. Haar gezondheid was nu een grote bron van zorg voor me. In januari verliet ze Londen echter om een paar dagen door te brengen bij vrienden en op haar aanraden keerde ik terug naar mijn oude huis om te zien hoe het Holmes na ons avontuur verging. In die periode vond er nog één voorval plaats dat ik nu te boek moet stellen.

Holmes was volledig vrijgesproken, en de notulen van de beschuldigingen die tegen hem waren geuit werden tenietgedaan. Hij was echter slecht op zijn gemak. Hij was rusteloos, prikkelbaar en aan zijn regelmatige blikken op de schoorsteenmantel (daarvoor had ik zijn deductievermogen niet nodig) zag ik dat hij in de verleiding werd gebracht door de vloeibare cocaïne, die zijn treurigste gewoonte was. Het zou geholpen hebben als hij aan een zaak werkte, maar dat was niet het geval. En zoals ik vaak heb gemerkt werd hij als hij niets deed, als zijn energie niet werd aangewend voor een onverklaarbaar mysterie, afwezig en vatbaar voor lange periodes van depressie. Deze keer merkte ik echter dat er meer aan de hand was. Hij had het niet over het Huis van Zijde of details daarvan gehad, maar toen hij op een ochtend de krant las, wees hij me op een kort artikel over de Chorley Grange Jongensschool die zojuist was gesloten.

'Dat is niet genoeg,' mompelde hij. Hij verfrommelde het papier met beide handen en legde het opzij. 'Arme Ross!' voegde hij er nog aan toe.

Hieruit, en uit andere aanwijzingen in zijn gedrag – zo zei hij dat hij de hulptroepen van Baker Street misschien niet meer zou inschakelen – maakte ik op dat hij zichzelf nog steeds deels de schuld gaf van de dood van de jongen, en dat de taferelen die we die avond in Hamworth Hill hadden gezien een onuitwisbare indruk op hem hadden gemaakt. Niemand kende het kwaad zo goed als Holmes, maar er zijn vormen van kwaad die je beter niet kunt kennen, en hij kon niet genieten van zijn successen zonder herinnerd te worden aan de duistere plekken waar die hem hadden gebracht. Ik begreep dat. Ik had zelf ook nachtmerries. Maar ik moest aan Mary denken, en ik had een dokterspraktijk waaraan ik leiding moest geven. Holmes zat gevangen in zijn eigen wereld en was gedwongen stil te staan bij dingen die hij liever zou vergeten.

Toen we op een avond gegeten hadden, kondigde hij opeens aan dat hij wegging. De sneeuw was niet teruggekeerd, maar januari was net zo ijskoud geweest als december, en hoewel ik opzag tegen deze late excursie, vroeg ik hem of hij wilde dat met hem meeging.

'Nee, nee, Watson. Dat is aardig van je, maar ik denk dat ik beter alleen kan gaan.'

'Maar waar ga je op dit late tijdstip dan heen, Holmes? Laten we weer bij het vuur gaan zitten en samen een whiskysoda drinken. Ik weet niet wat je zo nodig moet doen, maar het kan vast wel tot morgen wachten.'

'Watson, je bent de beste vriend die ik me kan wensen en ik ben me ervan bewust dat ik slecht gezelschap ben geweest. Ik moet even alleen zijn. Maar we zullen morgen samen ontbijten en ik weet zeker dat ik dan in een beter humeur ben.'

Dat deden we en dat was hij. We brachten een aangename ochtend door in het British Museum, waarna we het middagmaal nuttigden in Simpson's, en pas toen we terugkeerden zag ik in de krant een bericht over de grote brand in Hamworth Hill, een gebouw dat ooit eigendom was geweest van een liefdadigheidsschool. Het was tot de grond toe afgebrand, en kennelijk waren de vlammen tot zo hoog aan de nachthemel gekomen dat ze tot in Wembley zichtbaar waren. Ik zei er niets over tegen Holmes en stelde geen vragen. Ook zei ik niet dat zijn jas, die op zijn gebruikelijke plek hing, sterk naar as had geroken. Die avond bespeelde Holmes voor het eerst sinds enige tijd zijn Stradivarius. Ik luisterde met genoegen naar de verheffende melodie terwijl we aan weerszijden van de haard zaten.

Ik hoor haar nog steeds. Nu ik mijn pen neerleg en naar bed ga, ben ik me bewust van de strijkstok die over de kam ging en de muziek die de avondhemel in zweefde. Ze is ver weg en nauwelijks hoorbaar, maar – daar is ze! Een pizzicato. Vervolgens een tremolo. De stijl is onmiskenbaar. Het is Sherlock Holmes die speelt. Dat moet wel. Ik hoop dat hij voor mij speelt…

Woord van dank

Met dank aan Lee Jackson, die me uitvoerig heeft geholpen bij de research voor dit boek. Zijn uitstekende website, www.victorianlondon.org, is een fantastische (en gratis) bron van informatie voor iedereen die geïnteresseerd is in het victoriaanse tijdperk. Twee boeken die ik uiterst nuttig vond waren *London in the Nineteenth Century* van Jerry White en *A Brief History of Life in Victorian Britain* van Michael Paterson, hoewel ik ook veel geleend heb van schrijvers uit die tijd, onder wie George Gissing, Charles Dickens, Anthony Trollope, Arthur Morrison en Henry Mayhew. Verder ben ik dank verschuldigd aan de Sherlock Holmes Society, die (tot dusver) welwillend en behulpzaam is geweest, in het bijzonder dr. Marina Stajic, die zo goed was in het House of Commons haar kennis over forensische toxicologie met me te delen. Mijn agent, 'agent van het jaar' Robert Kirby, kwam met het idee om dit boek te schrijven, en bij Orion heeft Malcolm Edwards ongelooflijk veel geduld gehad en acht jaar gewacht tot ik het schreef. Ten slotte ben ik vooral schatplichtig aan het genie Sir Arthur Conan Doyle, die ik leerde kennen toen ik zestien was, en wiens buitengewone creatie een groot deel van mijn werk heeft geïnspireerd. Het was een genoegen om dit boek te schrijven en ik kan alleen maar hopen dat ik het origineel enig recht heb gedaan.

Inhoud